# EL ABC
## DE LAS
# Hierbas

# El ABC
## De Las
# Hierbas

Peter McHoy

Pamela Westland

**LIBSA**

A QUANTUM BOOK

© 2006, Editorial LIBSA
C/ San Rafael, 4
28108 Alcobendas. Madrid
Tel. (34) 91 657 25 80
Fax (34) 91 657 25 83
e-mail: libsa@libsa.es
www.libsa.es

© MCMXCIV, Quarto Publishing Ltd.

Título original: *The Herb Bible*

ISBN: 84-662-1403-8

Derechos exclusivos de edición para todos
los países de habla española.

Aᴠɪsᴏ ɪᴍᴘᴏʀᴛᴀɴᴛᴇ
*El ABC de las hierbas* se ha concebido como una introducción general al uso de estas
plantas. La información presentada en este libro no se considera global ni preceptiva, y los
consejos ofrecidos no se refieren a afecciones ni casos particulares. Toda persona es
susceptible de desarrollar una reacción alérgica en cualquier momento ante una sustancia
derivada de plantas, empleada para uso interno, como alimento o por automedicación, o tópico.
Algunas plantas pueden resultar tóxicas si se administran en grandes cantidades durante un
periodo prolongado. Otras pueden ocasionar efectos desagradables en situaciones
determinadas. Los autores y el editor no pueden responsabilizarse de las posibles reacciones
contraproducentes a las sustancias de plantas utilizadas de manera inapropiada. Esta obra no
constituye una guía destinada al autodiagnóstico ni tratamiento, por lo que se recomienda
consultar con un profesional antes de emplear un remedio herbario en caso de una enfermedad
crónica o cuando se esté ya sometido a un determinado tratamiento de medicina convencional.

# CONTENIDO

# INTRODUCCIÓN

La mayoría de nosotros tenemos una idea clara del significado de la palabra hierba, si bien nos resulta sumamente difícil definirla con exactitud. En términos generales, entendemos por hierba cualquier planta con propiedades útiles, que se puede emplear, por ejemplo, como tinte, medicamento o repelente contra insectos. En esta definición se engloban obviamente las plantas comestibles, lo que da pie a que en algunas guías de hierbas se incluyan frutos como el ruibarbo, la granada y la naranja, así como la achicoria y la cebolla de Gales, consideradas en unas ocasiones hierbas y en otras hortalizas.

Algunos expertos distinguen entre hierba y especia, argumentando que las hierbas son plantas anuales, perennes o bienales que pueden

*Philipsburg Manor, en el estado de Nueva York, se construyó a finales del siglo XVII. El jardín de hierbas contiguo presenta aún la misma imagen que el primer día, con todas las hierbas que serían de uso cotidiano por aquel entonces.*

*El palacio isabelino de Hatfield en el condado de Hertfordshire, Inglaterra, hace gala de un jardín geométrico con diseño del siglo XVII, dedicado en gran parte a las hierbas.*

*Diente de león (izquierda), una de las hierbas recomendadas por John Gerard.*

*La consuelda menor (derecha) constituía una planta silvestre de uso muy anterior a su incorporación al jardín de hierbas cultivadas.*

brotar por germinación de semillas y tienen utilidades culinarias o prácticas, mientras que las plantas leñosas y aquellas que no se reproducen por semillas serían especias. Éste parece ser un debate infructuoso, ya que, según esto, plantas como el laurel (*Laurus nobilis*) y la salvia se clasificarían como especias, cuando prácticamente todos los cocineros las consideran hierbas.

La decisión de dar a este libro un enfoque pragmático nos ha llevado a incluir en él las plantas con una aplicación culinaria, medicinal o práctica de presencia obligada en un jardín de hierbas tradicional, junto con otras de carácter silvestre que difícilmente tendrían cabida en un jardín, tales como la ortiga y la cola de caballo. Figuran plantas cuyo uso actual no es el original o cuyo cultivo a pequeña escala resulta poco práctico (no se puede extraer una cantidad estimable de aceite de un par de plantas de hierba del asno, ni cultivar glasto suficiente para producir bastante tinte como para que el esfuerzo merezca la pena). No obstante, ambos ejemplos se cuentan entre las plantas habituales del jardín de hierbas. El cultivo de hierbas destacadas por su importancia histórica otorga al jardín un toque de interés al tiempo que realza su aspecto ornamental.

LA HERENCIA DE LAS HIERBAS

Las plantas silvestres se han empleado en alimentación y medicina desde tiempos inmemoriales. El descubrimiento de sus usos culinarios y medicinales se ha debido en gran parte a la experimentación directa, sin duda con consecuencias desastrosas para quienes trataban con las especies venenosas. Al principio, sólo se utilizaban plantas

autóctonas y se desconocía el cultivo en jardines de especies importadas. Con el establecimiento de las rutas comerciales se empezó a difundir el uso de plantas importadas, propiciándose de este modo la propagación de conocimientos y vegetales entre civilizaciones y tierras diversas.

Es sabido que los hebreos empleaban hierbas para condimentar los alimentos ya en tiempos bíblicos, y que la mayoría de las hierbas culinarias más conocidas, como el romero, el tomillo y el orégano, se cultivaban en el antiguo Oriente Medio.

A pesar de la escasez de documentos primitivos sobre los usos medicinales de las plantas,

*Músicos del Antiguo Egipto con conos de ungüentos perfumados con hierbas (arriba).*

*Una ilustración de un herbario italiano del siglo XIV (abajo).*

existen testimonios de Babilonia datados del 2000 a.C. que describen la preparación y administración de hierbas medicinales. Los antiguos egipcios importaban aceites y especias de la India, entre otros lugares, para su utilización como medicamentos, cosméticos, perfumes, tintes y desinfectantes, así como para el refinado arte del embalsamamiento. Los griegos también eran grandes conocedores de las hierbas y sus aplicaciones. Hacia el año 400 a.C. los discípulos de Hipócrates, el Padre de la Medicina, se instruían en el uso de las hierbas como medio para aliviar el dolor y curar enfermedades. Ya en el siglo I d.C. el médico griego Dioscórides llevó a cabo una recopilación de 500 plantas con propiedades medicinales en su *De Materia Medica*.

También los romanos concedían gran valor al uso de las hierbas medicinales y, en su conquista por los territorios de Europa, difundieron el vasto conocimiento que poseían de las plantas y semillas actuales. Se calcula que la invasión romana introdujo en Gran Bretaña más de 200 hierbas.

Tras la caída del Imperio Romano, la fuente de sabiduría herbaria en Europa se concentró principalmente en manos de los monjes cristianos, quienes solían contar con un jardín medicinal

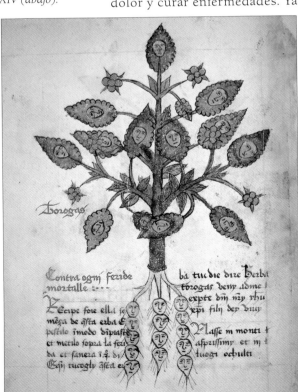

anexo a los monasterios. Durante la Edad Media, el saber y folclore en torno a las hierbas se fue extendiendo asimismo por las comunidades laicas, debiéndose su difusión en gran parte a la tradición oral.

Los herbarios, primeros tratados sobre plantas, recogían la experiencia acumulada durante siglos. En 1597 se publicó en Inglaterra *Herball* de John Gerard, que, pese a estar basado en una traducción de un texto anterior en latín, contenía numerosa información original. Le siguió la publicación en 1640 de *Theatrum Botanicum* de John Parkinson, obra exhaustiva que incluía alrededor de 3.800 plantas.

Ambos autores combinaban en sus estudios el saber tradicional y la investigación, manifestando en ocasiones cierta tendencia a dejarse llevar por la imaginación. Nicolas Culpeper ofrecía una visión aún más amplia en su herbario *The English Physician* (también titulado *The Complete Herbal*),

Frontispicio del Herball *de John Gerard, de 1597 (arriba).*

Plano del Chelsea Physic Garden *de Londres, de 1751 (izquierda).*

publicado hacia 1651, en el que exponía las teorías de la botánica astrológica y la Doctrina de las Señales, basada en la idea de que la forma y el aspecto de una planta indican sus usos medicinales. Sus obras obtuvieron un gran éxito y se convirtieron en la ortodoxia dominante de aquella época.

Tal es la importancia de estos volúmenes en la historia y desarrollo del cultivo de las hierbas que difícilmente se publica un libro sobre el tema en el que no se haga referencia a ellos.

Tras la era de los herbarios se adoptó una actitud más científica en el estudio de las hierbas. Hacia 1673, la Worshipful Society of Apothecaries (Ilustre Colegio de Farmacéuticos) fundó un jardín medicinal en Londres conocido como el Chelsea Physic Garden, con el objetivo de avanzar en la comprensión de la botánica de las plantas medicinales. Este hecho era indicio del enfoque más racional y científico, resultado del desarrollo del método científico, que había empezado a ejercer influencia en la medicina herbaria.

## EL NUEVO MUNDO

Los colonizadores del Nuevo Mundo llevaron consigo las obras de Gerard, Parkinson y Culpeper, junto con algunas de las hierbas que empleaban. Las plantas culinarias y medicinales habrían resultado de importancia capital para los colonos, con conocimientos escasos o nulos sobre las cualidades de la flora nativa. Sin embargo, pronto descubrieron que los indígenas también poseían una vasta experiencia con relación a las hierbas de su entorno. El intercambio de conocimientos botánicos entre los dos pueblos propició el desarrollo de la información

*Bergamota (arriba), usada por la tribu Oswego para obtener un sucedáneo del té.*

*Uno de los primeros grabados de los americanos nativos transportando los frutos recogidos en un viaje (derecha). Los exploradores europeos descubrieron que los indígenas tenían grandes conocimientos herbarios.*

referente a las plantas del nuevo continente, que fue recogida en general por los nuevos pobladores de aquellas tierras.

Los primeros testimonios escritos que ofrecen información relativa a la flora nativa del continente americano se deben a un médico indio mexicano llamado Juan Badianus, quien en 1552 escribió un manuscrito en latín donde describía las prácticas médicas de la época.

### DECADENCIA Y RESURGIMIENTO

Desde finales del siglo XVIII, el uso medicinal de las plantas llegó a ser suplantado como práctica convencional por la medicina alopática, aunque siempre se han tenido presentes sus aplicaciones culinarias. No obstante, en épocas más recientes se ha tomado mayor conciencia del valor práctico de las hierbas frescas, y hoy en día son pocos los que considerarían completo un jardín donde no hubiera algún macizo dedicado a ellas. Incluso en los jardines públicos resulta frecuente encontrar una pequeña selección de hierbas plantadas en tinas y jardineras.

*La cosecha india de la pimienta, de una ilustración del siglo XV.*

Actualmente la mayoría de las hierbas se cultivan por sus usos culinarios y decorativos, o bien para la producción de fragancias y cosméticos. Sin embargo, sus aplicaciones médicas aún desempeñan un papel vital junto a la medicina convencional. Por ejemplo, en experimentos clínicos se ha demostrado que ciertas hierbas usadas en la medicina china daban un porcentaje de éxitos superior en el tratamiento de eczemas al de los preparados más potentes de la industria farmacéutica.

No obstante, el uso de las hierbas medicinales debe constituir siempre una práctica dirigida por profesionales. Aunque es poco probable que las tisanas y las suaves preparaciones sugeridas en este libro ocasionen perjuicio alguno, *no es una guía médica*, y se desaconseja el autodiagnóstico de cualquier posible afección. No debe iniciarse el autotratamiento de una enfermedad grave sin consultar con un experto, ya sea un médico o un herborista experimentado.

Pese a la prudencia obligada en el uso medicinal de las hierbas, su experimentación en el arte culinario se permite con mayor entusiasmo. Cuanto más elevado es el grado de libertad y exotismo de nuestros viajes, más dispuestos nos mostramos la mayoría a descubrir los placeres de nuevas hierbas y especias y a atrevernos con nuevos sabores.

Aunque las hierbas se empleen principalmente en alimentación y medicina, se prestan a numerosas aplicaciones en perfumería, cosmética y en el hogar. En esta obra presentamos multitud de ideas creativas sobre el uso de las hierbas y, para los interesados en experimentar con ellas, una amplia variedad de técnicas decorativas de gran interés y utilidad que con el tiempo pueden llegar a integrarse en su estilo de vida.

*La medicina china hace uso extenso de los remedios herbarios, como muestra la imagen del escaparate de una farmacia china.*

# GUÍA DE

# HIERBAS

# CÓMO UTILIZAR ESTA GUÍA

En esta guía se incluyen todas las hierbas prácticas que cabría cultivar en un jardín utilitario, con indicaciones para obtener de ellas el máximo provecho. Se da también información acerca de los usos de cada planta en la guía resumida que figura en las tablas de las páginas 212-217. Las plantas están ordenadas alfabéticamente por el nombre botánico en latín. Si éste se desconoce, pueden consultarse en el índice bajo el nombre común.

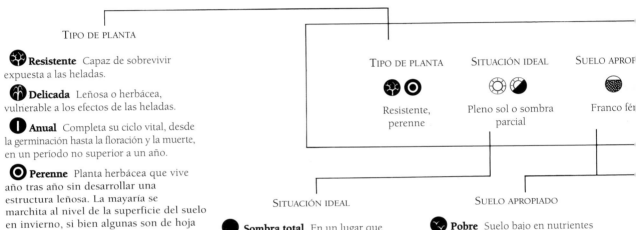

## TIPO DE PLANTA

**Resistente** Capaz de sobrevivir expuesta a las heladas.

**Delicada** Leñosa o herbácea, vulnerable a los efectos de las heladas.

**Anual** Completa su ciclo vital, desde la germinación hasta la floración y la muerte, en un período no superior a un año.

**Perenne** Planta herbácea que vive año tras año sin desarrollar una estructura leñosa. La mayaría se marchita al nivel de la superficie del suelo en invierno, si bien algunas son de hoja perenne.

**Bienal** Planta herbácea que completa su ciclo vital, desde la germinación hasta la floración y la muerte, en dos años.

**Subarbustiva** Planta de crecimiento bajo que desarrolla una base leñosa pero no alcanza la altura de un arbusto normal, o bien posee una base leñosa de la que crecen vástagos herbáceos delicados.

**Arbustiva** Planta perenne de ramas leñosas permanentes que se ramifican a partir de su base.

**Caduca** Planta perenne que produce un nuevo crecimiento de hojas al principio de cada temporada y las pierde al final de la misma.

**De hoja perenne** Planta perenne que mantiene vivo el follaje a lo largo de todo el año.

**Gramínea** Miembros de la familia de las gramináceas, con un tallo generalmente hueco y hojas envainadas. Los juncos presentan tallos sólidos.

## SITUACIÓN IDEAL

**Sombra total** En un lugar que reciba luz solar mínima o indirecta. Debe tenerse en cuenta la inconveniencia de elegir una situación demasiado oscura, y el hecho de que algunas plantas no crecen bien en suelos muy secos acompañados de sombra.

**Protegida** En un lugar totalmente resguardado de los efectos causados por las condiciones ambientales como las heladas o el viento. La protección puede darse por medio de muros, setos u otras plantas, o bien por el relieve del terreno.

**Sombra parcial** Tanto a la sombra moteada que proporciona un árbol de bóveda luminosa (como el abedul), como a la sombra de muros, edificios u otras plantas durante parte del día.

**Pleno sol** La planta se desarrolla bien a plena luz, y tolera el sol fuerte y el suelo seco que suele ir asociado a esta condición climática.

## SUELO APROPIADO

**Pobre** Suelo bajo en nutrientes principales, donde florecen mejor algunas plantas tales como la capuchina.

**Fértil** Suelo al que se le ha incorporado fertilizante si mostraba carencia de nutrientes.

**Mojado** Suelo poco drenado que retiene agua. Suele carecer de nutrientes y ser más frío que el suelo contiguo.

**Húmedo** Suelo que no se seca con rapidez; normalmente el que contiene gran cantidad de materia orgánica en descomposición. La humedad de ciertos suelos se debe a la situación de éstos y a un elevado nivel de agua freática.

**Bien drenado** Suelo que no llega a estar saturado. "Húmedo y bien drenado" significa que si bien el suelo nunca se seca en exceso, la humedad puede drenarse sin dificultad y las raíces de la planta no permanecen en tierra anegada.

Si no es posible encontrar una hierba determinada en la guía, probablemente se trate de una planta que puede resultar muy peligrosa si se utiliza con fines medicinales por personas no cualificadas. Por ejemplo, la dedalera o digital (que produce digitalina y digitoxina, potentes alcaloides empleados en dolencias cardiacas) y la adormidera son plantas decorativas que tal vez se deseen cultivar por sus aplicaciones ornamentales, no por sus propiedades terapéuticas. Otras plantas como la cola de caballo y la ortiga no están indicadas para su cultivo dentro de un jardín de hierbas.

Esta guía se ha diseñado de modo que constituya una fuente rápida de información sobre las características básicas de una hierba, las condiciones necesarias para su cultivo y sus principales usos. Incluso si se refiere a una hierba ya plantada en el jardín, servirá para abrir numerosas posibilidades desconocidas tal vez hasta el momento.

Para ofrecer la mayor cantidad de información posible se han resumido los datos claves de cada planta al final de las entradas principales, como muestra el cuadro central. La descripción de los términos permitirá sacar el máximo provecho de esta guía.

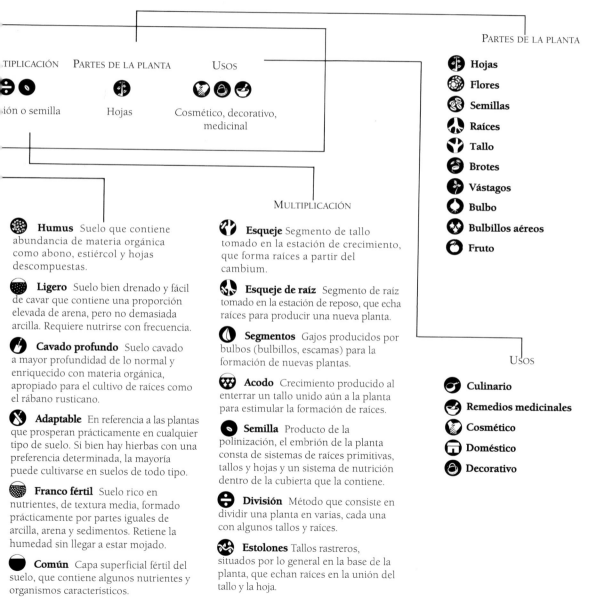

### PARTES DE LA PLANTA

- **Hojas**
- **Flores**
- **Semillas**
- **Raíces**
- **Tallo**
- **Brotes**
- **Vástagos**
- **Bulbo**
- **Bulbillos aéreos**
- **Fruto**

### MULTIPLICACIÓN  PARTES DE LA PLANTA  USOS
...ión o semilla   Hojas   Cosmético, decorativo, medicinal

### MULTIPLICACIÓN

**Esqueje** Segmento de tallo tomado en la estación de crecimiento, que forma raíces a partir del cambium.

**Esqueje de raíz** Segmento de raíz tomado en la estación de reposo, que echa raíces para producir una nueva planta.

**Segmentos** Gajos producidos por bulbos (bulbillos, escamas) para la formación de nuevas plantas.

**Acodo** Crecimiento producido al enterrar un tallo unido aún a la planta para estimular la formación de raíces.

**Semilla** Producto de la polinización, el embrión de la planta consta de sistemas de raíces primitivas, tallos y hojas y un sistema de nutrición dentro de la cubierta que la contiene.

**División** Método que consiste en dividir una planta en varias, cada una con algunos tallos y raíces.

**Estolones** Tallos rastreros, situados por lo general en la base de la planta, que echan raíces en la unión del tallo y la hoja.

**Humus** Suelo que contiene abundancia de materia orgánica como abono, estiércol y hojas descompuestas.

**Ligero** Suelo bien drenado y fácil de cavar que contiene una proporción elevada de arena, pero no demasiada arcilla. Requiere nutrirse con frecuencia.

**Cavado profundo** Suelo cavado a mayor profundidad de lo normal y enriquecido con materia orgánica, apropiado para el cultivo de raíces como el rábano rusticano.

**Adaptable** En referencia a las plantas que prosperan prácticamente en cualquier tipo de suelo. Si bien hay hierbas con una preferencia determinada, la mayoría puede cultivarse en suelos de todo tipo.

**Franco fértil** Suelo rico en nutrientes, de textura media, formado prácticamente por partes iguales de arcilla, arena y sedimentos. Retiene la humedad sin llegar a estar mojado.

**Común** Capa superficial fértil del suelo, que contiene algunos nutrientes y organismos característicos.

### USOS

- **Culinario**
- **Remedios medicinales**
- **Cosmético**
- **Doméstico**
- **Decorativo**

# *Achillea millefolium*

# MILENRAMA

El nombre de "milenrama" se aplica a varias aquileas, pero ésta es la más usada como hierba. Se trata de una planta común que crece al borde de los caminos de muchas regiones de Europa y América, resistente y de raíces rastreras que permiten su rápida extensión. Se desarrolla bien en casi todos los tipos de suelo y en lugares no demasiado sombríos, por lo que puede resultar una especie infestante en terrenos cubiertos de césped. Si éste es segado con regularidad la planta no supera los 5 cm de

*La milenrama silvestre es normalmente blanca, pero se recomienda cultivar una variedad de color como la 'Cerise Queen'.*

altura, aunque en condiciones de crecimiento normal alcanza los 60 cm.

El follaje de aspecto plumoso despide un agradable aroma al triturarlo. Las flores, pequeñas y blancas, se agrupan en cabezuelas planas y aparecen desde principios del verano hasta finales del otoño. Menos invasoras se muestran las variedades de color, como la 'Cerise Queen', de color rojo cereza, y otras no tan comunes de tonos rosas y amarillos, aquileas de gran vistosidad en arriates, si bien precisan cuidados constantes.

Aunque la especie pueda reproducirse por semillas, las variedades mencionadas se multiplican por esquejes o por división. Si se desea cultivar en un jardín de hierbas, quizás pueda trasplantarse de otro lugar del jardín donde crezca como una mala hierba.

| TIPO DE PLANTA | SITUACIÓN IDEAL | SUELO APROPIADO | MULTIPLICACIÓN | PARTES DE LA PLANTA | USOS |
|---|---|---|---|---|---|
|  |  |  |  |  |  |
| Resistente, perenne | Pleno sol o sombra parcial | Adaptable. Tolera suelos pobres y secos | Esquejes, división, semilla | Hojas, flores | Cosmético, decorativo, culinario, doméstico, medicinal |

## *Agrimonia eupatoria*

# AGRIMONIA

Esta modesta planta de delgadas espigas florales florece durante todo el verano. Todas las partes que la componen —flores, hojas vellosas e incluso la raíz— son ligeramente aromáticas, con un olor a albaricoques más tenue que el de la variedad similar pero menos común *A. odorata* (sinónimo de *A. repens*).

La agrimonia prospera en cualquier tipo de ambiente, llegando a tolerar lugares con sombra parcial y suelo seco. El hecho de que crezca normalmente al pie de setos y bordes de campos en Gran Bretaña y al sur de Europa ofrece indicios de su naturaleza adaptable.

Esta planta puede extenderse a través de un rizoma

*La agrimonia presenta un aspecto similar al de una mala hierba, por lo que conviene plantarla en una zona silvestre del jardín.*

rastrero, aunque por lo general desarrolla un solo tallo erguido que apenas se ramifica. Dado que su aspecto no justifica su cultivo en un lugar selecto, puede plantarse allí donde sus hábitos imprevisibles no arruinen la armonía de un jardín de hierbas formal y bien cuidado.

Pese a ser perenne tiende a comportarse como una planta de vida corta, de modo que conviene cultivar ejemplares de sobra. Se vende en viveros y centros de jardinería, aunque la hierba se reproduce por semillas con facilidad.

| TIPO DE PLANTA | SITUACIÓN IDEAL | SUELO APROPIADO | MULTIPLICACIÓN | PARTES DE LA PLANTA | USOS |
|---|---|---|---|---|---|
|  |  |  |  |  |  |
| Resistente, perenne | Pleno sol o sombra parcial | Adaptable, pero bien drenado | Esquejes o semilla | Hojas | Doméstico, cosmético, medicinal |

# *Alchemilla vulgaris*
# ALQUIMILA

De aspecto semejante a *A. mollis*, cultivada con profusión y tan apreciada por jardineros y cuidadores florales, esta especie presenta pequeñas flores amarillo-verdosas agrupadas en racimos vellosos sobre hojas de pliegues profundos que recogen el rocío y las gotas de agua. La primera floración tiene lugar con la llegada del verano pero puede prolongarse hasta principios del otoño. La alquimila, una de las hierbas más bellas para cultivar, puede formar una bordura espumosa en cualquier arriate o jardín de hierbas formal, y plantada junto con hierba gatera y lavanda, sirve para dar vida a un espacio lleno de color. Esta planta de fácil desarrollo crece de 23 a 30 cm aproximadamente, aunque en condiciones favorables alcanza 45 cm.

Si bien la alquimila se clasifica en los catálogos bajo el nombre de *A. vulgaris*, algunos botánicos se refieren a ella como *A. xanthochlora*. Se trata de una especie cultivada tradicionalmente por su uso en medicina, aunque algunos cultivadores emplean *A. mollis* de la misma forma. Si ésta última ya está plantada en el jardín y simplemente se desea cultivar en el jardín de hierbas por sus cualidades decorativas, se encontrarán plántulas de diseminación espontánea con toda probabilidad en el arriate herbáceo o entre la zona pavimentada para poder trasplantarlas.

| TIPO DE PLANTA | SITUACIÓN IDEAL | SUELO APROPIADO | MULTIPLICACIÓN | PARTES DE LA PLANTA | USOS |
|---|---|---|---|---|---|
|  |  |  |  |  |  |
| Resistente, perenne | Pleno sol o sombra parcial | Franco fértil | División o semilla | Hojas | Cosmético, decorativo, medicinal |

## *Allium cepa proliferum*

# CEBOLLA EGIPCIA

Esta planta produce bulbos que crecen tanto en el extremo de los tallos como en la base. De los tallos floríferos, que alcanzan 90 cm de altura, nacen florecillas blancas seguidas de pequeños bulbos arracimados de los que brotan hojas. Ambos tipos de bulbos se usan como cebollas para aderezar sopas, emparedados y ensaladas. Si sólo se precisa una cantidad mínima, se recomienda emplear los bulbillos aéreos de modo que los bulbos subterráneos formen una mata grande, especialmente si la planta se cultiva en un arriate. Dado el reducido tamaño de los bulbos en comparación con una cebolla, conviene considerarlos como una variedad en lugar de un sustituto de aquélla.

Esta hierba culinaria se caracteriza por su resistencia y su facilidad para multiplicarse, sobre todo a partir de los bulbillos que se forman en los tallos largos y huecos. Al realizar la recolección es recomendable reservar unos bulbos para replantarlos como chalotes.

*La cebolla egipcia es una planta de desarrollo ordenado y regular, objeto de admiración cuando aparecen los bulbos aéreos.*

| TIPO DE PLANTA | SITUACIÓN IDEAL | SUELO APROPIADO | MULTIPLICACIÓN | PARTES DE LA PLANTA | USOS |
|---|---|---|---|---|---|
|  | |  |  |  |  |
| Resistente, perenne | Pleno sol | Franco fértil | Bulbos, bulbillos aéreos | Hojas, bulbos, bulbillos aéreos | Culinario |

## *Allium fistulosum*

# CEBOLLA DE GALES

La cebolla de Gales es una planta que forma una mata compacta de crecimiento regular sin derivar en invasor. Las cabezuelas florales blancas en forma de baqueta se desarrollan sobre tallos huecos de unos 45 a 75 cm de altura y, seguidamente, brotan hojas nuevas en torno a la base de la planta. Aunque no tan atractivas como las flores del cebollino, la cebolla de Gales presenta flores que destacan lo suficiente como para justificar su presencia en un arriate y, dada su capacidad para crecer en macollas, resulta indicada para la formación de borduras altas en un arriate de verduras.

Pese a su tamaño reducido los bulbos pueden emplearse

*La cebolla de Gales crece en matas ordenadas, siendo apropiada para la formación de vistosas borduras en huertas y jardines de hierbas.*

como cebollas y las hojas jóvenes finamente picadas sirven de aderezo, con un aroma a cebolla similar al del cebollino.

Una vez establecida una mata de cebollas de Gales, las plántulas de diseminación espontánea proporcionarán un número considerable de nuevas plantas sin llegar nunca a ser excesivo. Las macollas se prestan además a la división, un sencillo método de multiplicación en primavera.

| TIPO DE PLANTA | SITUACIÓN IDEAL | SUELO APROPIADO | MULTIPLICACIÓN | PARTES DE LA PLANTA | USOS |
|---|---|---|---|---|---|
|  |  |  |  |  |  |
| Resistente, perenne | Pleno sol o sombra parcial | Franco fértil, preferentemente húmedo | División o semilla | Hojas, bulbos | Culinario |

# *Allium sativum*

# AJO

Conocido en todo el mundo por su sabor y olor, el ajo constituye una de las hierbas culinarias más utilizadas en la cocina de numerosos países. Las hojas, planas y de color gris verdoso, miden unos 2,5 cm de ancho y 30 cm de largo. Los pedúnculos cimbreantes, terminados en umbela de flores blanco malva, llegan a superar 60 cm de altura.

El gusto por el ajo convierte esta hierba en apreciable objeto de cultivo. Los "dientes" son bulbillos cubiertos de una piel fina, agrupados en un bulbo compacto y rodeados por una película blanca consistente que los mantiene unidos.

Los bulbillos se plantan a principios del verano, en surcos de 2,5 cm de profundidad con una separación de 15 a 20 cm. Si con la siembra de primavera no se obtienen buenos resultados, porque se forman bulbos compactos sin separación entre dientes, puede intentarse de nuevo a finales del otoño. Otra solución sería plantar los bulbos en primavera tras haberlos guardado en el frigorífico (no en el congelador) una semana antes con el fin de someterlos a un período de frío previo a la siembra. En lugares con veranos de bajas temperaturas, grises y húmedos, los resultados pueden ser decepcionantes pero suelen mejorar si la siembra se realiza con la llegada del otoño. El ajo responde bien al enriquecimiento del suelo, de modo que conviene aplicar un fertilizante de jardinería si la planta muestra signos de empobrecimiento.

| TIPO DE PLANTA | SITUACIÓN IDEAL | SUELO APROPIADO | MULTIPLICACIÓN | PARTES DE LA PLANTA | USOS |
|---|---|---|---|---|---|
|  |  |  |  |  | |
| Resistente, perenne | Pleno sol | Franco fértil | Segmentos de bulbo o "dientes" | Bulbo | Cosmético, culinario, medicinal |

# *Allium schoenoprasum*
# CEBOLLINO

Dada su gran versatilidad, el cebollino puede cultivarse en cualquier rincón del jardín. Crece en matas compactas de hojas lineares hasta una altura de 30 cm, cubierto de flores rosas o violetas que aparecen al inicio del verano. Una mata de cebollino reviste tanta belleza como el clavel de mar (*Armeria maritima*), con el que guarda cierto parecido, y sirve de excelente bordura en arriates o macizos de flores. También puede plantarse en tiestos y jardineras, e incluso en interiores junto a una ventana con luz.

Si se desea cultivar cebollino principalmente por su uso culinario, deben eliminarse las flores para impedir que las plantas pierdan vitalidad. Las hojas jóvenes se recogen arrancándolas desde la base con los dedos para evitar que las puntas se ennegrezcan quedando a la vista deslucidos bordes amarronados. Si se protegen las plantas bajo

*El cebollino puede formar una hermosa bordura, acorde con la vistosidad de un jardín de flores.*

campanas de cristal en primavera y otoño, el período de recolección puede prolongarse alrededor de nueve meses.

Dado que incluso las hojas jóvenes se cosechan para emplearlas como aderezo con sabor a cebolla, puede intentarse el cultivo por semillas de algunas plantas junto a una ventana con luz, sembradas tal vez en un tarro de cristal para conseguir un efecto más sugerente, o bien en semilleros para trasplantar posteriormente a tiestos.

| TIPO DE PLANTA | SITUACIÓN IDEAL | SUELO APROPIADO | MULTIPLICACIÓN | PARTES DE LA PLANTA | USOS |
|---|---|---|---|---|---|
|  |  |  |  |  |  |
| Resistente, perenne | Pleno sol o sombra parcial | Fértil, húmedo pero bien drenado | División o semilla | Hojas | Cosmético, culinario |

*Allium tuberosum*

# CEBOLLINO CHINO

El cebollino chino es una planta vigorosa que forma matas verticales de unos 60 cm de altura. Las cabezas florales blancas y estrelladas que aparecen en verano sorprenden por su aroma dulce, que contrasta con el fuerte olor a ajo de las hojas y los bulbos. Por su altura y por la belleza de sus flores esta planta tiene un lugar reservado en arriates y jardines de hierbas, y su formación en macollas propicia la división.

De sabor no tan fuerte ni picante como el verdadero ajo, se trata de una hierba muy práctica para quienes prefieren un sabor más suave.

*Si el ajo se considera difícil de cultivar o su sabor demasiado fuerte, el cebollino chino puede resultar un sustituto ideal.*

| TIPO DE PLANTA | SITUACIÓN IDEAL | SUELO APROPIADO | MULTIPLICACIÓN | PARTES DE LA PLANTA | USOS |
|---|---|---|---|---|---|
|   |  |  |  |  |  |
| Resistente, perenne | Pleno sol o sombra parcial | Fértil, húmedo pero bien drenado | División o semilla | Hojas | Cosmético, culinario |

## *Aloysia triphylla*

# HIERBA LUISA

La hierba luisa, al igual que otras plantas, recibe más de una denominación y puede venderse también como *Lippia citriodora*. Pero, independientemente de su nombre, se trata de una hierba con características excelentes para su cultivo. Las flores de color púrpura pálido que aparecen arracimadas a lo largo de los tallos a finales del verano carecen de vistosidad, pero el mayor atractivo de la planta se encuentra en sus hojas, por el fuerte olor a limón que desprenden al triturarlas. Al atardecer se intensifica el aroma del follaje.

Para su desarrollo requiere lugares cálidos y resguardados ya que no resiste las heladas y necesita protección contra el frío salvo en climas templados. Como medida de precaución conviene tomar esquejes a menos que se decida plantar la hierba en un recipiente y guardarla todo el invierno en un invernadero. En ambientes lo suficientemente templados para garantizar su supervivencia en el exterior, la hierba luisa crece formando un arbusto denso de 1,5 m de alto y otros tanto de ancho, dimensiones que se ven reducidas al cultivar la planta en un recipiente.

Es necesario podar las ramas secas a mediados de la primavera y cortar los tallos principales a unos 30 cm del suelo para que el arbusto mantenga su aspecto compacto.

Aunque puede reproducirse por semillas, resulta más sencillo tomar esquejes tiernos a finales del verano para cultivarlos bajo una campana de vidrio en invierno.

| TIPO DE PLANTA | SITUACIÓN IDEAL | SUELO APROPIADO | MULTIPLICACIÓN | PARTES DE LA PLANTA | USOS |
|---|---|---|---|---|---|
|  |  |  |  |  |  |
| Delicada, caduca, arbustiva | Pleno sol o sombra parcial | Franco fértil | Esquejes o semilla | Hojas | Cosmético, culinario, medicinal, doméstico |

# *Althaea officinalis*
# MALVAVISCO

Antiguamente el dulce de malvavisco se elaboraba con el mucílago obtenido de los tallos, hojas y en particular raíces, aunque hoy en día se emplean sucedáneos para ser comercializados. Aun así la hierba ofrece otros usos y, dada la belleza de esta planta perenne, su inclusión en el jardín apenas necesita justificación. Las flores rosáceas o a veces blancas en forma de platillo aparecen a finales del verano con el encanto propio de las flores de jardines rurales, y en condiciones propicias la planta crece densamente formando un arbusto de 1,2 m de alto.

El malvavisco puede resultar demasiado alto y disperso en un jardín de hierbas geométrico, resultando su cultivo idóneo en una zona húmeda de un jardín informal con plantas de arriate o frente a arbustos.

Crece de manera espontánea en zonas pantanosas,

*Aunque es poco probable que se cultive malvavisco suficiente para elaborar dulce, se trata de una planta de belleza sobrada para su disfrute como hierba ornamental.*

especialmente próximas al mar. De desarrollo insatisfactorio en suelos cálidos y secos preferidos por la mayoría de las hierbas, el malvavisco necesita riego abundante en climas secos a menos que se trate de un suelo húmedo por naturaleza.

Se multiplica con facilidad por división a nivel de raíz de las plantas grandes en otoño, aunque también puede reproducirse por la siembra de semillas en primavera.

| TIPO DE PLANTA | SITUACIÓN IDEAL | SUELO APROPIADO | MULTIPLICACIÓN | PARTES DE LA PLANTA | USOS |
|---|---|---|---|---|---|
|  |  |  |  |  |  |
| Resistente, perenne | Sol o sombra parcial | Húmedo | División o semilla | Hojas, raíces, tallos | Cosmético, culinario, medicinal |

*Anethum graveolens*

# ENELDO

El eneldo es una hierba anual aromática de cultivo rápido y sencillo. Con hojas pinnadas azul verdosas y racimos estrellados de flores verde amarillento que aparecen a mediados del verano, se asemeja a una versión reducida del hinojo (con el que se produce polinización cruzada si se planta demasiado cerca).

El follaje, finamente dividido, resulta atractivo en arriates, pero conviene elegir un lugar abrigado pues los vientos fuertes podrían llegar a tumbar las plantas. Dado que las semillas maduran en la planta, se multiplican con suma facilidad y las plántulas de diseminación espontánea pueden convertirse en un problema. Por ello tal vez sea más conveniente cultivar el eneldo en un rincón determinado del jardín de hierbas que disponerlo en un arriate.

*Por su vistosidad el eneldo es indicado para cultivarse en arriates, pero las plántulas de diseminación espontánea pueden ser un problema.*

Las semillas se siembran generalmente en primavera, si bien en climas templados la siembra de otoño produce plantas tempranas. La renovación de las hojas jóvenes se obtiene mediante siembra regular cada dos o tres semanas a principios y mediados del verano. Los plantones no se trasplantan bien y responden con una floración prematura, de modo que deben sembrarse en su lugar definitivo.

| TIPO DE PLANTA | SITUACIÓN IDEAL | SUELO APROPIADO | MULTIPLICACIÓN | PARTES DE LA PLANTA | USOS |
|---|---|---|---|---|---|
|   |  |  |  |  |   |
| Resistente, perenne | Pleno sol, protegido | Ligero, bien drenado | Semilla | Hojas, semillas | Decorativo, culinario, medicinal |

# *Angelica archangelica*
# ANGÉLICA

La angélica sirve de atractivo foco en el jardín de hierbas propiamente dicho o para formar un conjunto de fondo en arriates. En el segundo año esta planta bienal adquiere dimensiones descomunales, con hojas verdes brillantes de 60 cm coronadas a mediados y finales del verano por grandes cabezuelas florales de color verde amarillento sobre tallos de 1,8 m de altura aproximadamente; todas las partes de esta hierba son aromáticas al tacto.

Por su gran porte sólo dos o tres ejemplares pueden tener cabida en un jardín de hierbas a menos que se cuente con gran cantidad de espacio. La inusitada altura de la angélica constituye un rasgo llamativo, incluso en una zona silvestre del jardín.

Aun tratándose de una planta bienal, su crecimiento puede prolongarse un tercer año si se podan los tallos con signos de floración.

Cada año se siembran unas pocas semillas con el fin de garantizar en todo momento la renovación de las plantas. Sin embargo, la semilla pierde enseguida viabilidad y para asegurarse de que germine debidamente conviene reservar unas pocas y sembrarlas en el plazo de dos semanas, si es posible. Si la germinación resulta problemática, se pueden adquirir plantas pequeñas en primavera. Una vez que la angélica haya enraizado, debería bastar con las plántulas de diseminación espontánea para garantizar la renovación sucesiva de las plantas sin requerir demasiado esfuerzo.

| TIPO DE PLANTA | SITUACIÓN IDEAL | SUELO APROPIADO | MULTIPLICACIÓN | PARTES DE LA PLANTA | USOS |
|---|---|---|---|---|---|
|  |  |  |  |  |  |
| Bienal | Sombra parcial | Húmedo, fértil | Semilla | Hojas, raíces, semillas, tallos | Culinario, medicinal |

## *Anthemis nobilis*

# MANZANILLA ROMANA

El nombre botánico correcto de la manzanilla romana es *Chamaemelum nobile* aunque en los viveros de hierbas se vende normalmente como anthemis. Varias plantas emparentadas con ella se denominan en ocasiones manzanilla, por lo que deben comprobarse las descripciones y nombres correspondientes antes de su compra.

La hierba aquí ilustrada constituye la especie de mayor cultivo y se caracteriza por las florecillas blancas en forma de margarita con centros amarillos que destacan entre las hojas pinnadas. La planta se extiende con suma facilidad y rara vez supera 30 cm de altura. Puede utilizarse para paseos en jardines de hierbas dado su uso extendido como substituto del césped. En tal caso se emplea una variedad sin floración llamada 'Treneague', indicada para cubrir el suelo pero no apta como hierba, puesto que es en las flores donde se concentran sus propiedades beneficiosas.

La manzanilla resulta ideal plantada en un tupido grupo para cubrir el suelo, pues por separado puede confundirse con una mala hierba. En cualquier caso, se reproduce fácilmente por diseminación espontánea.

*La manzanilla se utiliza ocasionalmente como substituto del césped. En el jardín de hierbas se extiende formando una alfombra verde de gran vistosidad.*

| TIPO DE PLANTA | SITUACIÓN IDEAL | SUELO APROPIADO | MULTIPLICACIÓN | PARTES DE LA PLANTA | USOS |
|---|---|---|---|---|---|
|  |  |  |  |  |   |
| Resistente, perenne | Pleno sol o sombra parcial | Adaptable, se desarrolla bien en suelos pobres | División o semilla | Flores | Decorativo, cosmético, doméstico, medicinal |

# *Anthriscus cerefolium*
# PERIFOLLO

*El perifollo es una hierba agradable de aspecto frondoso que germina rápidamente a partir de una diseminación espontánea.*

El perifollo se asemeja al perejil, con hojas divididas verdes brillantes y una altura aproximada de 30 cm, aunque tiene un aroma muy distinto, con un toque anisado. Constituye uno de los ingredientes tradicionales de las *fines herbes*, indispensables en la cocina francesa, y se cultiva en abundancia ya que puede emplearse con profusión.

Su cultivo es ideal en tinas, bandejas, macetas grandes y jardineras, aunque necesita riego continuo para evitar que las plantas granen prematuramente. Por ello esta planta de aspecto delicado prefiere lugares con sombra y humedad, pues en situaciones de calor o frío extremo se deteriora y forma semillas con rapidez.

Se siembra en hileras cortas cada dos o tres semanas en primavera y verano para la renovación de las hojas jóvenes. En climas templados o si las plantas están protegidas bajo campanas de cristal, se puede intentar la siembra de algunas semillas en otoño. Las plantas deben sembrarse en asiento, ya que la fragilidad de los plantones impide su trasplante, y aclararse a unos 10 cm cuando sean lo bastante grandes para manejarlas con facilidad.

Para no tener que sembrar cada año, cabe dejar las florecillas blancas de unas cuantas plantas por hilera para que produzcan semillas, de forma que la diseminación espontánea garantice la presencia de nuevas plantas en el arriate.

| TIPO DE PLANTA | SITUACIÓN IDEAL | SUELO APROPIADO | MULTIPLICACIÓN | PARTES DE LA PLANTA | USOS |
|---|---|---|---|---|---|
|  |  |  |  |  |  |
| Resistente, anual | Sombra parcial | Fértil, húmedo | Semilla | Hojas | Cosmético, culinario, medicinal |

# Artemisia abrotanum
# ABRÓTANO

*Se recomienda plantar el abrótano en un lugar que propicie el roce con su follaje arómatico.*

El abrótano recibe numerosos nombres comunes en distintos idiomas, indicando todos ellos su valor como hierba tradicional. Algunos guardan una relación obvia, como el término francés *garde-robe*, en referencia a su empleo para ahuyentar las polillas; no es tan evidente en otros casos, como ocurre con uno de sus nombres en inglés, *"maiden's ruin"* (derivado de la antigua costumbre de utilizarlo en las pócimas amorosas).

Las hojas de color verde claro, aromáticas y sedosas al tacto, desprenden un intenso aroma a alcanfor al rozarlas con la mano. Se trata de un arbusto compacto de unos 90 cm de altura y 60 cm de extensión. Su decorativo follaje de aspecto plumoso, coronado a veces por pequeñas flores amarillas a finales del verano, lo convierten en una planta excelente para el jardín doméstico en arriates herbáceos o incluso en tinas.

Pese a su resistencia en la mayoría de los ambientes salvo en climas muy fríos, suele deteriorarse en invierno, sobre todo si está expuesto a vientos gélidos. La planta dañada debe dejarse intacta a modo de protección y recortarse hasta 45 cm a finales de la primavera para estimular el desarrollo de los nuevos vástagos y mantener la forma compacta del arbusto.

Se multiplica por esquejes tiernos de nuevo crecimiento a principios del verano o por esquejes leñosos de talón en otoño.

| TIPO DE PLANTA | SITUACIÓN IDEAL | SUELO APROPIADO | MULTIPLICACIÓN | PARTES DE LA PLANTA | USOS |
|---|---|---|---|---|---|
|  |  |  |  |  | |
| Arbusto (resistente salvo en climas fríos) | Pleno sol, protegida | Común pero bien drenado | Esquejes, acodos | Hojas | Cosmético, culinario, medicinal, doméstico |

# *Artemisia absinthium*

# AJENJO

Como la mayoría de las artemisas, el ajenjo es una atractiva planta de follaje sumamente aromático, muy adecuada en arriates mixtos y de arbustos así como en el jardín de hierbas. Se trata de un subarbusto de 1 a 1,2 m de altura cubierto de un delicado follaje finamente dividido, con hojas plateadas que al madurar se vuelven verde pálido, exceptuando la variedad 'Lambrook Silver', que conserva siempre su atractivo color plateado. A mediados del verano aparecen flores verdes amarillentas de aspecto insignificante comparadas con el follaje.

Pese a su adaptabilidad a muchas regiones, es vulnerable a las bajas temperaturas; por ello, en lugares con inviernos muy fríos es preciso cultivarlo en tinas que puedan llevarse a un invernadero para proporcionarles protección. Incluso en climas favorables conviene resguardar la planta durante

*El ajenjo requiere una poda anual para mejorar el aspecto del follaje.*

un crudo invierno.

Las plantas tienden a alargarse y adelgazarse a no ser que se poden en primavera. Dicha operación debe realizarse sin titubeos hasta unos 15 cm sobre el nivel del suelo. De este modo, las ramas nuevas revitalizarán en poco tiempo la imagen de la planta.

El ajenjo se reproduce por semillas, aunque se multiplica con mayor rapidez mediante esquejes o por división. Con este último método se estimula además el crecimiento vigoroso de la planta.

| TIPO DE PLANTA | SITUACIÓN IDEAL | SUELO APROPIADO | MULTIPLICACIÓN | PARTES DE LA PLANTA | USOS |
|---|---|---|---|---|---|
|  |  |  |  |  |  |
| Subarbusto | Pleno sol | Común, bien drenado | Esquejes, división, semilla | Hojas | Medicinal |

# *Artemisia dracunculus*
# ESTRAGÓN

*El estragón es muy apreciado como hierba culinaria pero carece de valor ornamental.*

El estragón es una de las hierbas culinarias más solicitadas, pero hay que prestar atención al comprarlo, por la confusión existente entre el estragón francés, de refinado aroma, y el ruso, (*A. dracunculoides*), de calidad muy inferior. Aunque parecen similares a primera vista, las hojas del estragón francés son alargadas, estrechas y cimbreantes, mientras que el estragón ruso presenta hojas más grandes, bastas y de bordes más dentados. Antes de comprar una hierba conviene masticar una hoja: la variedad francesa se distingue por su característico sabor anisado, ausente en el tipo ruso, de sabor amargo.

El estragón francés crece formando un arbusto denso de 60 a 90 cm de altura y unos 45 cm de extensión. Se trata de una planta generalmente estéril, razón por la cual necesita reproducirse mediante esquejes o por división (el estragón ruso se multiplica con frecuencia por siembra). Conviene pinzar los brotes floríferos que puedan aparecer para estimular el crecimiento del follaje.

Los inviernos fríos y húmedos suponen un problema dado que el estragón se desarrolla mejor en lugares soleados y cálidos propios de climas templados. La planta se prepara para el invierno podando la parte superior a principios del otoño y cubriendo el suelo con helecho seco, paja, brotes de coníferas o una tela de plástico. También es posible poner en tiestos algunas partes pequeñas de la planta o tomar esquejes para cultivarlos en un invernadero luminoso resguardados de las heladas hasta que remitan definitivamente las bajas temperaturas.

Si se traslada una planta a una cajonera fría para el invierno, es probable que pueda disponerse de estragón fresco durante unos meses más.

| TIPO DE PLANTA | SITUACIÓN IDEAL | SUELO APROPIADO | MULTIPLICACIÓN | PARTES DE LA PLANTA | USOS |
|---|---|---|---|---|---|
|  |  |  |  |  |  |
| Resistente, perenne | Pleno sol o sombra parcial | Común, bien drenado | Esquejes, división | Hojas | Culinario |

# *Artemisia vulgaris*

# ARTEMISA

Pese a carecer de atractivo, la artemisa es una hierba útil como condimento que se cultiva con facilidad. Se trata de una herbácea perenne con tallos purpúreos de 1 a 1,5 m. Las hojas ligeramente divididas aparecen con frecuencia enrolladas por los bordes y blancas en el envés, de textura similar al fieltro. Las flores de color marrón amarillento, que apenas sobresalen de su protección escamosa, nacen entre mediados del verano y principios del otoño.

La planta crece fácilmente en semilleros al aire libre en primavera o verano. Las semillas pueden comprarse a especialistas en flores silvestres o, si es difícil adquirirlas, también cabe recogerlas del campo, pues la artemisa crece a modo de mala hierba en gran parte del hemisferio norte, como en América del Norte y Asia Central. En viveros especializados en hierbas pueden encontrarse variedades embellecidas como plantas, incluida una forma de hojas variegadas.

*Aunque de aspecto similar a una mala hierba, la artemisa sirve como planta de relleno en arriates herbáceos o mixtos.*

| TIPO DE PLANTA | SITUACIÓN IDEAL | SUELO APROPIADO | MULTIPLICACIÓN | PARTES DE LA PLANTA | USOS |
|---|---|---|---|---|---|
| Resistente, perenne | Pleno sol | Adaptable | División, semilla | Hojas | Medicinal |

# *Borago officinalis*
# BORRAJA

Para que florezca en verano hay que sembrarla en asiento a mitad o final de la primavera, y de nuevo a principios o mediados del verano para la renovación de las plantas. En climas templados o si los plantones se protegen bajo campanas de cristal, se siembra en otoño para que florezca al final de la primavera o al inicio del verano. Al tratarse de una planta anual muere al final de la temporada, aunque, debido a la facilidad con que la diseminación espontánea produce nuevas plántulas, siempre se tienen a disposición otras de repuesto.

Para que florezca únicamente en invierno, se siembran unas pocas semillas en un macetón y se aclaran a un solo ejemplar si germina más de una. La maceta debe colocarse cerca de una ventana con mucha luz o aún mejor en un invernadero.

*La borraja es muy apreciada tanto por las abejas como por los jardineros. Esta planta sumamente decorativa prospera en lugares soleados.*

Esta decorativa planta da flores en forma de estrellas azules brillantes (a veces rosas y rara vez blancas) con anteras negras prominentes agrupadas en un cono. Los tallos, hojas y capullos están cubiertos de pelos plateados que captan la luz y revisten de aspereza toda la planta.

La borraja puede cultivarse en arriates de plantas herbáceas ornamentales si no tiene cabida en un jardín de hierbas más formal. No obstante, la raíz ramificada, carnosa y de gran longitud, dificulta su trasplante así como su cultivo en recipientes. Al ser foco de atracción para avispas y abejas, conviene plantarla apartada de los paseos.

| TIPO DE PLANTA | SITUACIÓN IDEAL | SUELO APROPIADO | MULTIPLICACIÓN | PARTES DE LA PLANTA | USOS |
|---|---|---|---|---|---|
|  |  |  |  |  |  |
| Resistente, anual | Pleno sol o sombra parcial | Adaptable | Únicamente semilla | Flores, hojas | Cosmético, culinario, medicinal |

# *Calendula officinalis*
# CALÉNDULA

La caléndula es imprescindible en cualquier jardín de hierbas. Además de aportar colorido a ensaladas y otros platos, sus flores amarillas o naranjas luminosas ofrecen una nota alegre a un jardín de hierbas que sin ellas se encontraría dominado por tonos grises y verdes.

Aunque pueden adquirirse caléndulas sencillas para su cultivo en un jardín informal tradicional, la mayoría de las empresas de jardinería comercializan las variedades dobles

*La caléndula resulta tan decorativa que en muchas ocasiones se cultiva como una planta puramente ornamental.*

más grandes y decorativas. Ambos tipos se prestan a su uso como hierba, de modo que puede optarse por la que mejor se adapte a las características del propio jardín. Si se permite la diseminación espontánea, estas variedades se deteriorarán con los años y acabarán predominando flores sencillas. Las variedades enanas crecen unos 30 cm, mientras que las tradicionales, más adecuadas para un jardín de hierbas, suelen alcanzar unos 45 cm.

Las semillas se siembran en asiento durante la primavera y los plantones se aclaran cuando son lo bastante grandes para manejarlos con facilidad, espaciándolos unos 23 cm. Para la renovación de las plantas se recomienda realizar una siembra regular cada dos o tres semanas. En climas templados la siembra de otoño producirá la floración hacia mediados o finales de la primavera.

| TIPO DE PLANTA | SITUACIÓN IDEAL | SUELO APROPIADO | MULTIPLICACIÓN | PARTES DE LA PLANTA | USOS |
|---|---|---|---|---|---|
| 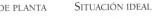 |  |  |  |  |  |
| Resistente, anual | Pleno sol | Adaptable | Semilla | Flores, hojas | Cosmético, decorativo, culinario, doméstico, medicinal |

# *Carum carvi*
# ALCARAVEA

La alcaravea es una hierba inestimable para incluirla en el jardín pese a tener cierta apariencia de mala hierba. Presenta hojas filiformes de color verde brillante similares a las de la zanahoria, con un suave aroma a eneldo y perejil. Los tallos, de 45 a 75 cm de altura, sostienen cabezuelas de diminutas flores blancas que con el tiempo producen las semillas estriadas empleadas para aromatizar dulces, galletas, pasteles y panes. Se consumen incluso las raíces, del grosor de un dedo y similares a las de la chirivía.

La alcaravea se cultiva formando una mata grande o un nutrido grupo de plantas para que crezcan juntas y se presten apoyo entre sí, mejor que en hileras. Este último método de cultivo, sin embargo, puede ser el más indicado si se piensa utilizar las raíces.

Tratándose de una planta bienal, cabe sembrarla tanto

en primavera como en otoño a fin de que se renueve el follaje. En cualquier caso la floración se producirá el verano siguiente. La alcaravea no admite el trasplante, por lo cual se debe reproducir siempre por siembra en asiento. Los plantones se aclaran, espaciándolos unos 15 cm entre sí, cuando alcanzan alrededor de 8 cm de altura.

Las semillas se recolectan antes de caer, si bien conviene dejar algunas plantas intactas para que produzcan un grupo de plántulas de diseminación espontánea si el espacio lo permite.

*La alcaravea es una planta bienal de fácil cultivo, que conviene sembrar en grupos nutridos para la recolección de sus semillas.*

| TIPO DE PLANTA | SITUACIÓN IDEAL | SUELO APROPIADO | MULTIPLICACIÓN | PARTES DE LA PLANTA | USOS |
|---|---|---|---|---|---|
|  |  |  |  |  |  |
| Resistente, bienal | Pleno sol, protegida | Adaptable, bien drenado | Semilla | Hojas, raíces, semillas | Decorativo, culinario, medicinal |

# *Chenopodium bonus-henricus*

# QUENOPODIO

*Aunque no destaque por su atractivo, el quenopodio ofrece multitud de usos culinarios y puede cosecharse durante un largo período de tiempo.*

Descrito y vendido como hierba tanto como verdura, el quenopodio admite ciertamente multitud de preparaciones. Las hojas jóvenes son recogidas y cocinadas como espinacas o se comen crudas en ensaladas, mientras que los vástagos emergentes, tras dejarlos blanquear, son consumidos como espárragos. Constituye una reserva segura de cultivo recomendado en el jardín pues requiere un mínimo de atenciones.

Las plantas crecen en macollas de hojas sagitadas de color verde oscuro que alcanzan entre 45 y 60 cm. Las pequeñas espigas de flores insignificantes que aparecen en primavera deben pinzarse con el fin de incrementar la producción de las hojas.

Para impulsar el crecimiento joven y carnoso hay que cubrir la zona con mantillo de jardín o estiércol cuando se haya marchitado la parte superior de la planta. Es preciso aplicar un fertilizante de jardín equilibrado en primavera. La cosecha de quenopodio puede prolongarse durante varios años, aunque después de tres o cuatro conviene renovar la plantación.

La siembra se lleva a cabo a principios o mediados de la primavera y las plantas se aclaran espaciándolas 30 cm entre sí cuando son lo bastante grandes para manejarlas con facilidad. En viveros especializados en hierbas es posible encontrar ejemplares pequeños de quenopodio.

| TIPO DE PLANTA | SITUACIÓN IDEAL | SUELO APROPIADO | MULTIPLICACIÓN | PARTES DE LA PLANTA | USOS |
|---|---|---|---|---|---|
|  |  |  |  |  |  |
| Resistente, perenne | Pleno sol | Fértil | Semilla | Hojas, vástagos | Culinario |

## *Chrysanthemum balsamita*
# HIERBA DE SANTA MARÍA

La hierba de Santa María se halla asimismo bajo el nombre botánico de *Balsamita major*. Se trata de una hierba frondosa que forma una macolla vertical de 60 a 90 cm de altura, cuyo aspecto se realza combinada en un arriate con plantas de mayor atractivo. Por otra parte, se recomienda su cultivo en lugares de paso para que al rozarlo el follaje desprenda su aroma característico. En América recibe a veces el nombre de "hoja de la Biblia", en alusión al hecho de que los primeros colonizadores tenían por costumbre usar hojas secas de esta planta como señalador aromático.

Tanto las hojas como las flores de color amarillo pálido tienen un aroma mentolado. Las hojas jóvenes se emplean principalmente con fines culinarios y como sucedáneo de la menta, aunque la hierba también sirve para confeccionar almohadas aromáticas.

Es aconsejable evitar el desarrollo de las flores pues de lo contrario la planta pronto quedaría escuálida. Aun sin flores el centro de la mata puede marchitarse en unos años, por lo que conviene renovar regularmente la plantación.

Esta hierba se reproduce de varias formas. Si se obtienen semillas, la siembra se realiza en primavera. No obstante, en el caso de una planta bien asentada, es mejor multiplicarla por esquejes de raíz tal como se explica en la página 135, o simplemente por división de las macollas en primavera.

| TIPO DE PLANTA | SITUACIÓN IDEAL | SUELO APROPIADO | MULTIPLICACIÓN | PARTES DE LA PLANTA | USOS |
|---|---|---|---|---|---|
|  |  |  |  |  |  |
| Resistente, perenne | Pleno sol o sombra parcial | Fértil | División, esquejes de raíz, semilla | Hojas | Cosmético, culinario, doméstico, medicinal |

## *Chrysanthemum parthenium*

# MATRICARIA

La matricaria, a la que siempre se ha concedido gran importancia, recobra valor hoy en día por su considerable potencial medicinal. Es asimismo una hermosa planta, con hojas serradas y suaves de color verde pálido que crece agrupada hasta una altura de 23 a 60 cm, salpicada por una multitud de flores blancas o amarillas, simples o dobles durante la mayor parte del verano y en otoño. Las hojas aromáticas persisten también a lo largo del invierno. Además su cultivo es poco exigente y prospera en cualquier suelo bien drenado. Se disemina de forma espontánea incluso entre las grietas de los muros y las losas del pavimento. En definitiva, la matricaria es una planta llena de virtudes.

Es posible encontrarla bajo denominaciones diversas, entre ellas los nombres botánicos de *Tanacetum parthenium* y *Matricaria eximia*, este último empleado en los catálogos de semillas. Las variedades de flores amarillas y dobles o follaje dorado pueden utilizarse del mismo modo. Muchas formas dobles de aspecto compacto resultan muy atractivas en recipientes. La denominada 'Aureum' presenta un follaje dorado que conserva su luminosidad aun con sombra parcial y en invierno.

Al tratarse de una planta perenne de vida corta, conviene tener siempre a disposición nuevas plantas. Se reproduce con gran facilidad mediante siembra en primavera o por esquejes tomados en verano. También es posible la multiplicación por división o por esquejes de las hojas aunque plantea dificultades.

*La matricaria es una planta de gran belleza repleta de florecillas blancas, aunque destaca por su atractivo la variedad dorada.*

| TIPO DE PLANTA | SITUACIÓN IDEAL | SUELO APROPIADO | MULTIPLICACIÓN | PARTES DE LA PLANTA | USOS |
|---|---|---|---|---|---|
|  |  |  |  |  |  |
| Resistente, de hoja perenne (crece como anual semirresistente) | Pleno sol o sombra parcial | Adaptable | Esquejes, división, semilla | Hojas | Cosmético, doméstico, medicinal |

# *Cichorium intybus*
# ACHICORIA

La achicoria es una planta sumamente útil. Las hojas se consumen como verdura, las raíces se pueden moler para emplearlas como sucedáneo del café, y las delicadas flores azules, utilizadas en su día como colirios sedantes para los ojos, son además muy bellas.

Las semillas se siembran en hileras a finales de la primavera o a principios del verano y se aclaran las plantas con una separación de unos 30 cm. Algunas variedades producen cogollos como la lechuga romana que se pueden recoger y consumir al final del otoño o al inicio del invierno, si bien otras requieren técnicas de forzado de cultivo al igual que una verdura de invierno.

Para conseguir cogollos apretados de hojas blancas (chicones) hay que desenterrar las raíces al final del otoño o al inicio del invierno, replantarlas en jardineras o tiestos hondos una vez recortadas las hojas y la parte inferior de la raíz, y finalmente mantenerlas en lugares oscuros y a una temperatura mínima de 13°C. Al cabo de tres o cuatro semanas se desarrollará un cogollo de hojas nuevas que se podrá recolectar cuando alcance unos 15 cm. Conviene consultar los catálogos de semillas para identificar las variedades específicas recomendadas para los diferentes usos.

Si se desea que florezca la achicoria, hay que abstenerse de cortar y desenterrar las plantas a finales del primer año para permitir su floración en el segundo.

| TIPO DE PLANTA | SITUACIÓN IDEAL | SUELO APROPIADO | MULTIPLICACIÓN | PARTES DE LA PLANTA | USOS |
|---|---|---|---|---|---|
|  |  | |  |  |  |
| Resistente, perenne (se trata como una anual resistente) | Pleno sol | Fértil | Semilla | Hojas, raíces | Culinario |

## *Cochlearia armoracia*
# RÁBANO RUSTICANO

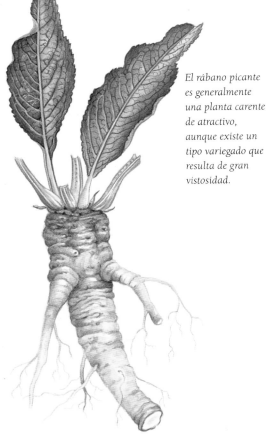

*El rábano picante es generalmente una planta carente de atractivo, aunque existe un tipo variegado que resulta de gran vistosidad.*

El rábano rusticano o rábano picante aparece también en algunos catálogos bajo el nombre botánico de *Armoracia rusticana*. Se trata de una planta de aspecto basto con hojas similares a las de la acedera de unos 60 cm de longitud. Existe una variedad de hojas variegadas con manchas blancas que resulta más decorativa.

Del rábano se aprovecha más la raíz, gruesa, carnosa y de sabor picante, que las hojas. Por lo que, a pesar de su condición invasora en el jardín, es preciso preparar bien la tierra antes de proceder a su cultivo. Hay que cavar el suelo en profundidad hasta unos 45 cm, incorporando a la vez mantillo de jardín y estiércol en abundancia. El rábano se planta con una separación de 30 cm y se riega regularmente para impedir que las raíces resulten bastas. Las raíces en estado de reposo se plantan verticalmente con la parte superior de la raíz a 5 cm bajo el suelo. A finales de la primavera y principios del otoño pueden aparecer espigas de diminutas flores blancas, que deben arrancarse para promover la producción de raíces y hojas.

La forma más sencilla de multiplicar el rábano rusticano consiste en cortar la raíz en trozos pequeños y plantarlos durante la primavera; en poco tiempo darán lugar a nuevos vástagos.

Las hojas, blandas y carnosas, están expuestas al ataque de multitud de insectos, y especialmente de los caracoles, que representan una auténtica amenaza para la planta.

| TIPO DE PLANTA | SITUACIÓN IDEAL | SUELO APROPIADO | MULTIPLICACIÓN | PARTES DE LA PLANTA | USOS |
|---|---|---|---|---|---|
|  |  |  |  |  |  |
| Resistente, perenne | Pleno sol o sombra parcial | Común pero cavado profundo | Esquejes de raíz, semilla | Raíces | Cosmético, culinario, medicinal |

*Coriandrum sativum*

# CILANTRO

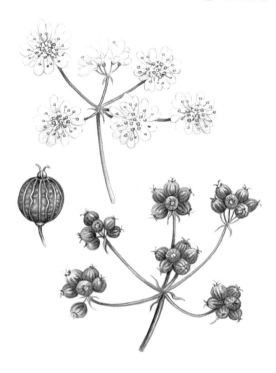

personas. Las hojas frescas reciben en ocasiones el nombre de perejil chino, aludiendo a su empleo en multitud de preparaciones culinarias chinas. Las semillas que producen las flores de color blanco malva, con un aroma no menos fuerte aunque más agradable, constituyen una especia de gran valor utilizada desde hace siglos.

Esta planta anual de fácil cultivo debe sembrarse en asiento a mitad de la primavera, en un lugar protegido de los vientos fuertes dada la debilidad de los tallos y la tendencia de la planta a tumbarse, problema subsanable mediante tutores de ramitas. El cilantro necesita riego regular en épocas secas, sobre todo si se desea contar con una provisión permanente de hojas frescas.

El cilantro es una planta anual de fácil cultivo, ideal si se siembra en grupos tupidos, ya que aislada puede parecer una mala hierba.

El cilantro presenta hojas muy recortadas y una profusión de diminutas flores blancas flotantes al inicio y mitad del verano. Con una altura de 60 cm, resulta ideal cultivado individualmente entre vistosas hierbas como caléndulas o bien en tupidos grupos situados en una zona más silvestre del jardín. También cabe plantarlo en tinas y tiestos grandes, siempre que se siembre en asiento, y queda perfectamente integrado en arriates de hierbas formados por más plantas, donde su follaje plumoso sirve además para rellenar los vacíos existentes.

El aroma penetrante de las hojas, una mezcla entre piel de limón y salvia, resulta desagradable para muchas

| TIPO DE PLANTA | SITUACIÓN IDEAL | SUELO APROPIADO | MULTIPLICACIÓN | PARTES DE LA PLANTA | USOS |
|---|---|---|---|---|---|
|  |  |  |  |  |  |
| Resistente, anual | Pleno sol | Adaptable, bien drenado | Semilla | Hojas, semillas | Culinario, doméstico, medicinal |

# *Cuminum cyminum*

# COMINO

de semillas.

La siembra se realiza en asiento durante la primavera y las plantas se aclaran unos centímetros si se ha producido una germinación numerosa. Al cabo de tres o cuatro meses es posible cosechar las semillas, cuya calidad aumenta cuanto más cálido y seco sea el verano.

*El comino es una planta carente de atractivo, por lo que se siembra en grupos apretados. Hay que cultivarla en lugares soleados para obtener resultados satisfactorios.*

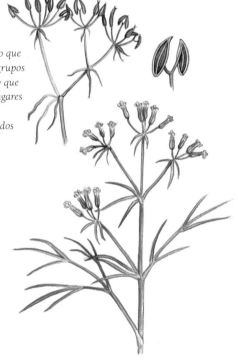

Esta importante especia no era apreciada como planta para jardines de hierbas hasta que creció el interés por ella con el auge de la gastronomía de la India y Oriente Medio, sin contar con las picantes preparaciones mexicanas. Hoy en día, pues, no faltan razones para su cultivo.

Se trata de una planta pequeña carente de atractivo cultivada únicamente por sus semillas. No suele superar más de 30 cm, con hojas filiformes y tallos ramificados, coronados por cabezuelas de diminutas flores blancas o lilas.

Un lugar soleado es esencial para garantizar la plena maduración de las semillas y obtener así una buena cosecha; con la siembra en macizo se favorece la formación

| TIPO DE PLANTA | SITUACIÓN IDEAL | SUELO APROPIADO | MULTIPLICACIÓN | PARTES DE LA PLANTA | USOS |
|---|---|---|---|---|---|
|  |  |  |  |  | |
| Resistente, anual | Pleno sol | Adaptable | Semilla | Semillas | Culinario, medicinal |

## *Cymbopogon citratus*

# HIERBA LIMONERA

Aunque se cultiva en Florida con fines comerciales, esta hierba perenne, delicada, con aroma a limón, no suele crecer fuera de climas tropicales. De floración poco frecuente, la hierba limonera se cultiva por sus hojas lineares, muy largas y delgadas, de color verde brillante, que se utilizan para aromatizar dulces y preparar un estimulante té.

Es posible encontrarla en algunos viveros especializados. En climas templados exentos de heladas resiste todo el invierno en el exterior. En condiciones favorables crece en una macolla vertical que alcanza 1,8 m de altura. También es posible plantarla en un recipiente situado en un lugar con sombra parcial pero lo suficientemente accesible para que, al rozar sus hojas aromáticas, desprendan su peculiar

*La hierba limonera sólo es apropiada para su cultivo al aire libre en climas templados, pero puede crecer en un recipiente y pasar el invierno en un invernadero.*

fragancia. Las hojas no llegan a superar 90 cm y la planta se puede llevar a interiores, preferentemente a invernaderos, para protegerla de las heladas.

A mediados o finales de la primavera se cortan las hojas al nivel del suelo para estimular el crecimiento de nuevas hojas. Las macollas establecidas se deberían dividir en primavera una vez que su tamaño exceda la capacidad del recipiente.

| TIPO DE PLANTA | SITUACIÓN IDEAL | SUELO APROPIADO | MULTIPLICACIÓN | PARTES DE LA PLANTA | USOS |
|---|---|---|---|---|---|
|  |  |  |  |  |  |
| Delicada, perenne, gramínea | Sombra parcial | Fértil | División | Hojas | Culinario, doméstico |

# *Filipendula ulmaria*

# ULMARIA

La ulmaria es una hierba medicinal de tal belleza que se puede cultivar como planta ornamental. En primavera desarrolla rosetas basales de hojas a partir de las raíces rastreras, seguidas al inicio y mitad del verano por tallos frondosos que sostienen racimos muy ramificados de florecillas blancas, creando las masas de inflorescencias un efecto espumoso a una altura de 1 a 1,5 m. Tanto las hojas como las flores son aromáticas; las primeras despiden una fragancia a gaulteria, mientras que las flores emanan al atardecer un dulce olor a almendras y miel.

*La variedad dorada 'Aurea' es una planta de jardín mucho más atractiva que la ulmaria de hojas verdes.*

La ulmaria crece de forma espontánea cerca del agua, hecho que explica la necesidad de cultivar esta planta en suelos húmedos, ya que no prospera en los ambientes secos y cálidos indicados para la mayoría de las hierbas.

Las variedades variegadas y doradas son ornamentales. La 'Variegada' presenta hojas de color verde oscuro con tonos de amarillo intenso, aunque más llamativas resultan aún las hojas doradas de la 'Aurea'. Esta variedad requiere lugares umbríos o con sombras suaves pues a pleno sol las hojas se queman y se ponen marrones. Como numerosas plantas de follaje dorado, el amarillo tiende a volverse verde cuando la estación avanza.

La ulmaria se multiplica con facilidad mediante la división de las macollas en otoño, si bien esta especie también se puede reproducir por siembra de semillas en otoño.

| TIPO DE PLANTA | SITUACIÓN IDEAL | SUELO APROPIADO | MULTIPLICACIÓN | PARTES DE LA PLANTA | USOS |
|---|---|---|---|---|---|
|  |  |  |  |  | |
| Resistente, perenne | Pleno sol o sombra parcial | Húmedo | División | Flores | Decorativo, medicinal |

## *Foeniculum vulgare*

# HINOJO

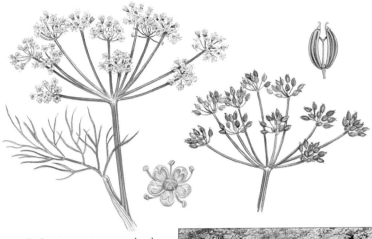

Las dos grandes variedades de hinojo existentes, la de follaje verde y la variedad bronceada, *F. vulgare purpureum*, se usan como hierba y también como planta de adorno, con la forma verde de fondo para hacer destacar la bronceada. Ambas resultan muy atractivas cuando aparecen las hojas de aspecto plumoso en primavera con tallos de 1,8 m de altura coronados por las cabezuelas de semillas que requieren podarse en otoño.

Las hojas filiformes con un fuerte olor anisado se desarrollan en grandes penachos. Los tallos, en cambio, fuertes y rígidos, sostienen umbelas aplanadas de diminutas flores amarillas que nacen a finales del verano.

El hinojo debe cultivarse en la parte posterior de un macizo de hierbas o como planta ornamental en un arriate herbáceo. Asimismo resulta de gran vistosidad en un espacio más abierto, como en un jardín de grava, ideal para el estudio de los numerosos insectos que atraen las flores.

Los mejores resultados se consiguen sembrando las semillas directamente sobre el lugar elegido. Una vez que arraigue la planta, nunca faltarán plántulas de diseminación espóntanea a menos que se corten las cabezuelas antes de

*El hinojo es una de las hierbas más decorativas, de sobrada belleza para incluirla en un arriate de flores.*

que las semillas tengan tiempo de madurar y caer. La poda constituye una medida de precaución oportuna para impedir que haya un exceso de plántulas. Las plantas pueden reproducirse por división, aunque las raíces ramificadas profundas son difíciles de desenterrar.

| TIPO DE PLANTA | SITUACIÓN IDEAL | SUELO APROPIADO | MULTIPLICACIÓN | PARTES DE LA PLANTA | USOS |
|---|---|---|---|---|---|
|  |  |  |  |  |  |
| Resistente, perenne | Pleno sol | Adaptable, pero bien drenado | Semilla | Hojas, semillas | Cosmético, decorativo, culinario, medicinal |

# *Foeniculum vulgare dulce*
# HINOJO DE FLORENCIA

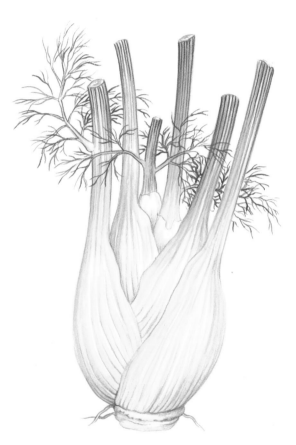

Las semillas y hojas del hinojo de Florencia o *finocchio* se pueden utilizar como el hinojo común, si bien presentan un aroma algo más suave. Esta variedad se cultiva también como hortaliza por sus tallos bulbosos con sabor a una mezcla entre anís y apio.

Se trata de una planta compacta de una altura entre 60 y 90 cm pero lo suficientemente vistosa como para cultivarla en grupos dentro de un arriate de flores.

El hinojo de Florencia requiere una larga temporada de crecimiento con abundante humedad. Se siembra a una profundidad de 12 mm a finales de la primavera, y se aclaran los plantones con una separación de 20 cm. La planta se debe acollar para blanquear los "bulbos" cuando han alcanzado un tamaño similar al de una pelota de golf. Conviene eliminar las cabezuelas florales a menos que se desee obtener semillas. Los bulbos se pueden recolectar a finales del verano.

*El hinojo de Florencia se cultiva generalmente como verdura, aunque resulta también una planta de hermoso follaje.*

| TIPO DE PLANTA | SITUACIÓN IDEAL | SUELO APROPIADO | MULTIPLICACIÓN | PARTES DE LA PLANTA | USOS |
|---|---|---|---|---|---|
|  |  |  |  |  |  |
| Resistente, anual | Pleno sol | Fértil | Semilla | Hojas, semillas, tallo | Culinario |

# *Galium odoratum*
# ASPÉRULA

Esta planta tapizante se esparcía sobre el suelo doméstico para mitigar el olor a humedad de las habitaciones, y hoy día se siembra en el exterior para cubrir zonas umbrías.

La aspérula es una planta de lento crecimiento que alcanza de 15 a 30 cm de altura. Las inflorescencias de diminutas flores blancas aromáticas nacen en primavera, contrastando con los verticilos de hojas apuntadas dispuestos alrededor de los tallos cuadrangulares. Por tratarse de una planta de bosques no prospera bien en lugares soleados y cálidos preferidos por la mayoría de las hierbas. Es muy adecuada en cambio para la formación de vistosas borduras en una parte sombría del jardín de hierbas, plantada en un suelo trabajado previamente con mantillo de jardín, estiércol u hojas descompuestas que permitan retener la humedad.

Cuando se marchitan las hojas en otoño despiden dulce

olor del heno al secarse, y perfuman el aire de un aroma característico apenas presente en primavera ni en verano, que sólo se produce cuando la hierba está seca.

La aspérula se multiplica por división en primavera o bien por siembra de semillas también en primavera, mediante un lento proceso de germinación. Esta planta se puede encontrar aún bajo el antiguo nombre de *Asperula odorata.*

*La aspérula se planta en grupos nutridos o a modo de alfombra, indicada para cubrir zonas umbrías.*

| TIPO DE PLANTA | SITUACIÓN IDEAL | SUELO APROPIADO | MULTIPLICACIÓN | PARTES DE LA PLANTA | USOS |
|:---:|:---:|:---:|:---:|:---:|:---:|
|  |  |  |  |  |  |
| Resistente, perenne | Sombra o sombra parcial | Húmedo, rico en humus | División, semilla | Hojas | Culinario, doméstico |

# *Glycyrrhiza glabra*
# REGALIZ

El regaliz se cultiva en Europa y en el Nuevo Mundo desde hace siglos. Los mayores todavía recordarán los auténticos palos de regaliz, raíces desprovistas de la corteza amarga que se chupan y se mastican como una golosina, de venta aún en algunas tiendas naturistas.

Pese al gran conocimiento existente sobre los usos de la regaliz, sorprende que sólo unos pocos sepan identificar la planta. Posee un follaje elegante parecido al fresno, adornado en verano con espigas florales compuestas de numerosas florecillas en forma de bolitas de azul violáceo.

El regaliz necesita mucho espacio pues, aun tratándose

de una planta herbácea perenne, puede alcanzar 1,8 m tras haber arraigado al cabo de unos años y haber extendido sus raíces, si bien su altura normal es de 1 a 1,2 m. El follaje se poda en otoño a medida que empieza a secarse, al tiempo que se eliminan los tallos rastreros cercanos a las raíces si es preciso controlar la extensión de las mismas. Las raíces se recolectan al tercer año de su plantación.

Se multiplica mediante secciones de raíz con ápices de crecimiento o yemas plantadas con una separación de 15 cm en otoño o en cualquier momento durante la estación de reposo vegetativo.

*El regaliz requiere mucho espacio pues crece formando un arbusto de denso follaje, aunque es muy adecuada como planta de fondo en un arriate.*

| TIPO DE PLANTA | SITUACIÓN IDEAL | SUELO APROPIADO | MULTIPLICACIÓN | PARTES DE LA PLANTA | USOS |
|---|---|---|---|---|---|
|  |  |  |  |  | |
| Resistente, perenne | Pleno sol | Ligero | División, esquejes de raíz | Raíces | Culinario, medicinal |

## *Hyssopus officinalis*

# HISOPO

El cultivo del hisopo es muy adecuado en un jardín de hierbas por sus cualidades decorativas y su agradable aroma. De aspecto similar a la lavanda, presenta espigas florales azules, a veces blancas o rosadas, que aparecen desde mitad del verano al inicio del otoño. Tanto las flores como las hojas desprenden un intenso olor a almizcle.

Se trata de un arbusto enano que alcanza 60 cm de altura y aproximadamente la mitad de extensión. Dada la forma compacta de la planta, su cultivo resulta indicado en recipientes o como seto informal bajo dentro de un jardín de hierbas, aunque se debe tener en cuenta que atrae a avispas y abejas. Para la formación de setos hay que plantar esquejes de raíz en primavera, espaciándolos 30 cm, y una vez que hayan arraigado es preciso recortar los setos con regularidad para que mantengan un perfil uniforme.

Las plantas en macizos o arriates se podan al nivel del suelo a principios de la primavera para estimular el nuevo

crecimiento del arbusto; en cualquier caso, los vástagos pueden resultan dañados durante un duro invierno. Con el tiempo la planta se deteriora y conviene reemplazarla tras cuatro o cinco años, tarea que probablemente realizarán las propias plántulas de diseminación espontánea que hayan arraigado en el jardín. La planta se puede reproducir también mediante esquejes tomados en otoño.

*El hisopo es ideal para la formación de borduras y setos bajos. Asimismo constituye una hermosa planta cultivada en recipientes.*

| TIPO DE PLANTA | SITUACIÓN IDEAL | SUELO APROPIADO | MULTIPLICACIÓN | PARTES DE LA PLANTA | USOS |
|---|---|---|---|---|---|
|  |  |  |  |  |  |
| Resistente, de hoja perenne, subarbusto | Pleno sol | Fértil, bien drenado | Esquejes, división, semilla | Flores, hojas | Culinario, doméstico, medicinal |

## *Iris germanica* 'Florentina'
# LIRIO DE FLORENCIA

El lirio de Florencia se parece a una variedad de lirio barbado pálido, con el abanico característico de hojas lanceoladas rígidas emergentes de los gruesos rizomas subterráneos que crecen a ras del suelo. Las flores blancas con un tinte azul aparecen al inicio del verano y tienen un par de semanas de duración. La planta forma una macolla de unos 60 cm de altura, pero alcanza alturas superiores en climas cálidos.

Las flores exhalan una fragancia tenue aunque agradable, si bien el verdadero aroma del lirio, a vainilla o a violeta, se desprende únicamente cuando se han secado los rizomas (antes de secarse tienen olor a tierra).

La recolección de los rizomas no se puede llevar a cabo hasta el tercer año después de su plantación, y si es posible conviene reservar una zona para el cultivo ininterrumpido de un grupo de ejemplares durante unos años. Si no se dispone de espacio suficiente en el jardín de hierbas, cabe plantarla en un arriate herbáceo o frente a arbustos.

La forma más sencilla de multiplicación consiste en desenterrar y dividir los rizomas a mediados del verano tras la floración, asegurándose de que cada sección dividida tenga un abanico de hojas. Hay que mantener el rizoma paralelo a la superficie y plantarlo a poca profundidad.

El lirio común se vende también como *Iris florentina* o como *I. 'Florentina'*.

| TIPO DE PLANTA | SITUACIÓN IDEAL | SUELO APROPIADO | MULTIPLICACIÓN | PARTES DE LA PLANTA | USOS |
|---|---|---|---|---|---|
|   |  |  |  |  |  |
| Resistente, perenne | Pleno sol | Adaptable, bien drenado | División | Raíces | Cosmético, doméstico |

*Isatis tinctoria*

# GLASTO

Del glasto, llamado también planta del tintorero, se obtenía el tinte azul tradicional empleado en Europa para teñir prendas de ropa y embellecer el cuerpo. Su fabricación es lenta y desprende un olor nauseabundo al fermentar las hojas trituradas, de modo que sólo los tradicionalistas más apasionados utilizarían glasto con tales fines hoy en día. Aun así, resulta una planta de gran interés para incluirla en cualquier colección de hierbas por su fascinante historia.

El glasto es una planta bienal que alcanza una altura de 60 a 90 cm, de aspecto escuálido y poco atractivo durante el primer año de crecimiento; sin embargo, con la floración

a principios del verano del año siguiente, algunos de los ejemplares forman una gran mancha de color amarillo difícil de ignorar. Las flores se parecen a las de la mostaza blanca y la colza, de cultivo extendido actualmente por el aceite que producen sus semillas. Si el glasto se cultiva para la extracción de tinte, hay que recolectar las hojas regularmente antes de que florezca la planta.

Las plantas de glasto pueden adquirirse en viveros de hierbas especializados, pero se reproduce con facilidad mediante siembra de semillas a principios o mediados del verano.

*El glasto resulta muy vistoso al florecer,*
*aunque tal vez sea preciso entutorarlo si*
*la planta presenta un aspecto escuálido.*

| TIPO DE PLANTA | SITUACIÓN IDEAL | SUELO APROPIADO | MULTIPLICACIÓN | PARTES DE LA PLANTA | USOS |
|---|---|---|---|---|---|
|   Resistente, bienal |   Pleno sol |   Fértil |   Semilla |   Hojas |   Doméstico |

# *Laurus nobilis*
# LAUREL

El laurel no puede faltar en ningún jardín de hierbas y, recortado en figuras geométricas, como esferas o conos, constituye un excelente ornamento central en un jardín de diseño formal. El laurel podado resulta asimismo elegante como planta para patios y crea un efecto imponente en un par de tinas flanqueando la entrada delantera o trasera de una casa. A finales de la primavera aparecen diminutas flores de color crema de aspecto insignificante.

En climas favorables crece formando un arbusto grande o un árbol pequeño, aunque es posible que mantenga una altura de 1,8 m mediante recorte y poda regular. Es preferible usar tijeras de podar a tijeras de jardín, para evitar así rasgar las grandes hojas brillantes verdes oscuras, con lo que los bordes cortados se pondrían marrones.

Aunque el laurel resiste heladas y fríos inviernos,

*El laurel forma un excelente arbusto de fácil recorte, ideal en recipientes.*

algunas de sus hojas pueden resultar dañadas. Las bajas temperaturas y los vientos fuertes forman la peor combinación, por lo que conviene levantar cortavientos que proporcionen la protección necesaria. En regiones con crudos inviernos, conviene cultivar el laurel en tinas y protegerlo en invernaderos indicados o porches luminosos durante el tiempo frío.

El cultivo de plantas en tinas o macetones requiere el uso de mantillo para tiestos con tierra franca, además de nutrir el suelo ocasionalmente en verano. Si es preciso, hay que cambiar la planta de tiesto en primavera.

El laurel se multiplica preferentemente por esquejes, aunque también puede reproducirse mediante semillas, cuya germinación suele ser lenta y errática.

| TIPO DE PLANTA | SITUACIÓN IDEAL | SUELO APROPIADO | MULTIPLICACIÓN | PARTES DE LA PLANTA | USOS |
|---|---|---|---|---|---|
|  |  |  |  |  |  |
| Delicada, arbustiva | Pleno sol o sombra parcial | Bien drenado | Esquejes, semilla | Hojas | Decorativo, culinario, doméstico, medicinal |

# *Lavandula*
# ESPLIEGO/LAVANDA

*Lavandula
angustifolia
'Hidcote'*

El espliego o lavanda es una planta imprescindible en todo jardín de hierbas. Cultivada tanto en un macizo o arriate, en una tina o macetón, o como seto, constituye una de las hierbas más atractivas y aromáticas. Tiene también tradición como planta de jardín rural o campestre, provista de un follaje aromático verde grisáceo y espigas olorosas de flores azules o malvas que aparecen desde mediados del verano hasta principios del otoño.

Dada la multitud de especies y variedades existentes para elegir, conviene considerar el cultivo de una colección de lavandas, entre las que destacan *L. angustifolia* (sinónimo de *L. spica*) 'Hidcote' (azul púrpura), *L. angustifolia* 'Munstead' (azul lavanda, de hojas verdosas), *L. x intermedia* 'Twickel Purple' (azul lavanda) y el cantueso, *L. stoechas* (flores color púrpura oscuro en densas cabezuelas terminales en vez de espigas alargadas). Existen además variedades de flores blancas y rosadas, aunque carecen del encanto de los colores más tradicionales. Todas las lavandas alcanzan de 60 a 90 cm de altura.

Las plantas se recortan ligeramente con tijeras de jardín en otoño o en la primavera siguiente para mantener el arbusto denso y cuidado. Puesto que incluso las plantas recortadas se deterioran con el tiempo, conviene sustituirlas con nuevas plantaciones al cabo de unos años.

El espliego se puede reproducir a través de semillas pero se multiplica preferentemente mediante esquejes que enraízan con facilidad en primavera o a finales del verano. Mediante este método se garantiza además que la variedad resultante sea idéntica a la original.

| TIPO DE PLANTA | SITUACIÓN IDEAL | SUELO APROPIADO | MULTIPLICACIÓN | PARTES DE LA PLANTA | USOS |
|---|---|---|---|---|---|
|  |  |  |  |  |  |
| Resistente, arbustiva | Pleno sol | Adaptable, bien drenado | Esquejes, semilla | Flores, hojas | Decorativo, cosmético, culinario, medicinal, doméstico |

Las lavandas se plantan con profusión, no sólo en el jardín de hierbas sino también en arriates y entre arbustos. Combinan a la perfección con rosales.

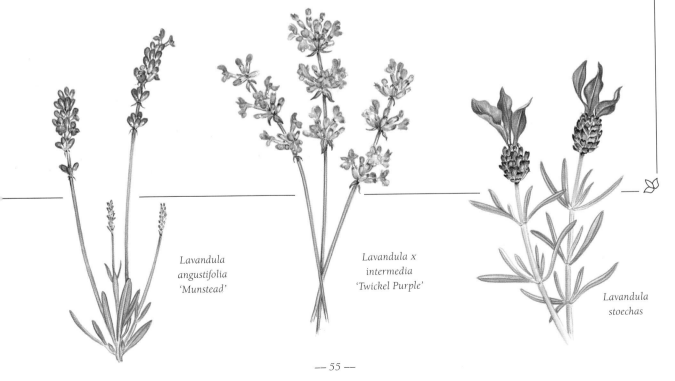

Lavandula
angustifolia
'Munstead'

Lavandula x
intermedia
'Twickel Purple'

Lavandula
stoechas

# *Levisticum officinale*

# LEVÍSTICO

El levístico es una hierba perenne de denso follaje que alcanza aproximadamente entre 1,5 y 1,8 m de altura. Las inflorescencias en umbelas compuestas por florecillas amarillentas aparecen a mediados y finales del verano, pero la principal característica de la planta son sus hojas, semejantes a las del apio aunque de mayor tamaño y con su mismo aroma.

Por sus dimensiones, conviene cultivar el levístico en la parte posterior de un arriate, donde su altura no represente ningún problema. Aunque no es muy apropiado en jardines de hierbas formales con arriates pequeños, su cultivo resulta indicado en rincones demasiado sombríos para plantas que necesitan mucho sol, pues prospera tanto a pleno sol como en sombra parcial. No hay que dejar secar las plantas jóvenes, y en climas secos el levístico requiere riego abundante. El empleo de un fertilizante equilibrado a principios del verano permitirá mantener las plantas vigorosas y brillantes.

Las semillas se siembran en asiento durante la primavera y se entresacan los plantones conservando en cada lugar uno solo de los que germinen. También es posible sembrar las semillas en tiestos o semilleros en interior y trasplantar las plántulas. Los ejemplares bien asentados no admiten la división pero se pueden multiplicar por esquejes de raíz.

*El levístico requiere mucho espacio pero resulta apropiado para rellenar claros en un arriate por su denso follaje, así como en jardines de hierbas.*

| TIPO DE PLANTA | SITUACIÓN IDEAL | SUELO APROPIADO | MULTIPLICACIÓN | PARTES DE LA PLANTA | USOS |
|---|---|---|---|---|---|
|  |  |  |  |  |  |
| Resistente, perenne | Pleno sol o sombra parcial | Fértil, húmedo | Esquejes de raíz, semilla | Hojas, tallos, raíces, semillas | Cosmético, culinario, medicinal |

# *Marrubium vulgare*

# MARRUBIO

también se usa para la formación de setos y en recipientes junto con otras hierbas. Para mantener la forma compacta del arbusto, es preciso recortar las plantas viejas con tijeras de podar en primavera. El marrubio se caracteriza por su versatilidad pues, aunque prefiere pleno sol, tolera también sombras suaves.

Normalmente se cultiva mediante siembra de semillas a mediados de la primavera, en interiores o en semillero al aire libre. Los plantones se trasplantan en su lugar definitivo espaciándolos unos 25 cm, o se toman esquejes durante el verano.

*El marrubio es una planta carente de atractivo pero muy práctica y fácil de cultivar.*

Aunque hoy en día rara vez se cultiva el marrubio, merece la pena reservar espacio para un ejemplar pues esta planta perenne tolera suelos pobres y agotados, y apenas requiere cuidado. Forma una mata de unos 60 cm de altura, con pequeñas hojas arrugadas de bordes rizados que se doblan hacia abajo. Las pequeñas flores blancas que aparecen durante el verano agrupadas alrededor de los tallos son muy apetecibles para las abejas.

Se recomienda plantar un par de ejemplares en un arriate de hierbas o en un jardín de hierbas formal, aunque

| TIPO DE PLANTA | SITUACIÓN IDEAL | SUELO APROPIADO | MULTIPLICACIÓN | PARTES DE LA PLANTA | USOS |
|---|---|---|---|---|---|
|  |  |  |  |  | |
| Resistente, perenne | Pleno sol o sombra parcial | Adaptable | Esquejes, semilla | Hojas | Medicinal |

# *Melissa officinalis*
# MELISA/TORONJIL

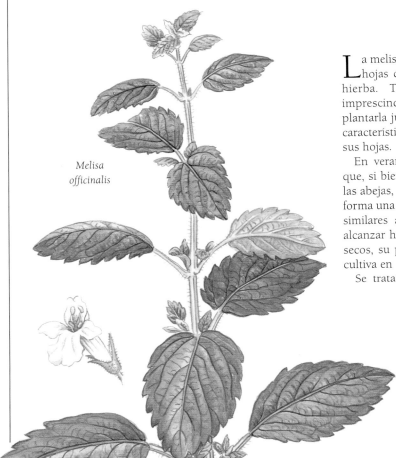

*Melisa officinalis*

La melisa es una planta de jardín rural cultivada por sus hojas con aroma a limón y por sus utilidades como hierba. Tan decorativa como beneficiosa, resulta imprescindible en cualquier jardín. Es recomendable plantarla junto a un paseo o en un arriate bajo, donde el característico olor a limón del follaje se desprenda al rozar sus hojas.

En verano surgen los ramilletes de florecitas blancas que, si bien carecen de atractivo, resultan un deleite para las abejas, como sugiere su nombre de "melisa". La planta forma una mata esférica de 60 a 90 cm de altura, con hojas similares a las de la menta. En climas cálidos puede alcanzar hasta 1,2 m de alto. Aunque prospera en suelos secos, su perfume resultará más fuerte y agradable si se cultiva en tierras húmedas y fértiles.

Se trata de una planta perenne herbácea que puede

*La melisa se debe plantar donde sea posible rozar su aromático follaje.*

| TIPO DE PLANTA | SITUACIÓN IDEAL | SUELO APROPIADO | MULTIPLICACIÓN | PARTES DE LA PLANTA | USOS |
|---|---|---|---|---|---|
|  |  |  |  |  |  |
| Resistente, perenne | Pleno sol o sombra parcial | Fértil, húmedo | Esquejes, división, semilla | Hojas | Cosmético, culinario, medicinal, doméstico |

'*Variegata*' (sinónimo de '*Aurea*')

multiplicarse con facilidad por división, esquejes o semillas; aunque su germinación es generalmente lenta, suelen crecer algunas plántulas de diseminación espontánea de las semillas. El método más sencillo de multiplicación consiste en dividir la macolla en primavera, y en el caso de necesitar un número considerable de ejemplares, se recomienda tomar esquejes a finales de la primavera.

Conviene reemplazar las plantas con más de dos o tres años, pues sus dimensiones resultan excesivas y pierden la forma uniforme de su juventud.

### VARIEDADES VARIEGADAS

Las variedades doradas y variegadas son apropiadas en el primer término de un arriate herbáceo o frente a arbustos, si no se cultivan en lugares demasiado sombríos. La variedad '**All Gold**' pone una nota dorada a un arriate sombreado o con sombra parcial. A pleno sol las hojas se queman y se vuelven marrones.

'**Variegata**' (también denominada '*Aurea*') tolera el sol fuerte y presenta hojas salpicadas de amarillo que integran un llamativo follaje a principios del verano.

*La variedad 'Variegata' es quizá la melisa más luminosa y la más indicada para un vistoso arriate.*

*La variedad 'All Gold' es una brillante opción ideal para un lugar sombreado.*

'*All Gold*'

# *Mentha*

# MENTA

*Mentha spicata
(menta común)*

Ningún jardín de hierbas puede considerarse completo sin un par de variedades de menta. Las que aparecen en estas páginas alcanzan una altura vertical de 30 a 60 cm y una extensión que aumenta constantemente a medida que se propaga la planta a través de tallos subterráneos si no encuentra obstáculo alguno (ver pp. 61, 62 y 63). (*Mentha pulegium*, el poleo, es una planta rastrera descrita en la página 64.)

En numerosos centros de jardinería y herboristerías se venden más de una docena de especies distintas, y basta con la mitad para formar una colección muy interesante tanto para el jardín como para la cocina.

La menta común (*M. spicata*), cuyo sabor y olor se asocian en seguida con el clásico caramelo, es la más cultivada. Todas las especies necesitan las mismas condiciones de cultivo y presentan espigas similares de florecillas malvas azuladas o púrpuras a finales del verano que, al carecer de atractivo, es preferible cortar con tijeras de podar a fin de realzar el aspecto del follaje.

Pese a su tenaz instinto de supervivencia y su hábito invasor, la menta responde bien al cuidado y atención, no así su cultivo en ambientes secos y cálidos, cuando enfermedades tales como el moho o la roya suponen una amenaza. Para estimular el crecimiento exuberante de su frondoso follaje, debe criarse en suelos húmedos y con sombra parcial. Cuando envejecen los brotes y las hojas se mustian conviene recortar algunos vástagos al nivel del suelo para impulsar el desarrollo de los rebrotes.

La menta se planta en un suelo trabajado previamente con mantillo de jardín o estiércol en abundancia, dejando un espacio de 23 a 30 cm entre ejemplares. Se puede multiplicar por división de las macollas establecidas en invierno o en verano o por fragmentación de estolones

| TIPO DE PLANTA | SITUACIÓN IDEAL | SUELO APROPIADO | MULTIPLICACIÓN | PARTES DE LA PLANTA | USOS |
|---|---|---|---|---|---|
|  |  |  |  |  |  |
| Resistente, perenne | Pleno sol o sombra parcial | Húmedo, fértil | División, estolones | Hojas | Cosmético, decorativo, culinario, doméstico, medicinal |

*Mentha spicata, la menta común, es quizás la más indicada para uso culinario.*

(tallos rastreros), que se entierran a 5 cm a finales del invierno o principios de la primavera.

Para ayudar a combatir las enfermedades, conviene cortar los brotes al nivel del suelo en otoño, sirviéndose de unas tijeras de podar. El material desechado se quema o se tira para impedir que las esporas patógenas infecten de nuevo el jardín.

Si se cosechan grandes cantidades de menta, hay que proteger las plantas con una cobertura orgánica durante el invierno, y si es posible conviene cultivar una nueva plantación cada tres años.

El período de cosecha se prolonga poniendo en tiesto algunos ejemplares a finales del verano. Se poda la parte superior de la planta unos 15 cm y se lleva la maceta a un invernadero o se coloca junto a una ventana con luz en el interior. A finales del invierno se desentierran algunos estolones y se plantan a 5 cm de profundidad en bandejas o tiestos hondos. Las plantas cultivadas en cálidos invernaderos o en cajonera fría producirán menta fresca, de la que se dispondrá un mes antes de la cultivada en el jardín.

### ESPECIES SELECCIONADAS

Las ilustraciones y características principales de identificación ofrecidas en estas páginas sirven de pauta para reconocer la mayoría de las especies comunes, que aun así pueden resultar confusas pues incluso los expertos se equivocan al identificarlas.

'**Crispa**' Nombre difícil de atribuir a una especie determinada, pues se aplica a varias mentas distintas,

*El mastranzo variegado resulta muy vistoso extendiéndose sobre un paseo.*

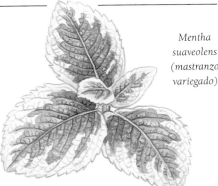

*Mentha suaveolens (mastranzo variegado)*

muchas de ellas híbridos, de hojas rizadas, enrolladas u onduladas, que carecen de utilidad en cocina, aunque aportan variedad e interés a una colección de mentas.

**M. x gentilis**, sándalo  Con olor especiado similar al de la menta común, presenta hojas con peciolo corto apuntadas por ambos extremos. Se cultiva normalmente la forma variegada, muy característica por las listas que contrastan en amarillo a lo largo de las principales nerviaciones de las hojas.

**M. longifolia**, menta de caballo  De hojas grisáceas, muy vellosas, más alargadas que anchas, con cierto olor a moho. No se aconseja su uso culinario.

**M. x piperita**, menta piperita  De hojas pecioladas, vellosas y finas. Se comercializan dos formas: la variedad negra, de tallos púrpura oscuro y hojas de hasta 6 cm de longitud, y la blanca, de color verde más claro y hojas que alcanzan hasta 7,5 cm. Su olor característico la distingue de las demás especies. Se emplea para preparar un refrescante té de menta.

**M. x piperita 'Citrata'**  Especie lampiña, de hojas finas, tersas y estolones púrpuras, con flores purpúreas. Expuesta a pleno sol desarrolla un intenso aroma a agua de colonia y aparece teñida de púrpura. A la sombra el color tiende a cobrizo. Se emplea como hierba aromática en popurrís y

*Las hojas de la variedad 'Citrata' despiden un intenso aroma a agua de colonia cuando se trituran.*

*Mentha x piperita 'Citrata'*

*Como el resto de las mentas, el mastranzo variegado se extiende con rapidez, aunque un macizo entero de esta variedad resulta realmente llamativo.*

*Mentha x villosa 'Alopecuroides'*

*Mentha x gentilis 'Variegata'*
*(sándalo variegado)*

*El follaje del sándalo variegado aporta un
vistoso golpe de color al jardín de hierbas.*

El mastranzo, especialmente la forma variegada, es una planta compacta de unos 30 cm de altura, lo que la convierte en una hierba ideal delante de un arriate o en un recipiente.

**M. spicata**, menta común Es la variedad que se emplea normalmente para elaborar la salsa de menta, y la más cultivada para uso culinario. Presenta hojas práctica o totalmente exentas de peciolo, lanceoladas, verdes brillantes y carentes de vello.

**M. x villosa 'Alopecuroides'**, menta de Bowles Considerada por algunos como un híbrido de *M. spicata* y *M. rotundifolia*, posee hojas sin peciolo, grandes, vellosas y redondeadas. De crecimiento exuberante, tolera suelos secos como ninguna otra menta. Aunque no es frecuente su comercialización puesto que se marchita nada más recolectarla, sirve para elaborar una excelente salsa de menta.

en la elaboración de una bebida endulzada con miel, si bien por su sabor no es tan indicada para la preparación de salsa de menta.

**M. x rotundifolia**, mastranzo De tallos muy pilosos y hojas redondeadas, arrugadas y vellosas. Es llamada en ocasiones *M. suaveolens*, y se puede encontrar a la venta bajo cualquiera de estos nombres.

**'Variegata'**, el mastranzo variegado, con hojas salpicadas de blanco crema y algunas prácticamente blancas con aroma a manzana y menta.

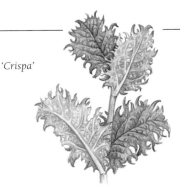

*'Crispa'*

*M. x piperita*
*(menta piperita)*

## *Mentha pulegium*
# POLEO

El poleo es una planta muy apropiada como tapizante, con pequeñas hojas ovales repartidas de modo uniforme a lo largo de los tallos delgados de 25 a 30 cm de altura que se desarrollan a partir de raíces rastreras. Algunas variedades de esta especie presentan en cambio una forma más compacta y sólo miden entre 10 y 15 cm. Las hojas despiden olor a menta piperita aunque tienen un fuerte sabor amargo. Las florecitas de color rosa lila crecen en grupos a mediados del verano, añadiendo atractivo a la hierba.

Aparte de formar un excelente tapiz (puede servir incluso como sustituto de la hierba en céspedes), es capaz de crecer en grietas y sobre áreas pavimentadas, pero requiere riego regular en climas muy secos. Su cultivo resulta también muy apropiado en jardineras y otros recipientes.

Se trata de una planta que prospera en cualquier tipo de suelo, independientemente de su exposición al sol, aunque los lugares húmedos y sombríos favorecen su crecimiento exuberante y vigoroso. No obstante, incluso en condiciones propicias conviene renovar la plantación cada cuatro años. En climas muy fríos, el poleo necesita protección en invierno.

Se cultiva sin dificultades por siembra de semillas en primavera, aunque se multiplica con mayor facilidad mediante división.

ADVERTENCIA No tomar poleo durante el embarazo ni excederse en su consumo ya que puede resultar tóxico.

| TIPO DE PLANTA | SITUACIÓN IDEAL | SUELO APROPIADO | MULTIPLICACIÓN | PARTES DE LA PLANTA | USOS |
|---|---|---|---|---|---|
|  |  |  |  |  |  |
| De hoja perenne, resistente, perenne | Pleno sol o sombra parcial | Adaptable, pero bien drenado | División, semilla | Hojas | Cosmético, doméstico, medicinal |

## *Monarda citriadora*

# BERGAMOTA LIMONERA

Aunque de cultivo menos común que *Monarda didyma*, la bergamota limonera es una hermosa planta apropiada para arriates, con una altura de 1 a 1,5 m, coronada por grupos de flores de color rosa claro. Forma una densa macolla que se extiende con el tiempo, provista de hojas apuntadas y ovales que despiden un fuerte olor a limón cuando se trituran, y que se emplean de forma similar a la bergamota.

*Monarda citriodora es una planta sumamente ornamental, de gran atractivo también para mariposas y abejas.*

La planta forma una tupida mancha de color cuando florece a mediados del verano, y atrae a multitud de abejas y mariposas, lo que la convierte en una planta idónea para arriates herbáceos. También tiene cabida en jardines de hierbas, a los que aportará altura y colorido, o bien en el jardín de una casa de campo.

La bergamota limonera se puede adquirir de cultivadores de hierbas o en viveros especializados en plantas poco corrientes. Para multiplicar una gran cantidad de ejemplares es preciso tomar esquejes en primavera, aunque basta con dividir en fragmentos una macolla grande, operación que en todo caso debe practicarse cada tres años en beneficio de la planta.

| TIPO DE PLANTA | SITUACIÓN IDEAL | SUELO APROPIADO | MULTIPLICACIÓN | PARTES DE LA PLANTA | USOS |
|---|---|---|---|---|---|
|  |  |  |  |  |  |
| Resistente, perenne | Pleno sol o sombra parcial | Fértil, húmedo | Esquejes, división | Hojas | Culinario |

## *Monarda didyma*

# BERGAMOTA

Esta hierba de gran utilidad, conocida también como té de Pennsylvania, es una planta de arriate muy popular cultivada tanto por sus flores decorativas como por su follaje aromático. Las flores tubulares, agrupadas en los extremos de los tallos de 1 a 1,2 m de altura, florecen a mediados y finales del verano con un color escarlata brillante. Existen variedades de flores color rosa, salmón, carmesí, malva, púrpura o blanco, que dan pie a creaciones de exuberante colorido. El néctar de las flores atrae a las abejas, así como a los colibríes en los países donde habitan.

Aunque para muchos el mayor atractivo de la bergamota radica en la belleza de su flor, son las hojas de color verde oscuro con aroma a resina las que justifican el interés por su cultivo en un jardín de hierbas, pues constituyen el ingrediente aromatizante del té "Earl Grey", además de tener otras aplicaciones culinarias. Su agradable fragancia persiste incluso cuando la parte superior de la planta se ha marchitado, pues hasta las raíces desprenden un suave aroma.

La bergamota se planta en tierra trabajada previamente con mantillo de jardín o estiércol, que se debe cubrir con pajote cada primavera.

La multiplicación mediante siembra de semillas o esquejes permite obtener un nutrido grupo de plantas, aunque basta con dividir las macollas establecidas en otoño. La división se lleva a cabo cada dos años para impedir que el centro de la planta se quede sin hojas. Las variedades mencionadas se deben reproducir siempre a través de esquejes o por división.

| TIPO DE PLANTA | SITUACIÓN IDEAL | SUELO APROPIADO | MULTIPLICACIÓN | PARTES DE LA PLANTA | USOS |
|---|---|---|---|---|---|
|  |  |  |  |  |  |
| Resistente, perenne | Pleno sol o sombra parcial | Fértil, húmedo | Esquejes, división, semilla | Hojas | Cosmético, decorativo, culinario, doméstico, medicinal |

## *Myrrhis odorata*

# PERIFOLLO OLOROSO

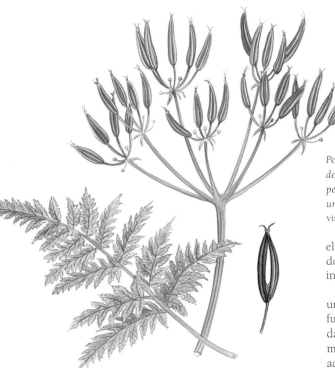

*Pese a la modestia de sus flores, el perifollo oloroso es una planta de vistoso follaje.*

Esta hierba perenne de alto porte puede llegar a medir de 1,2 a 1,5 m. Posee un hermoso follaje similar al del helecho, con florecillas de color blanco crema agrupadas en umbelas, que aparecen a finales de la primavera y principios del verano. Se cuenta entre las primeras plantas que reanudan su crecimiento en primavera, si bien conserva su fronda hasta mitad del invierno.

Las umbelas en forma de garra con semillas alargadas de color pardo tienen cierto atractivo, aunque si el perifollo oloroso se cultiva principalmente por sus hojas, conviene eliminar dichas inflorescencias para evitar la diseminación de la planta. Tanto las hojas como las semillas tienen un intenso aroma a regaliz y anís.

Esta hierba prefiere lugares parcialmente umbríos con un suelo frío que facilite la ramificación de las raíces fusiformes (que se pueden consumir como verdura). No se da bien en ambientes secos y cálidos favorables para la mayoría de las hierbas. Si no se encuentra un rincón adecuado en el jardín de hierbas, se puede cultivar al fondo de un arriate mixto o herbáceo. El verdor de su follaje hace resaltar el exuberante colorido de numerosas plantas que a su vez le sirven de apoyo, dada la inconsistencia de esta planta.

Las semillas pueden ser de germinación lenta, si bien normalmente es posible encontrar cerca plántulas de diseminación espontánea que se pueden trasplantar mientras sean jóvenes. También es susceptible de multiplicación mediante pequeños esquejes de raíz plantados en primavera, siempre que tengan un brote o yema, aunque la planta madre se resistirá a ser desenterrada.

| TIPO DE PLANTA | SITUACIÓN IDEAL | SUELO APROPIADO | MULTIPLICACIÓN | PARTES DE LA PLANTA | USOS |
|---|---|---|---|---|---|
|  |  |  |  |  | |
| Resistente, perenne | Sombra parcial | Fértil | División, semilla | Hojas, raíces, semillas | Decorativo, culinario, doméstico |

# *Myrtus communis*

# MIRTO

El mirto es un hermoso arbusto de hoja perenne con un follaje aromático verde oscuro de hojas pequeñas y coriáceas, con florecillas blancas aromáticas de unos 2,5 cm de ancho que aparecen de principios a finales del verano, seguidas a veces de bayas ovales negro purpúreas. La forma 'Variegata', de hojas verdes y blanco crema, es la más indicada para su cultivo con fines ornamentales.

En condiciones favorables las especies de follaje perenne forman un arbusto que supera los 3 m de altura, no así 'Variegata', de crecimiento menos vigoroso. Ambas formas pueden mantener una altura de 90 cm si se cultivan en una tina o macetón. Necesitan riego continuo en climas secos, medida de especial importancia si están plantadas en recipientes.

Si se cuenta con un espacio limitado, es recomendable cultivar especies enanas como *M. Tarentina*; existe también una forma enana variegada.

El mirto no se cultiva de forma más generalizada debido probablemente a que se trata de una planta sensible a las heladas. Si bien tolera heladas suaves que sólo le ocasionan daños superficiales, el arbusto se desarrolla mejor a una temperatura superior a 5°C. Para ello conviene cultivar las plantas en recipientes grandes que se puedan trasladar a invernaderos durante el invierno. Para resistir al aire libre debe plantarse cerca de un muro cálido en un lugar protegido. Es necesario podar los vástagos que resulten dañados por las heladas en primavera.

Se multiplica por esquejes a finales del verano.

*El mirto es una hermosa planta de follaje perenne, que prospera especialmente en regiones templadas.*

| TIPO DE PLANTA | SITUACIÓN IDEAL | SUELO APROPIADO | MULTIPLICACIÓN | PARTES DE LA PLANTA | USOS |
|---|---|---|---|---|---|
|  |  |  |  |  |  |
| Delicada, de hoja perenne, arbustiva | Pleno sol, protegida | Ligero, bien drenado | Esquejes | Hojas, fruto | Culinario |

# *Nasturtium officinale*

# BERRO

Esta frondosa planta mide de 5 a 60 cm dependiendo de las condiciones del entorno. En corrientes de agua fría se mantiene baja y densa, mientras que en ambientes secos y cálidos se forma una planta alta que germina con facilidad. Se extiende mediante raíces filiformes adventicias al nivel de los nudos. La aparición de las florecillas blancas de aspecto insignificante son signo del buen desarrollo de la planta.

Aunque el berro crece de forma natural en el agua de los arroyos, se da bien en tierra permanentemente húmeda por medio de riego regular. Para cultivar un macizo de berros es necesario cavar una zanja de unos 30 cm de profundidad en un lugar con sombra parcial, extender unos 15 cm de estiércol totalmente descompuesto o mantillo de jardín sobre el fondo y cubrirlo con una capa de 8 cm de tierra mezclada con una sustancia que retenga al máximo la humedad.

Si se obtiene por medio de semillas la siembra se realiza directamente en la zanja preparada a mediados de la primavera, con riego abundante para impedir que se seque la tierra; por ello conviene cavar la zanja cerca de una fuente o salida de agua.

También pueden plantarse los plantones en un pila poco profunda llena hasta la mitad de tierra permanentemente húmeda. El nivel del agua en el recipiente debería aumentarse gradualmente a medida que crezcan los berros, y se renovará el agua una vez por semana.

| TIPO DE PLANTA | SITUACIÓN IDEAL | SUELO APROPIADO | MULTIPLICACIÓN | PARTES DE LA PLANTA | USOS |
|---|---|---|---|---|---|
|  |  |  |  |  |  |
| Resistente, perenne | Pleno sol o sombra parcial | Húmedo, preferentemente mojado pero no saturado | Esquejes, división, semilla | Hojas | Culinario, medicinal |

*Nepeta cataria*

# HIERBA GATERA

Al igual que otras nébedas, esta hierba se usa como vistosa bordura de arriates arbustivos y mixtos o para dividir un jardín de hierbas en secciones, pero se desaconseja su cultivo donde pueda caer en forma de cascada sobre los paseos ya que atrae a las abejas y avispas.

Se multiplica con facilidad por semillas pero a menos que se necesite obtener una gran cantidad es recomendable dividir las macollas establecidas a principios o mediados de la primavera, lo cual permitirá disponer de plantas más grandes con mayor rapidez. También existe la opción de tomar esquejes de los brotes basales a mediados de la primavera.

*Nepeta cataria no es tan atractiva como otras variedades más populares pero les encanta a los gatos.*

El nombre de hierba gatera se aplica a varias especies de nébedas, pero es la variedad *N. cataria* la preferida por los gatos, a los que les encanta olerla y frotarse contra sus hojas, por lo que se planta a veces para que les sirva de diversión. Posee suaves hojas gris verdoso que desprenden un aroma mentolado característico y flores blancas o purpúreas en brotes de hasta 60 a 90 cm de altura, agrupadas en espigas que nacen en los nudos.

Aunque no tan llamativa como *N. x faassenii* y *N. mussinii* (sinónimo de *N. racemosa*), más indicadas para el jardín, *N. cataria* se puede usar como planta de adorno en el arriate herbáceo si falta espacio en el jardín de hierbas. Para evitar que la estropeen los gatos, conviene protegerla con una alambrada baja.

| TIPO DE PLANTA | SITUACIÓN IDEAL | SUELO APROPIADO | MULTIPLICACIÓN | PARTES DE LA PLANTA | USOS |
|---|---|---|---|---|---|
|  |  |  |  |  |  |
| Resistente, perenne | Pleno sol | Adaptable | Esquejes, división, semilla | Hojas | Cosmético, medicinal |

## *Ocimum basilicum*

# ALBAHACA

La albahaca es apreciada por su follaje de aroma picante. Se puede cultivar en macetas en interiores o al aire libre durante el verano. La variedad más usual posee hojas suaves verde oscuro aunque de forma y tamaño variables, e incluso rizadas. En ambientes con poca luz las plantas tienden a alargarse y hacerse delgadas, por lo que conviene pinzar los ápices de crecimiento para estimular la ramificación y espesor del follaje, incluso si las plantas se encuentran en el jardín. No se debe dudar tampoco en eliminar las flores blancas insignificantes agrupadas en espigas florales.

Se recomienda plantar la albahaca de hoja verde junto con variedades de hoja púrpura como 'Dark Opal', *O. basilicum* 'Purpurascens', o 'Purple Ruffles' que, pese a carecer de atractivo por sí solas, sirven de contraste a la variedad tradicional y combinan asimismo con otras hierbas si se cultivan como plantas para patios en recipientes.

A menos que se adquieran nuevos ejemplares, la albahaca puede multiplicarse cada año por siembra de semillas en interiores durante la primavera. Posteriormente cabe plantarlos en macetas cerca de una ventana con luz o en el jardín de hierbas cuando pasen los fríos y se hayan aclimatado (requisito indispensable ya que la hierba podría morir por un inesperado descenso de las temperaturas o vientos muy fríos incluso sin que se produjeran heladas). Las plantas al aire libre han de cultivarse con una separación de 30 cm.

La albahaca moruna (*O. basilicum* 'Minimum', clasificada a veces como *O. minimum*), con hojas más pequeñas, mide unos 30 cm en comparación con los 60 cm o más de la albahaca común.

*La albahaca posee un follaje especiado generalmente verde, aunque existen variedades ornamentales como 'Dark Opal', con hojas purpúreas.*

| TIPO DE PLANTA | SITUACIÓN IDEAL | SUELO APROPIADO | MULTIPLICACIÓN | PARTES DE LA PLANTA | USOS |
|---|---|---|---|---|---|
|  |  |  |  |  |  |
| Delicada, anual | Pleno sol | Ordinario, bien drenado | Semilla | Hojas | Decorativo, culinario, doméstico, medicinal |

*Oenothera biennis*

# HIERBA DEL ASNO

La hierba del asno posee el atractivo de una flor silvestre que la convierte en una planta ideal para jardines informales. En el jardín de hierbas destaca por el color amarillo de sus flores en contraste con los tonos verdes predominantes. Se trata de una planta bienal que en el primer año forma una roseta plana de hojas verde pálido, y en el segundo produce tallos verticales de 1 a 1,2 m de altura que sostienen flores amarillas, grandes y olorosas desde principios del verano hasta el otoño. En condiciones adecuadas, la planta llega a florecer a finales del primer año. Las flores, de vida corta, exhalan un agradable olor que se intensifica al atardecer.

Esta hierba se cultiva actualmente a gran escala con fines comerciales por su aceite esencial que, según se cree, tiene importantes propiedades medicinales. En el jardín sería impensable llegar a producir una cosecha que hiciera rentable su cultivo, pero no se necesitan excusas para emplazar tan vistosa planta en alguna parte del jardín de hierbas.

Las semillas se siembran directamente en el lugar elegido a finales de la primavera o principios del verano y se aclaran los plantones cuando son lo bastante grandes para manejarlos con facilidad. Las semillas se pueden comprar a vendedores de semillas especializados o expertos en semillas de flores silvestres, aunque también es posible adquirir plantones en un vivero de hierbas. Una vez que enraízan las plantas, las plántulas de diseminación espontánea deberían servir para renovar la plantación en los años subsiguientes.

| TIPO DE PLANTA | SITUACIÓN IDEAL | SUELO APROPIADO | MULTIPLICACIÓN | PARTES DE LA PLANTA | USOS |
|---|---|---|---|---|---|
|  |  |  |  |  | |
| Resistente, bienal | Pleno sol | Adaptable | Semilla | Hojas, tallos, semillas | Medicinal |

*Origanum majorana*

# MEJORANA

Esta apreciada hierba culinaria se comporta como anual semirresistente en muchas regiones, aunque de hecho se trata de una perenne delicada que tolera el invierno al aire libre si no hay riesgo de heladas. La planta alcanza unos 25 cm de altura, con tallos trepadores gruesos que en verano sostienen grupos de florecitas de color rosa malva y a veces blanco o púrpura producidas por pequeños brotes nudosos. Las hojas ovales de tamaño reducido tienen un aroma picante.

Esta hierba resulta atractiva plantada en recipientes y, si se cultivo en interiores situada en un espacio con luz natural, puede resistir todo el invierno.

La mejorana se siembra en tiestos o, si es posible, en un invernadero y se repica en bandejas y tiestos. Se endurece

*La mejorana constituye una bordura atractiva, aunque se debe tener en cuenta que no resiste las heladas.*

o aclimata y después se trasplanta a principios del verano. También es susceptible de siembra al aire libre en asiento a finales de la primavera, pero hay que protegerla bajo campana para facilitar la germinación.

Las plantas que resisten el invierno se pueden multiplicar por esquejes o por división, aunque por semillas se cultiva con mayor facilidad una nueva plantación cada año.

| TIPO DE PLANTA | SITUACIÓN IDEAL | SUELO APROPIADO | MULTIPLICACIÓN | PARTES DE LA PLANTA | USOS |
|---|---|---|---|---|---|
| Delicada, perenne | Pleno sol | Fértil | Esquejes, división, semilla | Hojas | Cosmético, decorativo, culinario, doméstico, medicinal |

## *Origanum vulgare*
# ORÉGANO

Esta hierba culinaria de inestimable valor se cultiva con facilidad y constituye una planta de jardín sumamente decorativa. A diferencia de la mejorana se trata de una herbácea resistente que tolera bien el frío pues, aunque se marchita en invierno, cuando reanuda el crecimiento en primavera forma un arbusto de unos 30 a 45 cm de altura. Una vez arraigada, la planta alcanza una extensión de 45 cm, formando una atractiva mata de follaje aromático adornado con multitud de florecillas rosas desde principios hasta finales del verano.

Las flores atraen numerosos tipos de insectos, incluyendo mariposas, abejas y avispas. Por tanto, aunque sea apta para borduras en verano, se desaconseja plantarla en lugares donde sobresalga por encima de los paseos si los insectos suponen una molestia.

El orégano dorado resulta ideal para la formación de borduras bajas al ser de menor tamaño y más denso que la especie de hoja verde. Las flores se pueden cortar con

tijeras de jardín para pulir el aspecto del follaje. El orégano tiene tendencia a volverse leñoso y perder vistosidad al cabo de unos cuatro años, por lo que conviene dividir y replantar las matas, o bien renovar la plantación por medio de esquejes tras el tercer año.

*Origanum vulgare posee flores*
*vistosas y la variedad 'Aureum' forma*
*una planta de hermoso follaje.*

| TIPO DE PLANTA | SITUACIÓN IDEAL | SUELO APROPIADO | MULTIPLICACIÓN | PARTES DE LA PLANTA | USOS |
|---|---|---|---|---|---|
|  |  |  |  |  |  |
| Resistente, perenne | Pleno sol | Ordinario, bien drenado | Esquejes, división, semilla | Hojas | Culinario |

# *Panax quinquefolius*
# GINSENG

El ginseng está considerado por naturistas y entusiastas de las hierbas como una planta medicinal de capital importancia. Aunque el ginseng chino es una especie diferente, ambas poseen un aspecto similar y se usan del mismo modo. Las hojas divididas en cinco lóbulos o foliolos nacen en los extremos de los tallos de 30 a 45 cm emergentes de la base de la planta. A principios del verano aparecen pequeñas flores verdes en los ejemplares adultos, tres o cuatro años después de la siembra. Como la planta entera, las raíces carnosas sólo se desarrollan lentamente.

Pese a carecer de gran valor ornamental, el ginseng se puede emplear como planta tapizante en condiciones adecuadas. Merece la pena emprender su cultivo por simple curiosidad, incluso a riesgo de que no prospere. Crece de forma natural en bosques húmedos, así que conviene preparar un arriate pequeño especial en un lugar sombrío, y enriquecer la tierra con materia que propicie la formación de humus, como mantillo de jardín, estiércol y hojas descompuestas.

Se puede cultivar por semillas si bien éstas no suelen adquirirse con facilidad. Aunque en algunos viveros de hierbas se vendan plantas de ginseng, es poco probable encontrar esta hierba en centros de jardinería.

| TIPO DE PLANTA | SITUACIÓN IDEAL | SUELO APROPIADO | MULTIPLICACIÓN | PARTES DE LA PLANTA | USOS |
|---|---|---|---|---|---|
|  |  |  |  |  |  |
| Resistente, perenne | Sombra parcial | Húmedo, fértil | División, semilla | Raíces | Medicinal |

## *Pelargonium*

# PELARGONIOS DE HOJAS AROMÁTICAS

Los pelargonios de hojas aromáticas integran una variedad de especies e híbridos del mismo género que las típicas plantas para arriates conocidas como geranios. En algunas especies las hojas trituradas desprenden un aroma inconfundible, no tan perceptible ni fácil de definir en el caso de otras especies. Lo que unos describen como olor a naranja, otros pueden considerarlo como aroma a limón, e incluso a rosas.

La mayoría de los pelargonios de hojas aromáticas miden de 30 a 60 cm de altura pero varían en cuanto a la

*De la especie Pelargonium graveolens se ha dicho que huele a limón, naranja e incluso a rosas.*

forma y tamaño de sus hojas, existiendo algunas formas variegadas de gran atractivo. Las flores quedan deslucidas en comparación con la vistosidad que despliega un macizo entero de geranios de verano.

Se trata de plantas aptas para macetas de interior o de invernadero, pero que al aire libre carecen del encanto propio de sus primos más floríferos. No obstante, cuando desaparece el riesgo de heladas, pueden permanecer plantadas en el jardín de hierbas durante el verano.

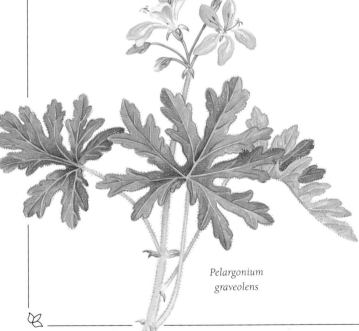

*Pelargonium graveolens*

| TIPO DE PLANTA | SITUACIÓN IDEAL | SUELO APROPIADO | MULTIPLICACIÓN | PARTES DE LA PLANTA | USOS |
|---|---|---|---|---|---|
|  |  |  |  | |  |
| Delicada, perenne | Pleno sol o soleado | Bien drenado, ligero (llenar los tiestos con mantillo basado en tierra franca) | Esquejes | Flores, hojas | Cosmético, culinario, doméstico |

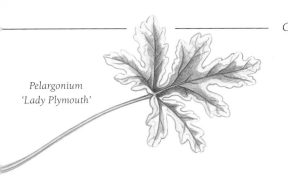

*Pelargonium*
'Lady Plymouth'

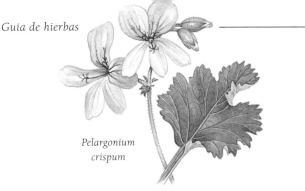

*Pelargonium*
*crispum*

También es posible cultivar una colección variada en un arriate elevado, tal vez en el patio, donde los visitantes tengan ocasión de disfrutar con la variedad de olores.

Las plantas se desentierran en otoño y se recortan dos tercios antes de llevarlas al interior en invierno, protegidas en un lugar seco libre de heladas. Resulta más práctico cultivarlas todo el año en macetones, que a su vez se asentarán en plena tierra para el verano.

Si las plantas empiezan a extenderse conviene pinzar los ápices para favorecer un crecimiento denso y estimular la ramificación. La nutrición es necesaria durante el verano, tanto en tiestos como en el jardín. De los esquejes tomados en otoño y primavera aparecen raíces rápidamente.

### ESPECIES SELECCIONADAS

La mayoría de cultivadores de hierbas venden pelargonios de follaje oloroso, pero para ampliar una colección tal vez sea preciso recurrir a un vivero especializado. Existen muchas más especies y variedades de las descritas a continuación, algunas de ellas con diferentes aromas.

*P. x asperum* Olor a pino (desagradable para algunas personas); flores lilas; hojas gris verde ásperas.

*P. capitatum* Olor a rosa; flores rosa púrpura; hojas vellosas; existe la forma variegada.

*P. x citrosum* Olor a naranja; flores malva.

*P. crispum* Olor a limón; flores malva, hojas pequeñas arrugadas; existe la forma variegada. En algunos lugares se vende ocasionalmente como pelargonio o geranio lavafrutas, ya que servía para perfumar dicho recipiente.

*P. x fragans* Olor picante o a nuez moscada; flores blancas; hojas gris verde pequeñas; existe también una forma variegada de flores malvas.

*P. graveolens* Olor difícil de definir, descrito de diversos modos como a limón, naranja o rosas; flores rosas o púrpuras; hojas gris verde; '**Lady Plymouth**' es una forma variegada.

*P. grossularioides* Olor a coco; flores púrpuras; hojas pequeñas; de hábito rastrero.

*P.* '**Mabel Grey**' Olor a limón; flores malvas; otros híbridos tienen una aroma a limón más tenue como '**Lemon Fancy**' y '**Little Gem**'.

*P. x nervosum* Olor a lima; flores lavanda; hojas pequeñas arrugadas.

*P. odoratissimum* Olor a manzana; flores pequeñas blancas; con tendencia a extenderse.

*P. tomentosum* Olor a menta; flores pequeñas blancas; hojas verde pálido.

*Pelargonium*
*quercifolium*

*Pelargonium*
*tomentosum*

## *Petroselinum crispum*

# PEREJIL

*Perejil rizado*

embargo, indica que la planta ha alcanzado su madurez y que debería ser reemplazada.

La germinación de sus semillas es un proceso lento y dificultoso, aunque en tierras cálidas y húmedas no suele plantear problemas. En caso contrario, es recomendable remojar las semillas en agua templada un par de horas antes de sembrarlas en surcos que hayan sido bien regados previamente. Hay que asegurarse de que el suelo no se seque nunca antes de producirse la germinación.

La siembra de semillas realizada en distintos momentos permite obtener perejil fresco en cualquier época del año. Se puede llevar a cabo una primera siembra bajo vidrio a finales del invierno o principios de la primavera, seguida

*Las variedades rizadas de perejil son las más atractivas. Se cultivan en arriates, en hileras y como bordura.*

El perejil apenas necesita presentación. Es con toda probabilidad la más universal de las hierbas culinarias, presente en cualquier huerta, en donde las variedades rizadas, de denso follaje, sirven también de adorno.

Aunque se trata de una planta bienal resistente al frío, se cultiva habitualmente como anual. Su follaje de aspecto similar al musgo forma una mata de 23 a 30 cm de altura que con el tiempo produce grupos diminutos de flores verdiamarillenta en el segundo año. La floración, sin

| TIPO DE PLANTA | SITUACIÓN IDEAL | SUELO APROPIADO | MULTIPLICACIÓN | PARTES DE LA PLANTA | USOS |
|---|---|---|---|---|---|
|  |  |  |  |  |  |
| Resistente, bienal | Pleno sol o sombra parcial | Fértil, rico en humus | Semilla | Hojas, raíces | Cosmético, culinario, doméstico, medicinal |

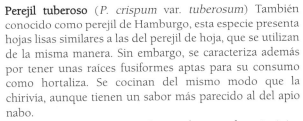

*Perejil de hoja*

de siembras sucesivas al aire libre en primavera y verano. En otoño la siembra se lleva a cabo en cajoneras frías o bajo campanas de cristal para la cosecha de invierno. El perejil también se puede cultivar en tiestos dentro de un invernadero o en interiores junto a una ventana con mucha luz.

### ESPECIES SELECCIONADAS

**Perejil de hoja** (*P. crispum* var. *neopolitanum*) No constituye una bordura tan atractiva como el perejil rizado, pero tiene un aroma más fuerte preferido por algunos cocineros. Presenta hojas planas, recortadas y de color verde oscuro, semejantes a las del cilantro. Se cultiva de la misma forma que el perejil rizado.

**Perejil tuberoso** (*P. crispum* var. *tuberosum*) También conocido como perejil de Hamburgo, esta especie presenta hojas lisas similares a las del perejil de hoja, que se utilizan de la misma manera. Sin embargo, se caracteriza además por tener unas raíces fusiformes aptas para su consumo como hortaliza. Se cocinan del mismo modo que la chirivía, aunque tienen un sabor más parecido al del apio nabo.

El perejil tuberoso se siembra por lo general a principios o mediados de la primavera directamente en el lugar elegido, y en otoño e invierno se recolectan las raíces.

*Perejil tuberoso*

*El perejil tuberoso tiene hojas que se usan como el perejil común y raíces comestibles como hortaliza.*

# *Pimpinella anisum*

# ANÍS

El anís se cultiva principalmente por las propiedades aromáticas de sus semillas, aunque las hojas se usan también para aportar un toque de sabor característico a sopas y ensaladas. Las hojas maduras de esta planta anual resistente son pinnadas y recuerdan a las de una zanahoria basta, mientras que las hojas jóvenes son más redondeadas y menos divididas. Las umbelas de florecillas blancas se asemejan a las del eneldo y aparecen a mediados y finales del verano.

La planta alcanza una altura de 45 a 60 cm y resulta idónea como relleno para arriates y macizos de hierbas. Dada la fragilidad de los ejemplares jóvenes, conviene situarlos en un sitio protegido de los vientos fuertes. La siembra se debe realizar directamente en el lugar elegido,

*Esta anual de aspecto endeble prospera mejor en lugares protegidos. Se usa como planta de relleno en arriates y macizos de hierbas.*

pues los plantones resisten mal los trasplantes.

Aunque la siembra principal se realiza en primavera, en climas suaves la siembra de otoño produce al año siguiente una cosecha de semillas temprana. Una vez establecida la planta se asegura la continuidad de la plantación en años venideros, si bien es poco probable que haya un exceso de plántulas de diseminación espontánea. Al cultivarse mediante semillas, es preciso dejar que éstas se formen tras la floración y que maduren antes de cosecharlas. Conviene reservar una pequeña cantidad para sembrarlas la primavera siguiente en caso de que no haya una buena regeneración natural.

| TIPO DE PLANTA | SITUACIÓN IDEAL | SUELO APROPIADO | MULTIPLICACIÓN | PARTES DE LA PLANTA | USOS |
|---|---|---|---|---|---|
|  |  |  |  |  |  |
| Resistente, anual | Pleno sol | Ligero, bien drenado | Semilla | Hojas, semillas | Culinario, doméstico, medicinal |

## *Poterium sanguisorba*
# PIMPINELA

Popular en su día como planta de jardín rural en Inglaterra y llevada a Norteamérica por los primeros colonizadores, la pimpinela ha quedado relegada a su uso como hierba culinaria de segundo orden. Sus hojas con aroma a pepino son adecuadas para ensaladas de verano.

Los tallos colgantes de gran longitud se ramifican desde el centro de la planta, formando una mata de unos 30 cm de altura. Las hojas verde azulado, pequeñas y dentadas, crecen en parejas opuestas a lo largo de los tallos que, a principios del verano, aparecen coronados por diminutas cabezuelas de flores rojizas. Aunque su follaje no es completamente perenne, la planta se mantiene verde la mayor parte del año pues da hojas nuevas de crecimiento temprano que conserva en buen estado hasta el invierno.

Esta hierba prospera en cualquier tipo de suelo y una vez establecida no necesita cuidado. Crece de forma natural especialmente en creta, aunque se da bien en la mayoría de

los jardines, siempre que se cultive en un lugar soleado.

La planta se puede dividir pero una vez que enraíce es prácticamente seguro que se dispondrá de plántulas de diseminación espontánea. De hecho, conviene eliminar las cabezas florales para impedir que las plántulas supongan un problema.

*La pimpinela se puede cultivar en un recipiente si no hay espacio en el jardín de hierbas.*

| TIPO DE PLANTA | SITUACIÓN IDEAL | SUELO APROPIADO | MULTIPLICACIÓN | PARTES DE LA PLANTA | USOS |
|---|---|---|---|---|---|
|  |  |  |  |  |  |
| Resistente, perenne | Pleno sol | Adaptable | División, semillas | Hojas | Culinario, medicinal |

# *Prunella vulgaris*
# CONSUELDA MENOR

La consuelda menor varía de altura según las condiciones del entorno; aunque normalmente forma un tapiz de pocos centímetros de alto, puede alcanzar más de 45 cm en tierra húmeda con poca luz. A mediados y finales del verano aparecen flores malvas, púrpuras, rosas o blancas dispuestas en densos penachos.

Puede servir como tapizante o como planta de bordura para macizos y arriates, si bien debe usarse con cuidado pues es posible que llegue a convertirse en una especie infestante. Se desaconseja plantarla, por ejemplo, frente a un arriate contiguo a un césped ya que se puede extender por la hierba con rapidez. Conviene cultivarla por el contrario en una zona del jardín de hierbas limitada por áreas pavimentadas que impidan su propagación, o bien confinada en un recipiente grande situado tal vez al pie de un árbol o de un grupo de arbustos.

Aunque se pueden adquirir plantas de consuelda menor, esta hierba se cultiva fácilmente mediante semillas, que quizá deban encargarse a un vendedor de semillas especializado en hierbas y flores silvestres. La siembra se realiza en cualquier momento entre primavera y otoño. La división es el método más sencillo de multiplicación de las plantas arraigadas, aunque los brotes postrados enraízan con suma facilidad, de modo que se cuenta con multitud de plantas jóvenes que se pueden separar de la planta madre.

| TIPO DE PLANTA | SITUACIÓN IDEAL | SUELO APROPIADO | MULTIPLICACIÓN | PARTES DE LA PLANTA | USOS |
|---|---|---|---|---|---|
|  |  |  |  |  |  |
| Resistente, perenne | Pleno sol o sombra parcial | Adaptable, bien drenado | Hojas | Hojas | Medicinal |

## *Pulmonaria officinalis*
# PULMONARIA

La pulmonaria es una popular planta de jardín cultivada principalmente por las vistosas flores rosas o rojas cuando se abren por primera vez en primavera, que se vuelven violetas y azules con la edad, creando un efecto multicolor. Existen asimismo variedades cultivadas blancas. Las primeras flores aparecen en los extremos de los tallos de 23-30 cm a principios de la primavera y la floración se prolonga hasta finales de la estación. Las hojas jaspeadas con manchas de blanco plateado conservan su atractivo durante muchos meses.

Antiguamente se pensaba que las manchas del follaje reproducían el aspecto de los pulmones enfermos, lo que promovió el uso de la planta en la medicina popular para

*Pulmonaria officinalis*
*'Sissinghurst white'*

el tratamiento de afecciones pulmonares como la tuberculosis. Contiene mucílago, tanino, saponinas y ácido silícico, substancias algunas de ellas beneficiosas para el sistema respiratorio. Las hojas secas se utilizan a veces en infusión para la tos pectoral y el dolor de garganta. Algunos herboristas la recetan para frenar la diarrea.

La pulmonaria forma un excelente tapiz en áreas sombrías, y resulta apropiada asimismo en grupos densos situados en primer plano de arriates herbáceos o mixtos, así como en el jardín de hierbas. Se adapta a cualquier tipo de suelo siempre que retenga la humedad suficiente. Hay que regarla con profusión en condiciones de sequedad.

La división, llevada a cabo preferentemente a finales de la estación, es el método más sencillo de multiplicación.

| TIPO DE PLANTA | SITUACIÓN IDEAL | SUELO APROPIADO | MULTIPLICACIÓN | PARTES DE LA PLANTA | USOS |
|---|---|---|---|---|---|
| Resistente, perenne | Sombra o sombra parcial | Húmedo | Semilla, división | Hojas | Medicinal |

# *Rosa gallica 'Officinalis'*
# ROSA ROJA DE LANCASTER

La fragancia de las rosas bastaría para justificar la inclusión de algunas de ellas en el jardín de hierbas, pero además cuentan con otras cualidades. El agua de rosas se utiliza con fines medicinales y culinarios, los pétalos de rosas se pueden escarchar y emplear frescos en ensaladas y postres, y con los escaramujos se preparan tés y jarabes. De modo que no hay que dudar en plantar el jardín de rosales para dotar de belleza y color una colección de hierbas. No obstante, conviene limitarse a aquellos que se han empleado tradicionalmente como hierbas o fuente de aceites fragantes, como la rosa roja de Lancaster. Asimismo cabe destacar otros como *R. x damascena* 'Trigintipetala' (una variedad del rosal de Damasco usada principalmente en la producción de esencia de rosas en Bulgaria), *R. x alba* y *R. x centifolia* (rosal de Provenza). Se desaconseja el uso de rosales híbridos modernos pues rara vez armonizan con el conjunto de un jardín de hierbas.

Si sólo hay espacio disponible para un rosal arbustivo, la rosa roja de Lancaster reúne en sí cualidades propias como la belleza y la intensa fragancia de sus flores, la esencia de sus pétalos que se secan con facilidad y un excelente linaje. Se trata de un arbusto que alcanza entre 1 y 1,2 m de altura y extensión. Sus flores semidobles se componen de pétalos carmesíes con un grupo central de anteras doradas y escaramujos rojos en otoño.

| TIPO DE PLANTA | SITUACIÓN IDEAL | SUELO APROPIADO | MULTIPLICACIÓN | PARTES DE LA PLANTA | USOS |
|---|---|---|---|---|---|
| Resistente, arbusto | Pleno sol | Fértil | Esquejes | Flores | Cosmético, decorativo, culinario, doméstico, medicinal |

# *Rosmarinus officinalis*
# ROMERO

El romero es una de las hierbas culinarias esenciales, de cultivo recomendado para todo tipo de jardines. Merece la pena plantarlo como arbusto puramente ornamental, dado que su follaje perenne compuesto de hojas verdes grisáceas exhala con sólo rozarlo su característica fragancia resinosa. Sus pequeñas flores, cuyo color oscila entre azul vivo y azul muy pálido o incluso blanco según la variedad, nacen pegadas al tallo y ocultas entre el follaje. Ocasionalmente empiezan a abrirse a finales del invierno en climas templados, pero es el final de la primavera el principal período de floración.

El romero varía de tamaño considerablemente dependiendo de la variedad. Algunas forman un arbusto denso que no supera los 90 cm, otras como 'Fastigiatus' crecen altas y erguidas. Una planta de una variedad alta puede alcanzar fácilmente 1,8 m, mientras que otras

*El romero es un arbusto de hoja perenne de primer orden, apropiado en el jardín de flores de casa. Esta variedad se denomina 'Sissinghurst Blue'.*

especies crecen como tapizantes postrados.

El romero puede servir de ornamento central en jardines de hierbas formales, emplearse para la formación de setos divisorios informales o plantarse en un arriate de arbustos decorativo. Constituye una elegante planta para patios en tinas y macetones y, en regiones frías, su cultivo en recipientes facilita la protección de la planta en invierno. El romero tolera la poda, de modo que se puede mantener pequeño y compacto si es necesario.

Pese a resistir en la mayoría de los ambientes, en inviernos crudos o regiones frías y desprotegidas es conveniente proteger la planta. Se pueden tomar esquejes en verano.

| TIPO DE PLANTA | SITUACIÓN IDEAL | SUELO APROPIADO | MULTIPLICACIÓN | PARTES DE LA PLANTA | USOS |
|---|---|---|---|---|---|
|  |  |  | |  |  |
| Resistente, arbusto | Pleno sol o sombra parcial | Ligero, bien drenado | Esquejes | Hojas | Cosmético, decorativo, culinario, doméstico, medicinal |

*Rumex acetosa*

# ACEDERA

Dado que la acedera parece una mala hierba, no debe ocupar un emplazamiento visible.

La acedera se cultiva por el sabor ácido de sus hojas anchas, que alcanzan hasta 10 cm. La planta en plena madurez mide unos 90 cm de altura, pero conviene consumir las hojas antes de que aparezcan las espigas de florecitas de color verde rojizo. Los suelos húmedos y fríos intensifican su sabor, por tanto en regiones secas y cálidas es preciso cubrir las plantas con pajote tras regarlas con profusión. Hay que examinarlas con frecuencia y eliminar los capullos para asegurar la producción sucesiva de hojas jóvenes y jugosas.

Se trata de una planta perenne de raíces profundas cuya erradicación puede resultar dificultosa. Si se permite la formación de flores y semillas, las plántulas de diseminación espontánea resultantes pueden ser un estorbo. Para evitarlo y dado que las hojas jóvenes frescas ofrecen un sabor más refinado, es preferible tratar la acedera como una planta anual.

La siembra se realiza durante la primavera en el lugar elegido, y las plantas se aclaran espaciándolas unos 30 cm. Hay que procurar eliminar los tallos floridos antes de que granen.

Las semillas se pueden comprar habitualmente a un vendedor de semillas especializado en hierbas y flores silvestres, y muchos viveros de hierbas disponen de ejemplares adultos.

| TIPO DE PLANTA | SITUACIÓN IDEAL | SUELO APROPIADO | MULTIPLICACIÓN | PARTES DE LA PLANTA | USOS |
|---|---|---|---|---|---|
|  |  |  |  |  |  |
| Resistente, perenne | Sol o sombra parcial | Fértil, húmedo | División, semilla | Hojas | Culinario, doméstico, medicinal |

*Rumex scutatus*

# ACEDERA REDONDA

Esta planta ofrece multitud de hojas similares a las espinacas con un sabor más suave que otras acederas. Las hojas onduladas de color verde pálido tienen 10 cm de longitud y salen al nivel del suelo formando una macolla. A finales de la primavera o principios del verano aparecen florecitas verdosas de aspecto insignificante en pedúnculos de 30 a 45 cm de largo.

En épocas secas hay que regar las plantas con profusión para estimular una producción abundante de hojas tiernas. Conviene eliminar los tallos floridos tan pronto aparezcan para favorecer la aparición de hojas nuevas y evitar la

*La acedera redonda carece de atractivo y conviene cultivarla en hileras al igual que las espinacas.*

regeneración natural a partir de semillas.

Al impedir la floración de este modo, las plantas seguirán creciendo durante varios años, no obstante, conviene dividirlas y plantarlas de nuevo cada tres años. La acedera redonda se reproduce asimismo con facilidad a partir de semillas. La siembra se debe realizar en asiento durante la primavera o en semilleros para trasplantar los plantones posteriormente.

Las babosas, los caracoles y las orugas encuentran en las hojas un verdadero festín, por lo que conviene estar preparado para combatir dichas plagas.

| TIPO DE PLANTA | SITUACIÓN IDEAL | SUELO APROPIADO | MULTIPLICACIÓN | PARTES DE LA PLANTA | USOS |
|---|---|---|---|---|---|
|   |  |  |  |  |  |
| Resistente, perenne | Pleno sol o sombra parcial | Fértil, húmedo | División, semilla | Hojas | Culinario |

*Ruta graveolens*

# RUDA

Este pequeño subarbusto de hoja perenne se asemeja más a una herbácea perenne que a un arbusto. Mide entre 60 y 75 cm de altura y está cubierto por un vistoso follaje dividido y redondeado de color verde o verde azulado. Las hojas tienen un olor acre y algunas de ellas pueden caer durante el invierno si la planta ha de soportar ambientes muy fríos. En verano aparecen flores de color amarillo brillante que algunas personas prefieren eliminar.

Existe una forma variegada con hojas manchadas de color blanco crema, pero las variedades más atractivas están provistas de follaje azul glauco. 'Jackman's Blue' es la más extendida en Europa y 'Blue Mound' en América.

La ruda puede cultivarse como plantas individuales en un arriate herbáceo o de hierbas, pero dispuesta en hilera a modo de seto divisorio bajo en el contexto de un jardín de hierbas puede resultar especialmente decorativa. Hay que recortarla con tijeras de jardín para estimular el crecimiento nuevo y vigoroso del follaje y mantener la planta compacta.

Se multiplica por siembra de semillas en primavera o mediante esquejes que pueden tomarse en verano.

ADVERTENCIA  La ruda debe manipularse con cuidado. El follaje puede provocar reacciones de extrema gravedad en algunas personas, especialmente si se realiza a plena luz del día. Las erupciones graves pueden requerir asistencia médica. Su aplicación con fines medicinales exige asimismo precaución, ya que puede resultar tóxica en dosis elevadas. Como hierba culinaria tiene un uso limitado, debido a su sabor amargo.

| TIPO DE PLANTA | SITUACIÓN IDEAL | SUELO APROPIADO | MULTIPLICACIÓN | PARTES DE LA PLANTA | USOS |
|---|---|---|---|---|---|
|  |  |  |  |  |  |
| Resistente, subarbustiva | Pleno sol | Adaptable | Esquejes, división, semilla | Hojas, raíces | Doméstico, medicinal |

# *Salvia elegans*
# SALVIA PIÑA

Las suaves hojas pilosas con fuerte olor a piña constituyen el principal atractivo de la planta, igualado sin embargo en condiciones favorables por la presencia adicional de las llamativas flores rojas tubulares que aparecen en espigas esbeltas a finales del verano. Las flores de esta hierba atraen a numerosos insectos y, en algunos países, a colibríes en busca de néctar.

Esta planta perenne delicada nunca llega a formar un arbusto grande, pues normalmente alcanza sólo entre 60 y 90 cm de altura. Para promover su desarrollo en forma de arbusto, hay que pinzar los ápices de crecimiento de las plantas cuando aún son pequeños. Su cultivo es muy apropiado en tinas o macetones; más aún teniendo en cuenta que de este modo se facilita la tarea de proteger el arbusto en invierno, pues basta con trasladar el recipiente

a un invernadero. No obstante, en regiones con inviernos templados la salvia piña puede sobrevivir al aire libre protegida por un muro soleado. Siempre es conveniente tomar unos cuantos esquejes cada año para cultivarlos durante el invierno en un lugar resguardado de las heladas a modo de garantía en previsión de posibles pérdidas.

*Salvia rutilans* es también una perenne delicada de características similares que en Europa se conoce asimismo como salvia piña.

*El cultivo de salvia piña en tinas facilita su traslado a un lugar protegido de las heladas durante el invierno.*

| TIPO DE PLANTA | SITUACIÓN IDEAL | SUELO APROPIADO | MULTIPLICACIÓN | PARTES DE LA PLANTA | USOS |
|---|---|---|---|---|---|
|  |  |  |  |  | |
| Delicada, perenne | Pleno sol | Bien drenado | Esquejes | Hojas | Culinario |

# *Salvia officinalis*

# SALVIA

*Salvia officinalis*

*Una planta tan práctica como la salvia puede llegar a sorprender por la belleza de sus flores.*

La salvia constituye una hierba culinaria clásica, además de ser una de las más ornamentales, especialmente si se elige una de las variedades de follaje variegado o de color. Se trata de un subarbusto enano de hoja semiperenne que generalmente no supera los 60 cm de altura. En verano forma una mata regular de follaje aromático cuyo aspecto armoniza tanto en combinación con plantas herbáceas y arbustos como en el jardín de hierbas.

A finales de la primavera y principios del verano suele dar vistosas espigas de flores blancas, rosas o azul pálido, aunque tal vez se prefiera eliminarlas dado que esta planta se cultiva primordialmente por sus hojas. En cualquier caso, la floración rara vez se produce a menos que el clima y las condiciones sean favorables.

Pese a resistir en la mayoría de los ambientes, la salvia puede resultar dañada por los efectos de un duro invierno. En zonas donde no se den las condiciones propicias se

| TIPO DE PLANTA | SITUACIÓN IDEAL | SUELO APROPIADO | MULTIPLICACIÓN | PARTES DE LA PLANTA | USOS |
|---|---|---|---|---|---|
|  |  |  |  |  |  |
| Resistente, subarbustiva | Pleno sol | Adaptable, bien drenado | Esquejes, semilla | Hojas | Culinario, cosmético, doméstico, medicinal |

*Salvia officinalis*
'Tricolor'

*Salvia officinalis*
'Purpurascens'

encontrará en mal estado al principio de la primavera con muchas de las hojas afectadas, y en zonas de frío extremo puede incluso llegar a morir debido a las bajas temperaturas. Sin embargo, con el inicio del verano la mayoría de las plantas recobrarán su follaje y en climas templados la salvia mantendrá su aspecto durante todo el invierno.

Tras tres o cuatro años las plantas empiezan a perder generalmente su forma compacta por lo que conviene renovarlas. La especie se reproduce por sí misma mediante semillas, pero para lograr variedades con hojas de color o variegadas hay que tomar esquejes. En cualquier caso, siempre conviene tomar algunos esquejes para cultivarlos en cajonera fría a fin de poder compensar las eventuales pérdidas.

### VARIEDADES SELECCIONADAS

La propia especie presenta hojas de color verde pálido al abrirse que después se vuelven prácticamente grises. La salvia común, tal como se conoce, es una planta de follaje hermoso que resulta apropiada en un jardín de hierbas. Sin embargo, cuenta con algunas variedades excepcionales cuya inclusión en cualquier jardín merece ser considerada seriamente. Se puede probar con una o dos variedades de *S. officinalis* para añadir color e interés al jardín de hierbas o cultivarlas en macizos y arriates junto con otras plantas ornamentales. Resultan indicadas en arriates elevados y recipientes para patios, donde prolongan el colorido estival

y es fácil rozar las hojas para que desprendan su aroma.

Las formas más populares se describen a continuación, pero existen una multitud de formas distintas para elegir, como '**Alba**' de flores blancas, '**Aurea**' de hojas doradas y '**Kew Gold**'. En los viveros se encuentran los dos tipos de salvia, de hoja ancha y de hoja estrecha, si bien la forma comercializada como de hoja estrecha puede tratarse de una especia distinta denominada *S. lavandulifolia*.

'**Icterina**'   Denominada a veces 'Variegata', se conoce como salvia estriada y se caracteriza por su coloración brillante. El follaje nuevo en primavera presenta tonos pronunciados de amarillo claro, dorado y verde, y conserva un vistoso contraste de verdes y dorados durante todo el verano y en invierno.

'**Purpurascens**'   Se trata de la salvia purpúrea con hojas aterciopeladas de color gris verdoso bañadas de púrpura. Puede dar flores violetas azuladas en verano. Forma una excelente combinación con plantas de hojas amarillas, al crear un vistoso contraste.

'**Tricolor**'   Variedad compacta con hojas luminosas que consiguen combinar verde, crema, blanco, púrpura y rosa. Pese a resultar sumamente atractiva, tiende a ser menos resistente que algunas de las otras variedades.

*Las salvias variegadas son más apropiadas como plantas de jardín, y se pueden usar como la salvia común. Aquí aparece 'Icterina'.*

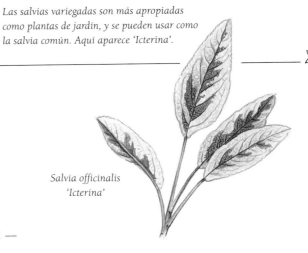

*Salvia officinalis*
'Icterina'

# *Salvia sclarea*

# AMARO

El amaro constituye una planta de aspecto llamativo, con hojas arrugadas muy grandes cubiertas de vello lanoso de color blanco. A finales del verano da flores de rosa pálido o violáceas con finas brácteas que elevan la altura de la planta a unos 90 cm.

El auténtico amaro es una planta imponente de hojas enormes e inflorescencias espectaculares, que resulta difícil de emplazar. Se puede probar en un arriate de hierbas mixto, dado que crea un vistoso efecto frente a arbustos, o bien incluir unos cuantos ejemplares en un arriate herbáceo. Aunque el emplazamiento idóneo para su cultivo es sin duda una parte informal dentro del jardín de una casa de campo.

Esta hierba se cría normalmente como planta bienal, sembrada a finales de la primavera para que florezca al año siguiente. No obstante, dado que se cultiva por sus hojas y no por sus flores, cabe tratarlo como una planta anual, lo que resulta práctico en regiones frías donde, si no, necesitaría un lugar cálido y protegido para sobrevivir a los rigores de un invierno duro.

Las semillas se pueden obtener de vendedores de semillas especializados, más recomendables que los generales, pues en tal caso podría comprarse por equivocación la ornamental *Salvia horminum*, que algunos denominan también amaro.

*El amaro posee hojas grandes que pueden deslucir la planta en un principio, contrastanto con el aspecto impresionante que muestra en plena floración.*

| TIPO DE PLANTA | SITUACIÓN IDEAL | SUELO APROPIADO | MULTIPLICACIÓN | PARTES DE LA PLANTA | USOS |
|---|---|---|---|---|---|
| Bienal | Pleno sol | Adaptable | Semilla | Hojas | Culinario, medicinal |

## *Santolina chamaecyparissus*
# SANTOLINA

La santolina, o abrótano hembra, de cultivo más frecuente como planta ornamental que como hierba, se utiliza como repelente contra insectos, lo que justifica su inclusión en el jardín de hierbas. Antiguamente era costumbre emplearla para eliminar los gusanos intestinales habituales en los niños, pero sus aplicaciones medicinales han caído en desuso.

Esta especie forma una macolla pequeña de follaje aromático, filiforme y de color blanco plateado que sirve de excelente contraste a otras plantas. Al igual que el boj, es apropiada como seto enano en jardines geométricos y como divisorio en jardines de hierbas formales. También se usa en borduras para macizos de hierbas formales y ornamentos centrales compuestos por un arbusto de laurel o romero.

La santolina crece unos 45 cm de forma arbustiva si se poda con regularidad, y hasta unos 60 cm si se permite su floración. Las masas de flores amarillas en forma de botón que nacen en verano pueden resultar atractivas en ejemplares individuales; pero, en caso de emplear la planta como seto o bordura, hay que cortarlas con tijeras de jardín para mantener su perfil regular y compacto.

*Este arbusto de agradable follaje no debería confinarse a un jardín de hierbas.*

*Santolina chamaecyparissus nana* (sinónimo de *S. chamaecyparissus corsica*) forma un follaje muy denso, lo suficientemente bajo para incluirlo en rocallas y usarlo como excelente bordura en un jardín de hierbas pequeño.

Esta hierba se puede reproducir mediante semillas o por esquejes tomados en verano.

| TIPO DE PLANTA | SITUACIÓN IDEAL | SUELO APROPIADO | MULTIPLICACIÓN | PARTES DE LA PLANTA | USOS |
|---|---|---|---|---|---|
| Resistente, arbustiva | Pleno sol | Fértil, húmedo pero bien drenado | Esquejes, semilla | Hojas | Cosmético, culinario, doméstico |

# *Saponaria officinalis*
# SAPONARIA

Antes de iniciarse la producción comercial de jabón en el siglo XIX, la saponaria constituía un importante sucedáneo. Las hojas producen una espuma limpiadora al triturarlas y frotarlas en agua, aunque es en la raíz gruesa donde se encuentra la mayor concentración de saponina, el principio activo. Antiguamente su uso se destinaba a fines medicinales, si bien hoy en día se emplea únicamente en cosmética y como ablandador del agua.

Esta planta perenne desarrolla vástagos que se extienden en primavera a partir de raíces carnosas, del grosor de un dedo. Las flores blancas rosadas, de aspecto delicado y suave fragancia, están presentes durante un período prolongado a lo largo del verano. Las flores individuales, de unos 2,5 cm de extensión, nacen en ramilletes sobre tallos de 30 a 90 cm de altura. Existen también variedades dobles de flores blancas y rosas.

Esta hierba crece de forma natural preferentemente al borde de arroyos y bosques húmedos, por lo que prospera mejor en lugares húmedos con sombra parcial que en ambientes secos y soleados preferidos por la mayoría de las hierbas.

La saponaria armoniza a la perfección con plantas de jardín cultivadas de modo informal al estilo de los jardines silvestres. Necesita bastante espacio para desarrollarse bien y tener la posibilidad de extenderse y colgar por su peso, y en condiciones favorables llegará a extenderse con vitalidad por medio de estolones. También se puede reproducir a partir de semillas sembradas en primavera.

| TIPO DE PLANTA | SITUACIÓN IDEAL | SUELO APROPIADO | MULTIPLICACIÓN | PARTES DE LA PLANTA | USOS |
|---|---|---|---|---|---|
|  |  |  |  |  |  |
| Resistente, perenne | Sol o sombra parcial | Húmedo, rico en humus | División, semilla | Hojas, raíces | Cosmético, doméstico |

*Satureja hortensis*

# AJEDREA DE JARDÍN

La ajedrea de jardín es una planta anual de aspecto sencillo, con hojas pequeñas pero muy aromáticas. Su sabor picante es considerado por muchos cocineros superior al de su pariente perenne, la ajedrea silvestre.

Se trata de una planta arbustiva con hábito extendido que alcanza 30 cm de altura. La parte superior tiende a hacerse densa a medida que avanza la temporada y es probable que llegue a colgar si no se entutora. Las florecillas de color lila pálido aparecen a intervalos entre mediados del verano y principios del otoño, pero son demasiado insignificantes para destacar por su vistosidad.

Las semillas se siembran en asiento durante la primavera y posteriormente se aclaran los plantones espaciándolos unos 15 cm entre sí. Las semillas también pueden germinar bajo vidrio para trasplantarse después los plantones, aunque la planta no responde bien al trasplante.

Conviene reservar una zona en el jardín de hierbas para la ajedrea de jardín, pues cabe contar con que la diseminación espontánea producirá plántulas en años consecutivos, sin que supongan un problema para otras plantas. Es apropiada también para su cultivo en recipientes como tiestos y jardineras.

*Es preferible cultivar la ajedrea de jardín en un macizo aislado, donde no estorben las plántulas que surjan por diseminación espontánea.*

| TIPO DE PLANTA | SITUACIÓN IDEAL | SUELO APROPIADO | MULTIPLICACIÓN | PARTES DE LA PLANTA | USOS |
|---|---|---|---|---|---|
|  |  |  |  |  | |
| Resistente, anual | Pleno sol | Ligero | Semilla | Hojas | Culinario, medicinal |

## *Satureja montana*

# AJEDREA SILVESTRE

La ajedrea silvestre es un arbusto de hoja perenne que a pesar de ello puede verse despojado de sus hojas en regiones muy frías o por los rigores de un duro invierno. Esta planta de crecimiento bajo forma un matorral regular de unos 30 cm de altura y 20 cm de extensión, que al final del verano se cubre de diminutas flores de color lila pálido, blanco o blanco rosado. Conviene recortar la parte superior de la planta durante la primavera con el fin de estimular la producción de hojas jóvenes y frescas para su recolección. La poda permite además mantener su perfil uniforme y promover el crecimiento denso del arbusto. Al admitir la poda, la ajedrea silvestre se puede cultivar como seto bajo en el contexto de un jardín de hierbas con plantas situadas a una distancia de unos 20 cm entre sí.

Esta planta prefiere suelos no demasiado fértiles y, siempre que le toque bien el sol, su cultivo no comportará problemas. En climas fríos es preciso protegerla en invierno cubriéndola bajo campanas de cristal o colocándola en una cajonera fría.

Su cultivo es apropiado en tiestos u otros recipientes. Si la maceta es lo suficientemente pequeña como para llevarla a interiores y se sitúa en un lugar con mucha luz, la planta se podrá cosechar durante los meses de invierno. Hay que pinzar los ápices de los brotes con regularidad para impedir que la hierba se alargue y adelgace.

La ajedrea silvestre puede reproducirse a partir de semillas y si se permite su floración, se dará la diseminación espontánea. También se multiplica por esquejes.

*Aunque en regiones muy frías puede perder sus hojas en invierno, la ajedrea silvestre es una planta de hoja perenne de gran utilidad.*

| TIPO DE PLANTA | SITUACIÓN IDEAL | SUELO APROPIADO | MULTIPLICACIÓN | PARTES DE LA PLANTA | USOS |
|---|---|---|---|---|---|
|  |  |  |  |  |  |
| Resistente, de hoja perenne, subarbustiva | Pleno sol | Adaptable, bien drenado | Esquejes, semilla | Hojas | Culinario, doméstico, medicinal |

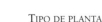

## *Stachys*
# BETÓNICAS

De las especies que integran este género, destacamos por su belleza *S. byzantina* (sinónimo de *S. lanata*, *S. olympia*). Es una excelente planta ornamental para el propio jardín de hierbas, combinada con plantas herbáceas o como tapizante frente a arbustos. Algunos apasionados de las hierbas podrían cuestionar su emplazamiento en un jardín de hierbas pues carece de usos medicinales o culinarios, pero en algunos viveros se vende como planta de jardín campestre y figura en ciertos libros de hierbas. Dado que se emplea para formar guirnaldas decorativas, bien puede servir para realzar la belleza del jardín de hierbas.

La planta forma un denso tapiz que se extiende lentamente

*Lejos de confinar esta excelente planta tapizante al jardín de hierbas, debe considerarse como una planta de jardín general de primer orden.*

compuesto de hojas de color gris plateado, lanosas y suaves, que podrían recordar las orejas de los corderos. Su hábito tapizante y la luminosidad de su color la convierten en una planta de atractivo excepcional durante el verano. El follaje alcanza entre 23 y 30 cm, pero las espigas florales de rosa a púrpura a mitad del verano elevan su altura a unos 45 cm.

Muchas personas encuentran sus flores llamativas. Otras, en cambio, prefieren el follaje tapizante en sí, en cuyo caso, 'Silver Carpet' sería una buena opción, pues rara vez florece. Pero si se desea una alfombra de color amarillo pálido a principios de año, la más indicada es 'Primrose Heron'. El color de sus hojas nuevas se suaviza en verano y al llegar el invierno adquieren un tono gris plateado.

Pese a ser de follaje perenne, las hojas dañadas por el frío deslucen el aspecto de la planta al final del invierno y conviene aclararlas para dar paso al desarrollo de hojas nuevas. La planta prospera mejor en regiones con inviernos suaves y puede llegar a morir en climas fríos.

| TIPO DE PLANTA | SITUACIÓN IDEAL | SUELO APROPIADO | MULTIPLICACIÓN | PARTES DE LA PLANTA | USOS |
|---|---|---|---|---|---|
|  |  |  |  |  |  |
| Resistente, de hoja perenne, perenne | Pleno sol | Fértil, bien drenado | División, semilla | Hojas | Decorativo |

# *Symphytum officinale*
# CONSUELDA

La consuelda resulta lo suficientemente decorativa como para incluirla en el arriate herbáceo. Los racimos de flores en forma de campanillas de color rosa malva se abren a principios del verano y continúan luciendo durante semanas. Las flores aportan un toque de color a la mata de aspecto más bien modesto con hojas de 60 cm de altura.

Crece de forma natural en terrenos húmedos próximos a las orillas de los ríos; así pues, los suelos fértiles y húmedos propiciarán el excelente desarrollo de la planta y producirán una magnífica cosecha de hojas.

La división constituye la manera más rápida y sencilla de multiplicar esta planta perenne. Los ejemplares cultivados por siembra de semillas tardan en madurar.

Es preciso proteger las hojas de babosas y caracoles si éstos abundan en el jardín o en el arriate de hierbas.

*Esta hierba medicinal es apropiada para un arriate herbáceo, pero requiere gran cantidad de espacio.*

La extraordinaria reputación de la consuelda, dadas sus cualidades medicinales, la convierten en una planta imprescindible en el jardín de hierbas. Incluso en el caso de no estar interesado en sus propiedades medicinales, su follaje se puede utilizar para mejorar la calidad de los abonos. En el cultivo biológico, muchos jardineros destinan la consuelda a este fin.

| TIPO DE PLANTA | SITUACIÓN IDEAL | SUELO APROPIADO | MULTIPLICACIÓN | PARTES DE LA PLANTA | USOS |
|---|---|---|---|---|---|
|  |  |  |  |  |  |
| Resistente, perenne | Pleno sol o sombra parcial | Fértil, húmedo | División, semilla | Hojas, raíces | Cosmético, culinario, doméstico, medicinal |

# *Tanacetum vulgare*
# TANACETO

*No hay que confinar el tanaceto al jardín de hierbas, pues cabe emplearlo también como planta de un arriate herbáceo.*

Las cabezuelas de color amarillo luminoso del tanaceto, con las flores en forma de botones, contrastan a la perfección con las hojas verde oscuro y plumosas de sabor muy picante. El follaje resulta más atractivo y práctico cortado para usar en arreglos con hierbas frescas o secas. Las flores se emplean secas en arreglos de invierno.

Esta planta perenne resistente y de fácil cultivo se adapta a cualquier tipo de terreno, incluso a suelos pobres. En un lugar expuesto los vientos fuertes pueden darle un aspecto irregular y descuidado, problema que se evitará colocando soportes a finales de la primavera.

El tanaceto forma enseguida una densa mata de 1 a 1,2 m de altura y se extiende con rapidez por medio de rizomas subterráneos. Se recomienda dividir y replantar las macollas establecidas cada dos o tres años, aunque esta hierba puede multiplicarse también a través de semillas.

ADVERTENCIA  No consumir tanaceto durante el embarazo.

| TIPO DE PLANTA | SITUACIÓN IDEAL | SUELO APROPIADO | MULTIPLICACIÓN | PARTES DE LA PLANTA | USOS |
|---|---|---|---|---|---|
|  | |  |  |  | |
| Resistente, perenne | Pleno sol | Adaptable | División, semilla | Hojas | Decorativo, culinario, medicinal |

# *Taraxacum officinale*
# DIENTE DE LEÓN

Muchos jardineros dedican cada año parte de su tiempo a tratar de eliminar el diente de león de sus jardines, y a veces se sorprenderían de encontrar esta planta cultivada para su cosecha. De hecho, cuenta con una larga historia en cuanto a su uso medicinal, especialmente por sus propiedades diuréticas.

Hoy en día es más probable que se realice su cultivo con fines culinarios. Las hojas jóvenes, ricas en vitaminas y minerales, se pueden comer en ensaladas o cocinadas como las espinacas. Las raíces se emplean como sucedáneo del café, y las flores o las hojas se usan en la elaboración casera del vino. La calidad de las hojas aumenta blanqueándolas al igual que las endibias. Cabe la posibilidad de desenterrar algunas raíces en otoño y forzarlas en la oscuridad, como la achicoria, para obtener hojas jóvenes frescas en el invierno.

Las semillas de diente de león pueden comprarse a vendedores de semillas, cuyas selecciones suelen superar a las de las plantas en estado silvestre. Sin embargo, quizá interese levantar y replantar algunas raíces de otra parte del jardín o recolectarlas de cualquier otro sitio. Hay que tener en cuenta que las raíces ramificadas profundas no son fáciles de desenterrar por completo; de ahí la dificultad para erradicarlas. Conviene eliminar las cabezuelas de semillas para impedir la diseminación espontánea.

| TIPO DE PLANTA | SITUACIÓN IDEAL | SUELO APROPIADO | MULTIPLICACIÓN | PARTES DE LA PLANTA | USOS |
|---|---|---|---|---|---|
|  |  |  |  |  |  |
| Resistente, perenne | Pleno sol | Adaptable | Esquejes de raíz, semilla | Flores, hojas, raíces | Cosmético, culinario, doméstico, medicinal |

# *Teucrium chamaedrys*
# CAMEDRIO

El camedrio, cuyo cultivo se destinaba a usos medicinales y a la preparación de un té con sus hojas, constituía un remedio popular para la gota. Hoy en día se cultiva con mayor frecuencia como planta de bordura para arriates y macizos de hierbas. También se emplea para la formación de diseños en jardines geométricos y parterres. Su cultivo es apropiado para muros de piedra seca o al borde de arriates elevados.

Este subarbusto de hoja perenne, aromático, enano y de raíces rastreras forma una planta tupida y baja de 30 cm de altura. Las delicadas florecillas rosas tienen un aspecto modesto pero su presencia se prolonga durante un largo período desde mediados del verano hasta la llegada del otoño. En climas fríos o inviernos muy severos puede

perder las hojas aunque normalmente mantiene su follaje. En regiones de fríos extremos conviene cubrir con pajote la tierra en torno a las raíces en otoño con el fin de proporcionar cierta protección a la planta en invierno.

Las raíces rastreras favorecen la división del camedrio, aunque es aconsejable tomar esquejes si se desea obtener una cantidad considerable de plantas, con vistas, por ejemplo, a crear una bordura.

*El camedrio forma una excelente bordura*
*para arriates y macizos de hierbas. También*
*se desarrolla en muros de piedra seca.*

| TIPO DE PLANTA | SITUACIÓN IDEAL | SUELO APROPIADO | MULTIPLICACIÓN | PARTES DE LA PLANTA | USOS |
|---|---|---|---|---|---|
|  | ☼ | ✺ |  |  | ☻ |
| Resistente, de hoja perenne, subarbustiva | Pleno sol | Fértil | Esquejes, división | Hojas | Medicinal |

# *Thymus*
# TOMILLO

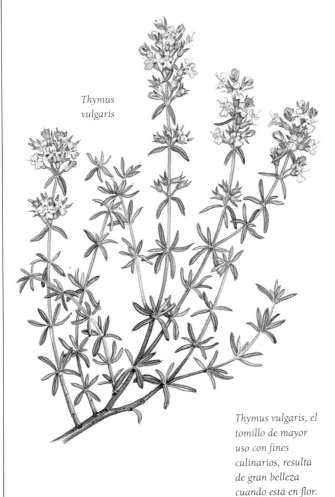

*Thymus
vulgaris*

*Thymus vulgaris, el
tomillo de mayor
uso con fines
culinarios, resulta
de gran belleza
cuando está en flor.*

Todo jardín de hierbas que se precie debería contar con alguna forma de tomillo. Existen multitud de especies y variedades, todas ellas sumamente aromáticas y atractivas. Si el espacio lo permite, puede emprenderse el cultivo de una colección de varios tipos de tomillo, elegidos entre las decenas disponibles, que en su mayoría florecen a mediados y finales del verano.

La variedad de uso más corriente en la cocina es *T. vulgaris* (tomillo común), pero muchas otras se prestan a usos culinarios, medicinales y aromáticos. Algunas, como el tomillo con aroma de limón variegado y el dorado, se pueden emplear para cocinar pero su sabor no es igualable al del tomillo común. Las especies arbustivas rastreras como *T. pulegioides*, presentan diminutas ramas entrelazadas provistas de hojas demasiado pequeñas para que merezca la pena su recolección.

Resulta acertado cultivar algunas variedades culinarias en grandes cantidades para cosecharlas, y una selección de

| TIPO DE PLANTA | SITUACIÓN IDEAL | SUELO APROPIADO | MULTIPLICACIÓN | PARTES DE LA PLANTA | USOS |
|---|---|---|---|---|---|
|  |  |  |  |  |  |
| Resistente, de hoja perenne, subarbustiva | Pleno sol | Adaptable | Esquejes, acodos, semilla | Hojas | Cosmético, culinario, doméstico, medicinal |

Existen numerosas
variedades de
tomillo, con
variaciones en
cuanto a la flor y
al color del follaje.
Una colección de
ellas crea un efecto
muy agradable.

TOMILLO EN EL JARDÍN

otros tipos de tomillo para crear un efecto decorativo. Todas las variedades descritas en las páginas siguientes constituyen subarbustos de hoja perenne que se adaptan a cualquier tipo de suelo y requieren las mismas condiciones de cultivo.

Una vez establecidas apenas requieren atención, aunque tienden a mostrarse dispersas e irregulares al cabo de unos años. Por tanto, conviene multiplicar varias plantas nuevas cada año con el fin de reemplazar las anteriores. Aunque la acodadura sea posible, si se trata de más de una o dos plantas se recomienda la multiplicación por esquejes.

Pese a su adaptabilidad a la mayoría de los ambientes, en regiones muy frías o con inviernos excepcionalmente severos suelen producirse pérdidas, otra razón para cultivar las plantas jóvenes en cajonera fría durante el invierno.

La gran versatilidad de las plantas de tomillo favorece su empleo en cualquier parte del jardín. Si el interés por su cultivo se limita puramente a la cosecha de las hojas, un grupo nutrido en un macizo o en el jardín de hierbas resulta al mismo tiempo práctico y agradable. No obstante, para darle mayor vistosidad puede cultivarse entre losas de pavimento, como plantas de borduras, para cubrir el suelo o en recipientes.

**Céspedes de tomillos olorosos** Se trata de una opción práctica siempre que se emplee el tomillo como sustituto de la hierba para zonas reducidas de paso restringido o paseos secundarios dentro del jardín de hierbas.

Las formas más indicadas para céspedes y paseos son un tomillo rastrero (*T. praecox arcticus*, sinónimo de *T. drucei*)

*Thymus praecox
arcticus*

*Thymus
pseudolanuginosus*

y un tomillo lanoso (*T. pseudolanuginosus*, sinónimo de *T. languinosus*). Se trata de dos especies rastreras bajas que alcanzan una altura de 5 cm; el tomillo lanoso, en particular, forma una alfombra tapizante especialmente baja. Dado que no se pueden aplicar herbicidas selectivos en céspedes de tomillo, es esencial eliminar las malas hierbas del terreno en la medida de lo posible antes de plantar, operación que debe realizarse a mano.

**Entre el pavimento** Los dos tipos de tomillo mencionados anteriormente resultan asimismo apropiados para su cultivo en las grietas que forma el pavimento. Al borde mismo de un paseo, espacio que cuenta con menor concentración de plantas, también cabe la posibilidad de cultivar variedades de *T. vulgaris*.

**En torno al centro del jardín** El tomillo constituye una hierba muy indicada para plantarla entre el pavimento situado alrededor del centro del jardín o en un arriate elevado, donde las hojas se encuentren lo suficientemente próximas para que despidan su aroma por el propio roce.

No obstante, hay que recordar que el tomillo supone un foco de atracción para abejas y avispas, por lo cual esta idea tal vez no agrade a todo el mundo.

### EN RECIPIENTES

El tomillo resulta ideal plantado en jardineras o en otro tipo de recipientes, por separado o en combinación con más plantas. Si interesa contar con una provisión de hojas para la cocina, puede plantarse una jardinera de *T. vulgaris* si no se dispone de espacio en el jardín, o de jardín alguno. También es posible cultivar las variedades más decorativas en recipientes, entre las cuales se recomiendan la dorada *T. x citriodorus* **'Bertram Anderson'** (sinónimo de *'Anderson's Gold'*), la variegada *T. x citriodorus* **'Variegatus'** (sinónimo de *T. x 'Silver Posie'*) y las de floración profusa como *T. x doerfleri* **'Bressingham Pink'**.

### Y EN INTERIORES...

El tomillo se puede cultivar en interiores cerca de una ventana de la cocina con mucha luz, lo que es tanto una original idea decorativa como una forma de complementar la plantación del jardín. En ocasiones es posible encontrar lotes con todo lo necesario: recipientes, abono y semillas. A menos que las condiciones lumínicas sean excelentes, convendría adquirir una planta pequeña en un centro de jardinería y enmacetarla en un recipiente vistoso. Una vez que se deteriore y pierda atractivo o utilidad, debería trasplantarse al jardín para su recuperación.

### ESPECIES Y VARIEDADES SELECCIONADAS

Los siguientes tipos de tomillo constituyen especies y variedades indicadas para integrar una colección. Existen otras muchas formas disponibles en viveros especializados.

*El reducido tamaño de las diversos tipos de tomillo permite cultivar una colección en un único recipiente.*

*Thymus x
citriodorus
'Bertram
Anderson'*

*Este grupo de tomillos en una pila de barro muestra variedades cultivadas por su follaje y sus flores. 'Bressingham Pink' descansa junto a una mata de tomillo dorado.*

En la siguiente lista se han incluido los sinónimos de uso más corriente. Las plantas pueden hallarse a la venta bajo cualquiera de los nombres citados. Variedades de *T. drucei*, *T. serpyllum*, *T. vulgaris* y *T.* x *citriodorus* se atribuyen con frecuencia a distintas especies lo que puede provocar gran confusión, si bien el nombre de la variedad debería servir de indicación válida para la identificación de la planta.

**T. x** *citriodorus* (tomillo con aroma a limón) Hojas más anchas que *T. vulgaris* y olor a limón más fuerte al prensarlas; 23 cm.

**T. x** *citriodorus* 'Aureus' (tomillo dorado) Hojas de borde amarillo; menos resistente y robusta que la mayoría de los tomillos; 20 cm.

**T. x** *citriodorus* 'Bertram Anderson' (sinónimo de 'Anderson's Gold') Una tapizante enana con follaje dorado brillante que mantiene su color invariable durante todo el invierno; 5 cm.

*Thymus citriodorus 'Silver Queen' con un grupo de otros tipos de tomillo plantados en una pila de barro.*

**T. x** *citriodorus* 'Golden King' Arbustiva, con hábito trepador y hojas de borde dorado; 23-30 cm.

**T. x** *citriodorus* 'Silver Queen' Hojas de borde crema; no tan resistente ni robusta como la mayoría de los tipos de tomillo; 20 cm.

**T. x** *citriodorus* 'Variegatus' (sinónimo de 'Silver Posie') Hojas de borde plateado y flores rosadas; una planta de gran vistosidad en recipientes; 15 cm.

**T.** *doerfleri* 'Bressingham Pink' Flores de rosa luminoso; con hábito extendido; 5 cm.

*Thymus x citriodorus 'Silver Queen'*

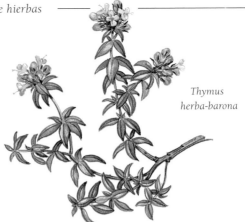

*Thymus
herba-barona*

*T.* 'Doone Valley' Planta tapizante baja de hojas de color
verde oscuro con grandes manchas doradas; flores malvas;
8 cm.

*T. herba-barona* (tomillo con olor a alcaravea) Forma
tapices de hojas verde oscuro con un fuerte aroma a
semillas de alcaravea; flores malva rosado; 10 cm.

*T. praecox arcticus* (sinónimo de *T. drucei*) Crecimiento
bajo, con pequeñas hojas verde grisáceo y flores rojas o
rosas; 'Albus' presenta flores blancas; 2,5 cm.

*T. pseudolanuginosus* (sinónimo de *T. lanuginosus*)
(tomillo lanoso) Crece formando un tapiz de diminutas
hojas lanosas; rara vez florece; 5 cm.

*T. serpyllum* (serpol o tomillo silvestre) Forma tapices
verdes lisos, con diminutas flores lavanda pálido; 5 cm.

*T. serpyllum coccineus* Una variedad de la anterior de
flores carmesíes.

*T. serpyllum* 'Pink Chintz' Cojines sueltos de hojas suaves
y lanosas coronadas por flores rosa pálido; 10 cm.

*T. vulgaris* (tomillo común) Más erguida que el resto de
las variedades y especies de tomillo; flores normalmente
malvas o púrpuras, pero en ocasiones blancas; 15-25 cm.

*El tomillo con olor a alcaravea (T. herba-barona)
crece formando tapices de follaje verde oscuro con
flores de color malva rosado.*

*Thymus serpyllum
albus, una forma
blanca del tomillo
silvestre.*

*Thymus
serpyllum*

# *Trigonella foenum-graecum*
# ALHOLVA/FENOGRECO

Esta planta anual delicada crece como una mata erguida de 45 a 60 cm de altura si se le permite alcanzar la madurez, aunque normalmente se cosecha incluso antes de que llegue al estado de plántula, ya que se suele cultivar para la obtención de brotes. No obstante, las semillas son también un ingrediente importante en la elaboración de polvo de curry, además de servir para la producción de tinte amarillo. La planta madura, representada en la ilustración, se destina a usos culinarios y medicinales.

Los brotes se emplean en la fase mostrada en la fotografía para añadir un toque picante a ensaladas o como un ingrediente más en emparedados. Las hojas completamente desarrolladas tienen un sabor fuerte y amargo pero pueden utilizarse en varios platos indios.

Para cultivar alholva en el jardín hay que sembrar las semillas bajo vidrio y trasplantarlas cuando no hay riesgo de heladas, o sembrarlas en el exterior al final de la primavera.

*La alholva se cultiva generalmente para la obtención de brotes, pero se puede dejar crecer hasta su maduración.*

La producción de brotes con aroma a curry se obtiene mediante la germinación de las semillas sobre capas de papel de cocina húmedo en un lugar con luz y en el interior. Hay que mantener el papel húmedo y recoger las semillas tan pronto germinen, lo que puede suceder en sólo seis días. Se lavan y luego se escurren. Existen tarros especiales para la germinación de semillas, aunque se puede improvisar con un tarro de cristal, un trozo de paño y una goma elástica; el truco consiste en mantener las semillas húmedas pero escurriendo el exceso de agua para evitar que se pudran.

| TIPO DE PLANTA | SITUACIÓN IDEAL | SUELO APROPIADO | MULTIPLICACIÓN | PARTES DE LA PLANTA | USOS |
|---|---|---|---|---|---|
|  |  |  |  |  |  |
| Delicada, anual | Pleno sol (en el exterior) | Fértil, bien drenado | Semilla | Hojas, semillas, brotes | Culinario, doméstico, medicinal |

## *Tropaeolum majus*
# CAPUCHINA

Esta planta anual de fácil cultivo goza de gran popularidad, especialmente entre los niños, y siempre conviene reservarle un lugar en el jardín de hierbas. Tanto las flores como las hojas son comestibles, y las semillas se pueden encurtir como alcaparras.

Las flores de la capuchina poseen tal brillo y colorido que basta con una o dos plantas para alegrar una parte del jardín de hierbas dominado por plantas de follaje. Si bien cabe usar las variedades trepadoras, éstas tienden a ahogar otras plantas. Las variedades compactas que alcanzan unos 60 cm resultan más prácticas y son apropiadas para recipientes.

La capuchina no requiere aportación de nutrientes ni un suelo muy fértil; de hecho, el suelo rico es perjudicial. Los suelos muy fértiles o el riego en exceso favorecerá el desarrollo de las hojas en detrimento de las flores, que en su mayoría permanecerán probablemente ocultas bajo el follaje. Se precisan suelos pobres para producir plantas densas con numerosas flores que descansen sobre el follaje.

Las semillas se siembran donde deba florecer la planta o bien en tiestos, y una vez que germinen se trasplantan a finales de la primavera o principios del verano. Aunque normalmente se describen como anuales resistentes, los plantones pueden morir con las primeras heladas fuertes, por lo que conviene no adelantar la siembra en el exterior.

La capuchina tiene como enemigos habituales a los áfidos y las orugas. Para evitar el uso de insecticidas en una cosecha comestible, hay que eliminar las hojas afectadas al primer signo de ataque.

| TIPO DE PLANTA | SITUACIÓN IDEAL | SUELO APROPIADO | MULTIPLICACIÓN | PARTES DE LA PLANTA | USOS |
|---|---|---|---|---|---|
|  |  |  |  |  |    |
| Resistente, anual | Pleno sol | Adaptable, pobre | Semilla | Flores, hojas, semillas | Cosmético, culinario, doméstico, medicinal |

*Valeriana officinalis*

# VALERIANA

La valeriana era valorada en la antigüedad por su raíz, que se prestaba a numerosas aplicaciones medicinales, pero hoy en día se cultiva principalmente como planta ornamental. Aunque no constituye una de las hierbas más atractivas, resulta apropiada en la parte posterior de un arriate. Las hojas verde azules finamente divididas tienen cierto atractivo. Las flores blancas o rosas sostenidas por tallos rígidos de 1,2 a 1,5 m exhalan una agradable fragancia a vainilla.

Cuando la planta se cultiva por su raíz, las flores suelen eliminarse para que todas sus energías se concentren en el desarrollo del rizoma. Si se cultiva sólo como planta de interés en el conjunto de una colección de hierbas, hay que dejar que florezca, dada la gran vistosidad de las altas espigas en contraste con el fondo oscuro de un seto. No obstante, en lugares expuestos conviene entutorarla.

La valeriana puede reproducirse a partir de semillas y en condiciones favorables normalmente se podrá contar con plántulas de diseminación espontánea en caso de necesitar más plantas. También se multiplica por división de las macollas.

La planta constituye un foco de atracción para gatos... y para ratas (según dicen, de ella se valió el Flautista de Hamelín en su propósito de alejar a las ratas).

*La valeriana forma una planta de gran talla apropiada en la parte posterior de un arriate de hierbas.*

| TIPO DE PLANTA | SITUACIÓN IDEAL | SUELO APROPIADO | MULTIPLICACIÓN | PARTES DE LA PLANTA | USOS |
|---|---|---|---|---|---|
|  |  |  |  |  |  |
| Resistente, perenne | Pleno sol o sombra parcial | Húmedo pero bien drenado | División, semilla | Raíces | Medicinal |

# *Verbena officinalis*
# VERBENA

La verbena es una planta perenne herbácea de hojas dentadas con tallos ramificados que surgen a partir de raíces con tendencia a extenderse. Suele formar una mata de unos 90 cm de altura y 45 cm de extensión. Se caracteriza primordialmente por sus hojas, y las insignificantes flores malvas que nacen en las puntas de los vástagos apenas contribuyen a modificar su aspecto.

Es preferible usarla como "relleno" en arriates de hierbas mixtas a emplazarla en un lugar preminente. Aunque no se presta a usos culinarios su inclusión en un jardín de hierbas utilitario se puede justificar, pues las hojas secas sirven para preparar una tisana considerada como un suave sedante.

La verbena se cultiva con facilidad mediante siembra de semillas en primavera o por esquejes tomados en verano,

aunque la división constituye el método de multiplicación más rápido y sencillo para un número reducido de plantas.

Aún siendo una perenne, es posible reproducirla anualmente a partir de semillas y eliminarla al final de la temporada. Para las semillas, habrá que recurrir al comercio especializado o a viveros que cuenten con hierbas y flores silvestres.

*La verbena no es una planta espectacular, aunque hace gala de las pequeñas flores presentes desde mediados del verano.*

| TIPO DE PLANTA | SITUACIÓN IDEAL | SUELO APROPIADO | MULTIPLICACIÓN | PARTES DE LA PLANTA | USOS |
|---|---|---|---|---|---|
|  |  |  |  |  |  |
| Resistente, perenne | Pleno sol | Fértil, bien drenado | Esquejes, división, semilla | Hojas | Medicinal |

## *Viola odorata*
# VIOLETA

La delicada fragancia de la violeta le ha valido un lugar en el corazón de la mayoría de los jardineros. La planta rara vez supera 15 cm de altura, y las flores mismas —como pensamientos con un espolón hacia atrás— son diminutas, con apenas 12 mm de extensión. La floración principal se produce del inicio a la mitad de la primavera, aunque en inviernos suaves pueden aparecer algunas flores.

Normalmente presentan un color azul violeta, aunque se dan otras tonalidades de azul, y no es extraño ver violetas blancas. Las violetas de Parma, que probablemente constituyen híbridos descendientes de *V. odorata*, gozaron en el pasado de gran popularidad, dada la atracción que entre los coleccionistas suscitaban sus flores de mayor

*Las violetas son una de las delicias de la primavera. Nada como cortar un ramillete para disfutar de su fragancia en interiores.*

tamaño, en ocasiones dobles, y fragantes.

Aunque hoy en día las violetas se cultiven principalmente por su perfume y delicada belleza, se destinan también a usos culinarios, y hubo un tiempo en que era corriente su empleo con fines medicinales. Crecen de forma natural en setos sombríos y húmedos y en lomas herbosas en bosques o en terrenos próximos. A pesar de tolerar lugares soleados, prosperan mejor con sombra parcial y en suelos fértiles y húmedos. Se plantan en grupos como cobertura de suelo, pues por separado pueden pasar fácilmente inadvertidas. Son apropiadas en arriates de hierbas o cerca de un seto o muro, siempre que se eviten los suelos secos.

Las violetas se reproducen por diseminación espontánea una vez establecidas, o por división de las macollas.

| TIPO DE PLANTA | SITUACIÓN IDEAL | SUELO APROPIADO | MULTIPLICACIÓN | PARTES DE LA PLANTA | USOS |
|---|---|---|---|---|---|
|  |  |  |  |  |  |
| Resistente, perenne | Sombra parcial | Fértil, húmedo | División, semilla | Flores, hojas, raíces | Cosmético, culinario, medicinal |

# CULTIVO DE

# HIERBAS

# PLANIFICACIÓN

Antes de emprender una aventura más ambiciosa que el cuidado de un par de tiestos de hierbas culinarias en el alféizar de la ventana de la cocina, es preciso evaluar las proporciones del espacio disponible, ya sea un jardín, patio, terraza, balcón o incluso una jardinera de ventana, así como las aficiones e intereses personales y el tiempo que se piensa dedicar al cultivo de las plantas.

Para los amantes del arte culinario que cuenten tan sólo con un pequeño balcón pero estén dispuestos a dedicar unos minutos al día al cuidado de las plantas, el mundo de las hierbas puede convertirse en una verdadera pasión. Si el interés personal se centra más en los remedios caseros, se dispone de un jardín orientado al norte y en gran parte sin protección, o el tiempo cuenta mucho, todos estos factores condicionarán la elección de las plantas a la hora de planificar el jardín. La información ofrecida en la *Guía de hierbas* servirá de ayuda inestimable para valorar las posibilidades de lograr el equilibrio justo entre tiempo y esfuerzo con relación a los resultados. Tradicionalmente, las hierbas se cultivaban en jardines formales de diseño geométrico como los de los monasterios y grandes propiedades fundados en la Edad Media, o en jardines informales de casas de campo. En un punto intermedio entre estos dos extremos existiría el tipo de jardín adecuado para cada persona, ya se trate de una parcela de hierbas designada o de una zona en la que se combinen hierbas con otras flores y vegetales.

Antes de plantar, es esencial analizar las características del jardín y trazar un plano a escala. De este modo se garantiza obtener la máxima correspondencia posible entre el hábitat natural de las hierbas elegidas y la situación que se prevee ofrecerles. No es preciso ser un arquitecto paisajista para medir las dimensiones del terreno y transferir los datos a un papel cuadriculado. Deben incluirse muros y vallas, caminos y estanques, setos, árboles y pantallas, y otras particularidades existentes, como arriates elevados y rocallas, paseos y escaleras, terrazas pavimentadas y escaleras, y estructuras como garajes, depósitos de petróleo, de almacenamiento de combustible y cubos de basura. El hecho de señalar la orientación norte-sur del jardín permite de inmediato identificar y marcar las áreas de máxima, media y mínima recepción de luz: las situadas a pleno sol, las que reciben sombra parcial y las que nunca gozan de luz solar directa.

*Setos recortados rigurosamente perfilan una serie de arriates herbáceos geométricos en el jardín formal de Hatfield House, en Hertfordshire, Inglaterra.*

Pelargonios de hojas
aromáticas y salvia
crecen juntos con
flores de brillante
colorido y otras
plantas en un jardín
trasero.

Dado que muchas hierbas se originan en climas cálidos y soleados de las regiones mediterráneas, un suelo bien drenado y un lugar luminoso se ajustan a los requisitos generales de hierbas como la albahaca, el cilantro, la mejorana y el romero. Pero tal como muestra la *Guía de hierbas*, no todo está perdido si se tiene un jardín de carácter más bien sombrío. Entre las hierbas que se aclimatan con facilidad a estas condiciones se cuentan la menta, la aspérula y la violeta. Además cabe la posibilidad de colocar las plantas amantes del sol en sitios elevados más propicios para la recepción de luz solar, por ejemplo, en un tejado plano, mediante su cultivo en recipientes. El agua es otro requisito esencial para el desarrollo de la planta, y también en este caso, las necesidades específicas de la misma vienen determinadas principalmente por su hábitat natural. Las plantas propias de regiones húmedas y templadas —sobre todo las de hojas anchas— requieren y toleran la humedad en mayor grado que las originarias de las zonas mediterráneas. Si en el jardín existe una parcela bien drenada pero que no se seca por completo ni siquiera en verano, puede plantarse con una selección de hierbas que toleren la humedad, como la valeriana.

*Incluso en un jardín pequeño puede encontrarse espacio para una amplia variedad de hierbas. Basta con crear tantas condiciones de cultivo distintas como se desee.*

1 Orientado al norte – lavanda
2 Franco fértil, soleado – hierba gatera, amaro
3 Sombra parcial – bergamota, milenrama
4 Húmedo y soleado – consuelda, saponaria
5 Orientado al sur – orégano, tanaceto
6 Pleno sol, seco – borraja, salvia
7 Pleno sol, bien drenado – rosa roja de Lancaster, hierba del asno
8 Recipiente – laurel

Si, por el contrario, el jardín presenta suelo arenoso que no retiene la humedad y se desea cultivar plantas como la bergamota, el malvavisco y la ulmaria que precisan lugares húmedos, es posible adaptar las condiciones de cultivo a sus necesidades cavando una zanja ancha o una parcela con la forma apropiada de 30 a 45 cm de profundidad como mínimo. Se cubre con una lámina de polietileno resistente perforado a intervalos y se rellena con tierra de jardín enriquecida con gran cantidad de abono o estiércol para retener la humedad. El polietileno impide que el terreno se deseque con excesiva rapidez, y evita a la vez que quede anegado. (Pocas hierbas prosperan con las raíces permanentemente en agua.) En rachas de sequía, la zona debe mantenerse húmeda mediante riego frecuente.

# Preparación de la tierra

La mayoría de las hierbas se adaptan a cualquier tipo de suelo. Algunas de las más prácticas, como la salvia y el tomillo, crecen de forma natural en suelos pobres y superficiales que suelen estar secos y agotados.

Rara vez habrá que desistir de cultivar una hierba determinada a causa del suelo, pero se obtendrán los mejores resultados si se trata de proporcionar a cada hierba el tipo de condiciones de suelo que requiere.

Cuando se prepara la tierra para el cultivo es importante eliminar las malas hierbas perennes y cavar el suelo a una profundidad de unos 25 cm. Para plantas de raíces profundas como el rábano rusticano y el levístico, debe mullirse el suelo al doble de dicha profundidad, sirviéndose de una horca para aflojar el nivel inferior y rellenarlo con abono o estiércol en abundancia.

Los suelos arenosos se trabajan con facilidad pero dada su estructura suelta tienden a secarse con suma rapidez. Si se desea cultivar hierbas que prefieren un suelo fértil y húmedo, debe enriquecerse la tierra con materia orgánica —estiércol de granja, mantillo de jardín o de algas — y cubrirse con pajote las plantas cada año. Como los suelos arenosos suelen estar agotados, es preciso añadir un fertilizante de jardín general equilibrado antes de plantar, aplicando las dosis recomendadas por el fabricante. En el caso de cultivar hierbas que requieran un suelo rico o fértil, la tierra debe escardarse o rastrillarse para incorporar fertilizante anualmente.

Los suelos arcillosos son difíciles de cavar, se anegan a menudo con las lluvias, y forman terrones pegajosos al tomar un puñado de tierra y apretarlo en la mano. El suelo arcilloso tarda en calentarse en primavera, puede endurecerse con el tiempo seco y caluroso y resulta difícil de trabajar. El tratamiento sugerido para los suelos arenosos mejorará asimismo los suelos arcillosos.

Los suelos francos son fáciles de cavar y bastante ricos en nutrientes. Salvo la incorporación anual de fertilizante para aquellas hierbas que requieren un suelo rico o fértil, no necesitan ningún aditivo periódicamente.

## Estudio del suelo

*Para obtener información sobre los tipos generales de suelo, es posible llevar a cabo una sencilla prueba, conocida como la prueba del tarro de cristal, siguiendo estas instrucciones:*
*1 Poner unas cuantas cucharadas de tierra en un tarro de cristal grande, llenarlo de agua y taparlo.*
*2 Agitar el tarro enérgicamente y dejar que se asienten la tierra y el resto de materiales uno o dos días.*
*En la tabla de la derecha se ofrece una guía breve con los tipos de suelo y las hierbas que mejor se adaptan a ellos. No obstante, caben variaciones pues la mayoría de las hierbas no son exigentes.*

SUELO ARCILLOSO
*Una banda ancha de arena y piedras cubierta de una capa más gruesa de arcilla compacta.*

SUELO MEDIO
*Con capas más o menos iguales de arena y arcilla bajo la superficie del agua.*

SUELO LIGERO
*Una capa gruesa de arena y posiblemente piedras y una banda fina de arcilla.*

# Tipos de suelo y hierbas – la alianza perfecta

Es importante conocer el tipo de suelo del que se dispone y en qué difiere de una zona a otra del jardín. El tipo de suelo afecta no sólo a las propiedades de retención del agua sino también a los nutrientes disponibles para las plantas. La mayoría de las hierbas pueden sobrevivir y prosperar en una amplia variedad de tipos de suelo pero, para obtener plantas vigorosas, con abundante follaje y floración prolífica, conviene cultivarlas en un suelo lo más similar posible al de su hábitat natural.

## SUELO ARENOSO

En un suelo arenoso ligero el agua es drenada con rapidez, llevándose consigo los nutrientes, pero todas las hierbas mediterráneas adaptables prosperan en dichos suelos.

| | |
|---|---|
| Ajedrea | Satureja montana |
| Borraja | Borago officinalis |
| Cilantro | Coriandrum sativum |
| Estragón | Artemisia dracunculus |
| Hierba del asno | Oenothera biennis |
| Hinojo | Foeniculum vulgare |
| Lavanda | Lavandula |
| Manzanilla | Anthemis nobilis |
| Orégano | Origanum vulgare |
| Tomillo | Thymus |

Lavanda 'Hidcote'

## SUELO ARCILLOSO

Dado que este tipo de suelo se vuelve duro en verano y absolutamente pegajoso en invierno, no es el predilecto en jardinería. Sin embargo, favorece a ciertas hierbas, principalmente de raíces profundas, que contribuyen de paso a mullir la gran masa de suelo. Mediante la incorporación de mantillo de jardín en abundancia en la capa superficial, los suelos arcillosos resultarán más apropiados para el cultivo de hierbas que prefieren un suelo franco o franco húmedo.

| | |
|---|---|
| Ajenjo | Artemisia absinthium |
| Bergamota | Monarda didyma |
| Consuelda | Symphytum officinale |
| Menta | Mentha |

Bergamota

## FRANCO HÚMEDO

El suelo franco medio poco drenado puede mejorarse mediante el rastrillado frecuente de la superficie. Favorece las hierbas de raíces profundas y aquéllas de crecimiento espontáneo en suelo pesado.

| | |
|---|---|
| Acedera redonda | Rumex scutatus |
| Alquimila | Alchemilla |
| Angélica | Angelica archangelica |
| Bergamota | Monarda didyma |
| Melisa | Melissa officinalis |
| Menta | Mentha |
| Perejil | Petroselinum crispum |
| Perifollo oloroso | Myrrhis odorata |
| Ulmaria | Filipendula ulmaria |
| Valeriana | Valeriana officinalis |

## SUELO HÚMEDO

Si bien la mayoría de las hierbas detestan tener permanentemente las raíces húmedas, las citadas a continuación son apropiadas para su cultivo en suelos poco drenados.

| | |
|---|---|
| Angélica | Angelica archangelica |
| Bergamota | Monarda didyma |
| Berro | Nasturtium officinale |
| Malvavisco | Althaea officinalis |
| Ulmaria | Filipendula ulmaria |
| Valeriana | Valeriana officinalis |

Berro

## FRANCO

Generalmente rico en nutrientes y bien drenado, este tipo de suelo es ideal para la mayoría de las hierbas.

| | |
|---|---|
| Albahaca | Ocimum basilicum |
| Alcaravea | Carum carvi |
| Alquimila | Alchemilla |
| Cebollino | Allium schoenoprasum |
| Cilantro | Coriandrum sativum |
| Eneldo | Anethum graveolens |
| Hierba gatera | Nepeta cataria |
| Hinojo | Foeniculum vulgare |
| Laurel | Laurus nobilis |
| Levístico | Levisticum officinale |
| Perejil | Petroselinum crispum |
| Perifollo | Anthriscus cerefolium |
| Romero | Rosmarinus officinalis |
| Ruda | Ruta graveolens |
| Salvia | Salvia officinalis |
| Tomillo | Thymus |

# DISEÑO DEL JARDÍN DE HIERBAS

El sol y el suelo son factores fundamentales, puesto que condicionan las probabilidades de las plantas de alcanzar un desarrollo vigoroso, en el mejor de los casos, o de sobrevivir, en el peor de los casos. Si bien dichas consideraciones guardan relación con la planificación del jardín, el lugar y el modo elegidos para el emplazamiento de las hierbas deben responder asimismo a las preferencias personales.

Si caminando por una calle cualquiera de un pueblo o barrio residencial nos fijamos en tres o cuatro jardines cercanos, observaremos que son probablemente idénticos en cuanto al tamaño, forma y aspecto, y que además cuentan con un tipo de suelo similar; en otras palabras, constituyen copias exactas de un mismo plano. Aun así las preferencias e incluso las personalidades de los diversos propietarios se reflejarán en los distintos modos de enfocar la planificación del jardín. Uno de ellos puede haberse trazado con arriates rigurosamente simétricos, plantados con precisión milimétrica. Puede haber hileras meticulosamente rectas de cebollino, salvia, manzanilla y lavanda, sin la intercalación de una sola capuchina naranja brillante que interrumpa la geometría. El jardín vecino quizá esté plantado con macizos y racimos de hierbas y flores, cuadros con acianos, caléndulas, alquimilas, salvias púrpurea y mastranzos variegados

entremezclados y, como objetivo adicional, plantados lo bastante cerca para impedir el crecimiento de malas hierbas.

Otro jardín puede caracterizarse por el predominio de rosales, desde los tipos centifolia y rugosa hasta híbridos modernos de flores grandes, plantados en borduras y arriates irregulares e intercalados con hierbas vigorosas como la aspérula, la mejorana y la borraja, formando un auténtico jardín de fragancias. Inspirada tal vez en uno de los magníficos jardines de las casas solariegas, la cuarta parcela puede haberse concebido como un jardín blanco, mediante el uso de plantas de follaje plateado, tanto por las características que las unen como por aquellas que las separan, y con la presencia tal vez de las florecillas en forma de botones amarillo brillante de la santolina junto con las diminutas flores rosas de la betónica de hojas lanosas y las espigas púrpuras de salvia y espliego.

## UN ASPECTO DE FORMALIDAD

Si la imagen preconcebida de un jardín de hierbas o de una zona herbácea está asociada con líneas formales y bien definidas, quizá convenga reconstruir el trazado o al menos marcar las líneas generales sobre el plano. Las dimensiones de la parcela no importan, puesto que "formal" no es de ninguna manera sinónimo de "grande". Puede lograrse un aspecto de absoluta formalidad en los espacios más reducidos, o crear una isla formal, tal vez en forma de rombo o en una serie de círculos concéntricos, en medio de un jardín informal.

Tras determinar el espacio por plantar y tomar notas del aspecto y tipo de suelo, hay que medir con precisión y trazar las líneas generales en un plano sobre papel cuadriculado (a escala de uno por diez centímetros). Cuanto más fórmal y estilizado se proyecte el jardín, mayor importancia tiene

*Las plantas de este jardín de hierbas formal crean un contraste apropiado en términos de altura y colorido de follaje, con las plantas de bajo crecimiento extendiéndose sobre el paseo de piedra.*

*La fragancia de la madreselva, el hinojo, el romero y una Nicotiana se mezclan con las azucenas diurnas y un delicado rosal rosa en este arriate aromático.*

asegurarse de que la medición inicial y las subdivisiones subsiguientes se realicen con el máximo rigor. El método empírico no tiene cabida en los trazados geométricos.

Independientemente de la forma global que se prefiera, no debe perderse de vista el aspecto práctico. Facilitar el acceso a las plantas es una condición esencial. Todos los macizos y parterres necesitan labores periódicas de escardado, riego, recorte, poda, y de cosecha en el caso de las hierbas culinarias. La razón de ser de un arriate herbáceo reside en gran parte en la posibilidad de tener condimentos al alcance de la mano: una o dos ramitas de menta para realzar el sabor de patatas y guisantes de

nueva temporada o unos tallos de perejil, tomillo y romero para confeccionar un ramillete de *bouquet garni.*

La recogida de hierbas del jardín supone siempre un verdadero placer, algo menor cuando hay que ponerse las botas de agua para alcanzar a la parte trasera de un arriate ancho en un día de lluvia o pasar cerca de plantas delicadas, a riesgo de pisotearlas. Por ello conviene prever la recolección para planificar los arriates herbáceos, basándose en la división de cuadros grandes en dos o más macizos separados por comodidad y por razones estéticas mediante paseos estrechos de losas de piedra. Como regla general para evitar la necesidad de pisar los arriates,

## Modelos tradicionales de un arriate herbáceo

*Realizar bocetos de varios diseños tradicionales posibles dentro del trazado propuesto.*

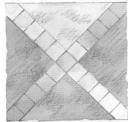

*División del jardín de hierbas mediante un entrecruzado de paseos.*

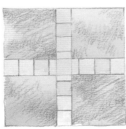

*Arriate romboidal con triángulos en las esquinas.*

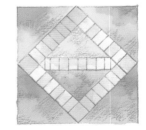

*Cuadrado o rectángulo con seis triángulos.*

aquellos que sean accesibles por un solo lado no deberían extenderse mucho más de 90 cm. (Éstos pueden bordearse por un lado con vallas, setos, pantallas u otra estructura que impida el acceso desde el resto de lados). En el caso de arriates totalmente accesibles, como un parterre aislado, puede resultar conveniente que se extiendan hasta 1,5 m.

### ELECCIÓN DEL PAVIMENTO

La elección del pavimento puede estar determinada hasta cierto punto por los materiales locales o simplemente por las preferencias personales. Una vez que se haya escardado el área por completo, se construyen los paseos divisorios de ladrillos (dispuestos en alguna de las formas habituales, como en espinapez o circular), piedra, grava, lascas de granito, virutas de madera o incluso manzanilla. Éste

último forma una agradable alfombra, además de añadir fragancia al jardín. Como tapizantes se emplean variedades enanas y rastreras, pero conviene recordar que el paseo de manzanilla precisa más cuidados que ningún otro.

Cualquiera que sea el estilo de plantación imaginado y las hierbas que se desean cultivar, primero hay que preparar bien la tierra para garantizar un equilibrio proporcionado entre un buen drenaje y los nutrientes adecuados. Si hay problemas de drenaje, debe cavarse el área designada a una profundidad de 30 cm y trabajar el fondo con una horca. Acto seguido se rellena la zanja hasta la mitad con cascotes, se cubre con una capa de 10 cm de suelo con franco calidad enriquecido con estiércol bien descompuesto y mantillo de jardín en abundancia y se nivela con una capa de grava o lascas de piedra.

*paseo de ladrillos en espinapez*

*pavimento y grava*

*lascas de granito*

*manzanilla*

El camino de ladrillos gris oscuro crea un efecto espectacular en contraste con las plantas de follaje dorado y plateado.

# Jardines de hierbas formales

*Los radios rojos desgastados de una rueda de carro sirven para dividir con elegancia las hierbas de bajo crecimiento en sectores con forma de cuña.*

Un modo atractivo de conseguir un jardín de hierbas formal sin aplicar ningún patrón estructural consiste en utilizar una vieja rueda de carro, que puede adquirirse en cualquier tienda de antigüedades rústica o mercado agrícola. Una vez preparada la tierra tal como se ha descrito anteriormente, se coloca la rueda y se plantan variedades enanas en los sectores entre los radios. Son apropiadas las hierbas de hábito regular y constreñido como el cebollino, el espliego enano, la santolina y las violetas. Para mantener el efecto visual de la rueda hay que recortar y podar las plantas con frecuencia a fin de conservar los perfiles correctos y evitar que los radios queden ocultos bajo la espesura del follaje.

Un jardín de rueda constituye por sí mismo un centro de atracción, un núcleo bien creado y establecido, si bien otros trazados simétricos de jardines de hierbas pueden realzarse mediante un punto focal pensado concienzudamente. Nunca es demasiado pronto para hacerse con un viejo reloj de sol erosionado medio cubierto de musgo o una elegante pila para pájaros. Para los aficionados a la apicultura, una colmena de paja tradicional podría ser una opción acertada. Existe una relación medioambiental entre un panal bien usado y las plantas circundantes que atraen las abejas situadas en jardines de hierbas. Estos elementos no sólo sirven como foco de atracción, sino que ofrecen un curioso contraste de textura y tonalidad a los propios del follaje.

Las plantas también pueden constituir de modo similar un centro ornamental. Como elemento destacado se usa un arbusto de laurel cuidadosamente podado en forma de

*Este jardín medicinal emula el diseño de rueda de carro tradicional, con la utilización del ladrillo para dividir las plantas medicinales de las ornamentales.*

Los ladrillos dispuestos a modo de "pasadera" a través de los arriates facilitan el acceso a todas las plantas.

cono o esfera, o bien un rosal llorón entutorado en torno a un palo grueso. La campanilla y la clemátide pueden crecer asimismo rodrigadas alrededor de una estructura cónica de cañas. Otra opción igualmente llena de color podría ser una urna de plomo, piedra o barro, o un elemento similar, plantada de capuchinas trepadoras, tomillo y matricaria de flores púrpuras y blancas, cayendo sobre el borde a modo de cascada como una fuente de fragancias.

CREACIÓN DE UN EFECTO

Con el jardín planificado en líneas generales y tal vez la idea de un ornamento central, llega el momento de decidir el estilo global de plantación que se desea conseguir. Un jardín o cuadro proyectado sobre líneas simétricas requiere plantarse de manera formal. Hay que elegir, por ejemplo,

un arriate en forma de rombo subdividido en cuatro triángulos y un cuadrado. Cada macizo puede plantarse con matas de hierbas bien definidas siguiendo las formas geométricas, o bien con hileras que podrían componerse de lechugas compactas, coles ornamentales y otras verduras, con borduras de diferentes hierbas para cada arriate, de tomillo en un caso y de cebollino u orégano en otro, por ejemplo. Cualquiera de estas opciones ofrecerá un aspecto pulido y ordenado a condición de mantener los arriates limpios de maleza y las hierbas bien podadas.

Un enfoque distinto aplicado al mismo diseño geométrico consiste en plantar cada macizo con una sola variedad de hierbas, que en dicho contexto puede resultar tan irregular y desordenado como una planta de un jardín informal. En un terreno reducido sería posible plantar una sección de mentas, con el convencimiento de que los confines del arriate limitarían el desarrollo de las raíces e impedirían la colonización, que supone un problema cuando se cría esta especie en un arriate herbáceo. Un triángulo podría plantarse con mastranzo variegado, otro con la variedad _M. piperita_ 'Citrata' de flores purpúreas, o con una de hojas planas, redondeadas y vellosas, y el cuarto con una variedad de hoja rizada que contrastara con el resto. En el cuadrado central podría plantarse poleo, formando un tapiz en torno a un elemento decorativo como una pila para pájaros, o simplemente una hierba de gran talla como una mata de hinojo bronceado de follaje plumoso.

Convendría emplear un método alternativo de plantación cuando se trate de trazar arriates herbáceos de mayor tamaño que alcancen 1,5 m de extensión. Sería el caso de la plantación gradual característica de los arriates aislados compuestos por plantas herbáceas, con las de mayor porte en el centro, rodeadas por las de altura media y las de bajo crecimiento delante, a modo de bordura. Más adelante en esta misma sección se ofrecen ideas y detalles más específicos en cuanto a los métodos de plantación.

Matas y áreas bien formadas definen un arriate en forma de rombo.

Las espigas brillantes del amaro crean un perfil claramente definido.

# Jardines de hierbas informales

A medio camino entre la rigurosidad de un trazado geométrico y el aspecto desordenado de un jardín informal se encuentra el jardín en forma de tablero de ajedrez, cuyo diseño, creado mediante la plantación de hierbas entre piedras de solar, resulta igualmente atractivo en un medio rural o urbano. Se realiza dejando cuadros de suelo abierto intercalados entre losas. Cada macizo en miniatura puede dedicarse a una combinación de hierbas pequeñas, o reducirse a un solo tipo de planta. Cabe también la posibilidad de reservar unos cuantos a la siembra de hierbas anuales o al trasplante de hierbas de vivero, como la albahaca, la borraja y el eneldo. En función del aspecto del jardín, pueden plantarse hierbas de mayor tamaño como el hinojo, la alcaravea, el perifollo oloroso y el rábano rusticano, para formar de este modo una pantalla contra el viento dominante, o una cortina que separe un rincón útil pero poco atractivo del jardín, como un montón de abono.

De cultivar hierbas entre losas a hacerlo entre guijarros no existe sino una mera variación visual. En ambos casos resultan fáciles el cuidado y la recolección de las plantas, que resaltan en contraste con el material del pavimento. Las hierbas de la región mediterránea seca se desarrollan bien en grava y algunas se diseminan espontáneamente sin dificultad. Conviene escoger, entre otras, romero, salvia, tomillo, mejorana, ajedrea de jardín y silvestre y caléndulas.

Las hierbas que caen sobre los paseos de grava, ladrillo y piedra evocan imágenes de los jardines típicos de las casas de campo, donde las hierbas se entremezclan con otras plantas de flores y verduras sin atender a demarcaciones horticulturales. Este concepto de plantación mixta tiene mucho que ofrecer hoy en día, especialmente en el caso de un terreno reducido. Una mata de alcachofas majestuosas puede cultivarse junto a alcaravea y cilantro,

*Arriates herbáceos elevados con troncos caídos como borduras facilitan el cuidado las plantas.*

con las flores verdes amarillentas de las hierbas de vistoso contraste al follaje verde grisáceo de las verduras. El hinojo verde y bronceado plantado entre malvarrosas y digitales crea con su follaje plumoso un efecto cautivador mucho después de haberse marchitado las espigas florales. Montículos de tomillo y mejorana dorada pueden cubrir el suelo bajo acederas y espinacas perpetuas, mientras que el hecho de plantar salvia purpúrea entremezclada con coles ornamentales demuestra que este método de distribuir las plantas no tiene límites.

*La variedad de espliego 'Twickle Purple' crea curvas naturales en el paseo de ladrillos.*

*Las líneas y ángulos de un pavimento cuadrado se suavizan con matas de plantas bajas.*

# CULTIVO DE HIERBAS EN RECIPIENTES

En el caso de contar con un jardín de dimensiones limitadas, o de que el único espacio disponible en el exterior empiece y acabe en el balcón o en una jardinera de ventana, es posible crear auténticos espectáculos visuales con hierbas cultivadas en tinas y pilas, tiestos, fregaderos de piedra antiguos, barriles y carretillas. En algunos países mediterráneos, no hay umbral o alféizar completo sin ejemplares de albahaca, romero, orégano y tomillo, y las hierbas culinarias se cultivan con orgullo en latas de aceite de oliva usadas y a menudo sin pintar.

Las hierbas de hoja perenne como el laurel y el romero destacan con mayor vistosidad cuando se plantan en recipientes individuales. Un par de arbustos de laurel podados flanqueando una entrada o una escalinata se cuenta entre las decoraciones herbarias clásicas. Para reducir el grado de formalidad pueden plantarse al pie del laurel otras hierbas como capuchinas, alquimila y tomillo.

Un tiesto de barro alto en forma de urna, destinado al cultivo de fresas alpinas, es un recipiente ideal para una colección de hierbas. Aquéllas de hábito rastrero como el tomillo y las capuchinas son muy apropiadas para plantarse en los orificios ahuecados en torno a los lados y en la parte superior, de modo que los tallos caigan con elegancia en forma de cascada. En la *Guía de hierbas* se da información sobre las variaciones de color de hojas y flores, y de aroma, que pueden lograrse al plantar dicho recipiente con sólo unas cuantas variedades de tomillo.

Los recipientes llanos como los fregaderos de piedra y las pilas de barro son indicados para hierbas anuales como la albahaca, el eneldo, el perifollo y las caléndulas. En recipientes, al igual que en suelo abierto, se aconseja

*En un tiesto para fresas puede crearse un arriate herbáceo cuando escasea el espacio.*

separar las anuales de las perennes para no alterar así las hierbas de vida larga al plantar o eliminar las anuales.

### MEDIO ARTIFICIAL

Independientemente del tipo de recipiente empleado, ante todo es preciso comprobar que la base disponga de orificios de drenaje adecuados. Sin ellos, y sin una capa de cascos de cerámica para cubrir el fondo, existe el riesgo de que las plantas queden anegadas y perezcan en poco tiempo. Para plantar recipientes grandes hay que cubrir los cascos de drenaje con materia orgánica pesada como una o dos macetas de turba colocadas boca abajo, y acto seguido llenar los espacios con mantillo para macetas con tierra, bien apretado para que las raíces puedan arraigarse con firmeza; no es apropiado el uso de mantillo con mezcla de turba, pues se seca con mayor rapidez, especialmente en tiestos de barro.

Las macetas de plantas amantes del sol debe colocarse en lugares donde reciban al menos cinco o seis horas diarias de sol fuerte. Si el aspecto del balcón o de la jardinera lo impide, conviene concentrarse en el cultivo de hierbas como laurel, melisa, menta, perejil y tomillo.

La frecuencia de riego y la cantidad de agua que requieren las hierbas cultivadas en recipientes es una cuestión de buen juicio. La regla general consiste en regar las macetas cuando los primeros 2,5 cm de abono se hayan secado, lo que ocurrirá con mayor celeridad en condiciones de sol fuerte o viento. Para comprobar la sequedad de las macetas de barro, hay que golpear ligeramente la pared del recipiente; si suena hueco, necesita agua. No obstante, esta prueba no sirve para recipientes hechos de otros materiales, en cuyo caso hay que examinar el estado del suelo bajo la superficie. Es posible que las hierbas deban regarse un poco cada día o cada dos días, o incluso dos veces al día si hace mucho calor o viento. También necesitarán nutrientes, por lo que conviene aplicar un fertilizante líquido cada dos o tres semanas, o bien un fertilizante de acción lenta, que con una sola dosis actúa todo el verano.

*Las hierbas cultivadas en recipientes que se agrupan sobre una superficie de madera evocan climas meridionales.*

*Un fregadero de piedra plantado de eneldo, perifollo y caléndulas forma un atractivo rincón de hierbas en un patio.*

# CULTIVO DE HIERBAS EN INTERIOR

Las plantas cultivadas en recipientes al aire libre pueden llevarse a interiores con el fin de crear un efecto especial —tal vez un conjunto de hierbas en macetas pequeñas para formar una decoración de mesa informal—. Una colección de geranios olorosos puede sustituir a los popurrís en dormitorios e invernaderos, una bandeja de hierbas anuales en una hornacina forma un adorno estacional, y un arbusto de romero en un plantío grande puede parecer una escultura viviente en un invernadero.

Tanto si se cuenta o no con un jardín, el cultivo de hierbas en interior ofrece multitud de ventajas prácticas y decorativas. Las hierbas culinarias que se crían en macetas bañadas por el sol en el alféizar de la cocina pueden cosecharse de hoja en hoja cuando se considere oportuno, sin importar el tiempo que haga. Crean un nexo de verdor y fragancia con el mundo exterior, sirven para refrescar el ambiente y algunas, como la menta, actúan incluso como repelente contra insectos.

Muchos de los consejos ofrecidos anteriormente para el cultivo de plantas en recipientes son extensivos a las cultivadas en interiores, con alguna indicación adicional. Si se trata de que las hierbas no sólo sobrevivan sino que florezcan, necesitarán al menos cuatro o cinco horas diarias de sol fuerte, o si esto no es posible, de ocho a diez horas de luz artificial. Las hierbas no admiten cambios de temperatura extremos ni deben colocarse cerca de radiadores o expuestas a fuertes corrientes de aire. Las hierbas cultivadas en recipientes pueden disponerse en grupos pero sin llegar nunca a agolparse, pues hay que permitir la circulación del aire, lo que contribuye a reducir la extensión de plagas y enfermedades.

Otro requisito fundamental es un buen drenaje, como el que ofrecen tiestos de plástico o arcilla con orificios de drenaje cubiertos con cascos de cerámica. Estos tiestos, aceptables en el jardín, no siempre combinan con la decoración del interior, de modo que conviene ponerlos en pilas o bandejas, o en cerámicas, cestas, tinas o cubretiestos. Cuando las hierbas se plantan directamente en recipientes sin orificios, por ejemplo en un tarro, en un cuenco decorativo o en una urna apoyada en el suelo, deben cumplirse unas condiciones especiales que posibiliten un drenaje adecuado. Antes de incorporar el abono, se coloca una capa de grava o guijarros en el fondo del recipiente —la profundidad de la capa dependerá del tamaño del tiesto— seguida de una capa fina de carbón vegetal en fragmentos, para mantener el abono fértil, permitiendo su drenaje e impidiendo el exceso de agua.

## MEDIO DE CULTIVO APROPIADO

La selección del medio de cultivo repercute asimismo en la retención del agua. La tierra de jardín, cualquiera que sea su composición, es totalmente inapropiada, sobre todo

*Varios tiestos de hierbas ocupan el primer término en este arreglo de interior compuesto por arbustos podados de formas diversas.*

porque puede contener organismos infestantes y plagas que se desarrollarían en el medio más cálido del interior. Se recomiendan dos tipos de abono o mantillo: con tierra, compuesto por una mezcla de tierra franca esterilizada con fertilizante, cal y arena, y el abono sin tierra, sólo con turba o formado por una mezcla de turba y arena. Éste último es más pesado y muy indicado para su uso en recipientes grandes, y contiene además fertilizante, por lo que normalmente resulta adecuado para la nutrición de las hierbas durante las primeras semanas tras la plantación.

Las hierbas de interior sólo se riegan cuando la tierra se ha secado un centímetro o más por debajo de la superficie. La frecuencia varía en función de la temperatura y la humedad del espacio. En una sala con calefacción central fijada a temperatura alta hay que regar diariamente o cada dos días, y nutrir las plantas cada semana o cada quince días tras la plantación.

Las hierbas en interior rara vez muestran un desarrollo tan vigoroso y prolífico como al aire libre, por lo que hay que limitar la cosecha para no dificultar en exceso el nuevo crecimiento. Para prolongar la cosecha es mejor arrancar unas hojas o un brote lateral que desnudar el tallo central.

*Las hierbas cultivadas en interiores deben situarse cerca de una ventana de forma que reciban luz directa. Para lograr mayor efecto, se recomienda disponer de une variedad de hierbas en vistosos recipientes.*

# SELECCIÓN DE HIERBAS

Antes de proceder a la selección de las hierbas que se desean cultivar, es preciso decidir la función que han de cumplir. ¿Servirán primordialmente para embellecer el aspecto del jardín? ¿Se desea obtener grandes cantidades para preparaciones culinarias, medicinales y cosméticas? O quizá el cultivo de plantas se emplee como medio para purificar el aire y mejorar la calidad del entorno. Lo más probable es que se persigan todos estos objetivos, meta alcanzable incluso con una pequeña selección de hierbas.

Tradicionalmente ciertas hierbas se han cultivado junto con otras plantas en beneficio de una o de todas ellas. Se dice que el cebollino impide las manchas negras en las rosas y estimula una floración más prolífica del ajo. El romero y la salvia están considerados compañeros ideales que actúan en beneficio mutuo. Se piensa que ciertas hierbas olorosas como el cebollino, el hisopo, la mejorana, el perejil, la salvia y el tomillo mejoran la producción de verduras. Asimismo, se sostiene que el estragón fortalece el crecimiento de todas las hortalizas y la floración de las plantas próximas, lo que es razón suficiente para su inclusión.

Muchas hierbas tienen poderosas propiedades que atraen a las abejas y mariposas. A la derecha se ofrece una lista de dichas plantas, de las cuales algunas despiden un aroma especialmente intenso. Puede hacerse una selección con anís, lavanda, melisa, hierba luisa, salvia piña, rosa, violeta y ajenjo para crear un popurrí al aire libre.

Mientras la mayoría de las hierbas presentan flores relativamente pequeñas, algunas están dotadas de flores sin duda llamativas. La bergamota roja brillante, las capuchinas y caléndulas naranjas y amarillo limón, el tanaceto y la milenrama de un dorado intenso y la hierba del asno de color limón pálido son buenos ejemplos de hierbas florecientes. Pueden lograrse plantaciones combinadas de gran vistosidad entremezclando estas hierbas floridas con otras de mayor atractivo por sus hojas, formando un bello contraste de formas y colores con el follaje cercano. La salvia purpúrea con sus espigas alargadas de flores malva intenso acentúa la delicadeza pilosa de la alquimila verde amarillenta; la bergamota descuella esplendorosa entre la pimpinela y matas de mejorana cobran luminosidad al lado de la matricaria de hojas amarillas.

Si el espacio lo permite, es buena idea distribuir cada tipo de hierba en pequeños grupos o hileras de manera que puedan apreciarse al máximo sus características. En un entorno formal esto significa espaciar las plantas de modo que en pleno desarrollo queden visiblemente separadas por el suelo. En un medio informal, en cambio, las hierbas se plantan para que en plena madurez se entremezclen, sin llegar a estar agolpadas.

# Hierbas que atraen abejas y mariposas

Las flores rojo brillante de la bergamota (Monarda 'Lodden Crown') se encuentran entre las flores más vistosas del jardín de hierbas.

| | |
|---|---|
| Achicoria | Cichorium intybus |
| Albahaca | Ocimum basilicum |
| Anís | Pimpinella anisum |
| Bergamota | Monarda didyma |
| Cebollino | Allium schoenoprasum |
| Consuelda | Symphytum officinale |
| Diente de león | Taraxacum officinale |
| Hierba del asno | Oenothera biennis |
| Hierba gatera o menta de gatos | Nepeta cataria |
| Hinojo | Foeniculum vulgare |
| Hisopo | Hyssopus officinalis |
| Lavanda o espliego | Lavandula |
| Malvavisco | Althaea officinalis |
| Marrubio | Marrubium vulgare |
| Melisa | Melissa officinalis |
| Menta piperita | Mentha x piperita |
| Milenrama | Achillea millefolium |
| Orégano | Origanum |
| Romero | Rosmarinus officinalis |
| Salvia | Salvia officinalis |
| Tomillo | Thymus |
| Ulmaria | Filipendula ulmaria |
| Valeriana | Valeriana officinalis |

Las florecillas del orégano aparecen cubiertas de mariposas.

La lavanda en flor es una importante fuente de polen para las abejas.

# SEMILLAS O PLANTAS

Optar entre hacerse cargo del ciclo de crecimiento completo desde su inicio con la siembra de semillas o incorporarse en algún punto del proceso responde a una decisión propia. Pueden adquirirse plantas pequeñas en viveros u otros cultivadores especializados, o bien llevar a cabo la multiplicación de nuevas plantas mediante esquejes de tallo o de raíz, acodos o división. Los métodos apropiados para cada planta se ofrecen en la *Guía de hierbas*.

*Tiestos de romero, laurel y salvia dispuestos sobre grava húmeda en un invernadero.*

Para la mayoría de los jardineros, lo más recomendable consiste en una combinación de las dos opciones. En el caso de las hierbas estériles o productoras de semillas no aptas para su germinación, no tiene sentido empezar desde cero. Entre dichas hierbas destaca, especialmente para los entusiastas del arte culinario, el estragón francés que, a diferencia del ruso, rara vez produce semillas. De modo que si se piensa elaborar vinagre de estragón o preparaciones de pescado exquisitamente aromatizadas, será preciso comprar plantas o multiplicar mediante esquejes o trozos de raíz la planta de algún amigo. Entre otras hierbas de adquisición recomendada como plantas se cuentan las mentas, en su mayoría híbridos, y las formas decorativas de tomillo y salvia. Éstas también pueden cultivarse con éxito por esquejes o división.

*Los mejores resultados se obtienen comprando cada año las semillas en un comercio de confianza y siguiendo las instrucciones del paquete.*

# Cultivo a partir de semillas

La multiplicación de hierbas por semillas es una labor propia de la naturaleza. Tras haber creado un jardín de hierbas o entremezclado hierbas con otras plantas, se puede confiar en el proceso de diseminación espontánea para ver aumentada la plantación. Muchas especies como la alcaravea, el diente de león, la alquimila y la caléndula son muy prolíficas, aunque no siempre se reproducen en el lugar deseado. Las diminutas semillas en forma de paracaídas del diente de león, que el viento transporta con tanta facilidad, pueden dar pequeñas plantas vigorosas lejos de la planta madre, y frustrar así la distribución ideada del jardín. Pero dada la fortaleza de este tipo de plantas en comparación con las sembradas por semillas recogidas, pueden trasplantarse siendo aún jóvenes para formar una plantación en otra parte, aunque hay plántulas, como las de la alcaravea, que no admiten el trasplante.

Para que germinen debidamente, la mayor parte de las semillas deben contar con ciertos requisitos básicos: niveles indicados de humedad, calor, aire y luz, aunque la mayoría germinarán con claridad o en la oscuridad. Estas condiciones suelen darse mejor realizando la siembra bajo vidrio o en interior, en bandejas o tiestos, aunque las semillas de mayor tamaño podrían germinan de forma satisfactoria al aire libre. Tras el período de germinación, la luz se convierte en un factor esencial para que las plantas crezcan sanas.

En la mayoría de los casos la siembra en primavera favorece la germinación, al iniciarse el ascenso regular de la temperatura y de las horas de luz, aunque ciertas semillas

*Diente de león, con paracaídas de pelos desde los cuales las semillas son transportadas por el viento.*

necesitan sembrarse tan pronto maduran. Plantas anuales como el perifollo pueden sembrarse en otoño sin temor a perecer en invierno. Bienales como la alcaravea y el amaro prefieren sembrarse al final de la primavera para florecer al año siguiente. Aquellas semillas, como las del perifollo oloroso y la angélica, cuya cápsula se rompe y que finalizan su período de reposo vegetativo al llegar el frío extremo, se siembran mejor en otoño. En la *Guía de hierbas* se indica la época de siembra recomendada para cada planta.

## *Siembra de semillas en el exterior*

*La preparación de la tierra es esencial antes de la siembra de semillas en el exterior. Tras eliminar las piedras y las malas hierbas, hay que rastrillar el suelo hasta dejarlo fino y suelto, textura conocida como labranza fina.*

*Para que se cumplan los requisitos de temperatura apropiados para la germinación, es fundamental retrasar la siembra hasta que no haya riesgo de heladas, y conviene esperar hasta que se haya calentado el suelo con*

*unos días de sol. La siembra puede adelantarse si se protege el terreno una o dos semanas antes de plantar, para retener todo el calor disponible.*

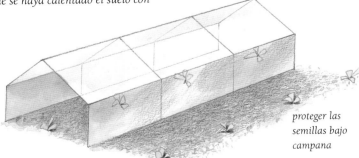

*trabajar el suelo hasta lograr una labranza fina*

*proteger las semillas bajo campana*

# Siembra de semillas en interior

La siembra de semillas en interior, en invernadero o en cajonera fría puede realizarse con tres semanas o más de antelación, lo que permite obtener plantones bien consolidados antes de proceder a su trasplante.

1 Sembrar las semillas en semilleros rellenos hasta 1 -1,5 cm del borde con abono de siembra. Igualar la superficie, apretándola bien con una tablilla.

2 Regar la superficie con una regadera de roseta pequeña.

3 Sembrar las semillas sin apenas hundirlas y cubrirlas con más abono hasta dejarlas a la profundidad indicada, dos o tres veces su diámetro. Regar ligeramente, evitando que la tierra quede anegada.

4 Etiquetar el semillero con los datos relevantes, el tipo de semilla y, para consulta y comparaciones posteriores, la fecha de siembra.

5 Colocar una placa de vidrio sobre la bandeja, tapar con una hoja de papel y situar en un lugar sombrío. Examinar el semillero cada día hasta que se inicie la germinación.

6 Una vez que aparezcan los plantones, retirar el papel y el vidrio de la superficie y trasladar la bandeja a un lugar con más claridad, sin exponerla a pleno sol.

# Trasplante de plantones

Cuando surgen las primeras hojas verdaderas después de los cotiledones, es el momento de trasplantar o repicar los plantones en tiestos con mantillo a base de tierra. Hay que levantar cada plántula cuidadosamente con un cuchillo de filo romo o el palito de un polo empujando bajo las raíces para sacarla. La planta se sostiene por la punta de una hoja entre el pulgar y el índice para meterla en los agujeros practicados en la tierra con una herramienta de madera puntiaguda llamada plantador. El suelo en torno al tallo se aprieta con dicho utensilio o con los dedos y se riega ligeramente. Hay que examinar los plantones cada día para asegurarse de que no se sequen.

Las plantas repicadas pueden desarrollarse en macetas hasta que los sistemas radiculares empiecen a crecer a

*Hay que apretar el mantillo de macetas alrededor del tallo de los delicados plantones.*

través del fondo, señal inequívoca de que deben trasplantarse de nuevo. En esta fase las plantas deben ir aclimatándose a las condiciones externas, ventilando la cajonera durante el día o dejando las macetas en el jardín, en el balcón o frente a una ventana abierta todo el día, y metiéndolas dentro por la noche o protegiéndolas bajo campana si hace mal tiempo.

Tras dos o tres semanas de "endurecimiento" o de exposición gradual al aire, las plantas estarán preparadas para trasplantarse a su posición final, en tinas o pilas en el balcón, o en un lugar dispuesto en el jardín. Independientemente del emplazamiento elegido, es importante reducir al mínimo el efecto de la operación, trasplantándolas en las condiciones más favorables.

*Las hierbas germinadas a partir de semillas y trasplantadas a macetas más grandes pueden cultivarse bajo cubierta o plantadas en el exterior.*

# Cómo tomar esquejes de tallo

Muchas hierbas de tallo leñoso o semileñoso, como el hisopo, la lavanda, el romero, la salvia, los pelargonios de hojas aromáticas, la mejorana, el tomillo y la ajedrea silvestre, pueden multiplicarse con facilidad mediante esquejes de tallo, conocidos como esquejes de madera blanda, tomados a finales de la primavera y principios del verano, cuando los vástagos están blandos y aún sube la savia. Hay que cortar de 5 a 10 cm del brote por debajo del nudo foliar, eliminar las hojas inferiores y las estípulas (presente en los tallos de los geranios), y hundir la base del esqueje en polvo de hormona de enraizamiento.

Los esquejes de ciertas hierbas leñosas, como la lavanda

o el abrótano, dan mejores resultados si se arrancan con un "talón" de la madera vieja. El talón obtenido debe recortarse con un cuchillo antes de que el esqueje esté preparado tal como se ha descrito anteriormente.

Se inserta el esqueje en mantillo para macetas o en un medio de enraizamiento equivalente, bajo en nutrientes, drenado y aireado, enterrándolo unos 2,5 cm, y se aprieta con los dedos. Se rocía ligeramente y se colocan las macetas en multiplicadores con tapa. También puede cubrirse con una bolsa de plástico, sujeta con una goma alrededor del borde, o con un tarro de cristal boca abajo para mantener la humedad de la tierra. Los multiplicadores o macetas deben colocarse en un lugar sombrío, protegido del sol directo. Una vez que agarran o que muestran signos de crecimiento, es preciso aplicar un fertilizante foliar corriente.

Cuando los esquejes han enraizado debidamente, deben cambiarse a pequeños tiestos individuales llenos de abono de uso general. Hay que tratarlas como plantas jóvenes que son, y aclimatarlas o endurecerlas antes de trasplantarlas a su lugar definitivo.

Durante los meses de verano es posible seguir tomando esquejes de madera semimadura de lavanda y romero. Si bien requieren un tratamiento similar que los esquejes de madera tierna, hay que dejarlos en un invernadero frío o en una habitación sin calefacción, y repicarlos en primavera.

# Acodo

Algunas plantas perennes resistentes, semiarbustos y arbustos, como la salvia, pueden multiplicarse por tallos acodados. De hecho ciertas plantas como la menta proliferan de forma natural por medio de estolones, tallos rastreros que echan raíces a intervalos para producir nuevas plantas.

Para promover la formación de raíces en plantas menos vigorosas conviene escoger un brote joven flexible y, sin separarlo de la planta madre, hacer varios cortes oblicuos

a lo largo con un cuchillo afilado. Los brotes se fijan al suelo con pequeños arcos de alambre o grapas y se cubren con una capa fina de tierra cribada. Si los brotes acodados se disponen en un círculo alrededor de la planta madre, pronto aparecerá una mata de hierbas sana. A lo largo del tallo cortado se formarán nuevas plantas con sistemas radiculares desarrollados, que podrán separarse de la planta madre y trasplantarse.

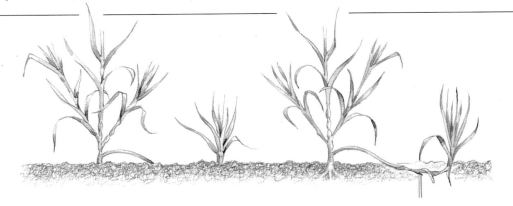

*El acodo consiste en sujetar un brote vigoroso y enterrarlo. Se puede separar de la planta madre cuando haya enraizado.*

# Esquejes de raíz

*Multiplicación mediante esquejes de raíz (izquierda). Las raíces del diente de león forzadas en invierno dan hojas para ensaladas en primavera.*

L a menta y el regaliz pueden reproducirse por esquejes de raíz tomados al final de la estación de crecimiento para producir nuevas plantas y hojas frescas durante todo el invierno. Hay que desenterrar algunas raíces y cortarlas en trozos de 10 cm de longitud, que se plantan en un recipiente con abono para tiestos de uso general, se cubren luego con un poco más de abono, se riegan y se llevan al interior. En poco tiempo aparecerán brotes y hojas nuevas.

Las raíces carnosas como las del rábano rusticano y el lirio de Florencia se multiplican también por secciones de raíz, o rizomas en el caso del lirio. Hay que levantar con cuidado una sección de raíz o rizoma, cortarla en trocitos, con un corte recto en la parte superior y uno oblicuo en la inferior, y plantarlos así en un tiesto o en tierra preparada.

# División

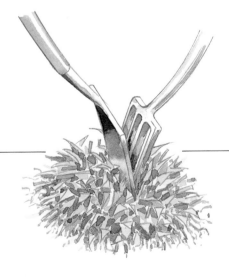

L as plantas perennes que forman macollas, una vez que alcanzan al menos dos años, pueden multiplicarse por división, operación que de hecho convendría a la mayoría.

La división se lleva a cabo en primavera o en otoño, sirviéndose de un cuchillo o una horca para partir por la mitad la mata. Las secciones divididas, o una pequeña parte, se replantan en tierra preparada.

# CUIDADO DE LAS HIERBAS

El mantenimiento de un jardín de hierbas debería ser una afición placentera: eliminar las malas hierbas que amenazan la supervivencia de los plantones, regar y nutrir periódicamente las plantas, entutorar las hierbas que muestran signos de debilitamiento y podar los brotes irregulares al final de la estación de crecimiento. Parecen tareas arduas, aunque no tanto si se piensa que cada vez que pasamos rozando una planta o la rociamos con agua, disfrutamos de la fragancia que nos movió a elegirla.

## Riego y nutrición

Las numerosas hierbas que se originan en los ambientes secos y cálidos de las regiones mediterráneas no precisan riego abundante. De hecho, pueden superar largas temporadas de sequía sin necesidad de agua. No obstante, un riego ligero y regular resulta beneficioso, pues contribuye no sólo a mantener el aspecto lozano de las plantas, especialmente las anuales, sino a conservar su fragancia. Es importante no saturarlas, en particular si se trata de plantas con tallos blandos, que no se secan con facilidad, en cuyo caso el exceso de humedad puede dar pie a la formación de hongos. En zonas donde las lluvias fuertes pueden causar problemas, las plantas deben contar con espacio suficiente para que circule el aire entre ellas.

Sin embargo, otras hierbas, en concreto las provistas de raíces carnosas como el malvavisco y la ulmaria, requieren lugares húmedos y agradecen el riego en veranos secos.

Las hierbas cultivadas en suelos abiertos sólo requieren

la preparación de la tierra con mantillo de jardín bien descompuesto antes de plantar y al final de la estación de crecimiento para obtener los nutrientes necesarios. Ocasionalmente, se les puede aplicar fertilizantes orgánicos, sobre todo si muestran signos de enfermedad. Para hierbas en recipientes la nutrición es fundamental.

## Control de plagas y enfermedades

*El poleo y la capuchina repelen las hormigas, el romero ahuyenta la mosca de la zanahoria y la albahaca, la salvia y la manzanilla (conocida como el "médico de las plantas") combaten los insectos más dañinos. La menta aleja las moscas y el cebollino impide la formación de roña en los manzanos y de manchas negras en las rosas. El tomillo aparta las babosas de otras especies, provocando la concentración de las plagas en puntos determinados, para facilitar su erradicación por la tarde.*

*Los áfidos representan la principal plaga de las hierbas. Si no hay suficientes mariquitas o sírfidos, cuyas larvas se alimentan de áfidos, hay que pulverizar las plantas con polvo de rotenona o con un insecticida orgánico elaborado con una infusión de hojas viejas, y procurar plantar más eneldo e hinojo que atraiga a los sírfidos.*

*El polvo de rotenona sirve también para eliminar los acáridos, que atacan el laurel. Las hojas afectadas se recuperan si se pulverizan con regularidad. La roya en la menta, otro problema que desfigura la planta,*

*cuesta más de erradicar. Es preciso destruir las hojas enfermas o eliminar las partes dañadas, y desenterrar las plantas. Tras sumergir las raíces en agua caliente, deben replantarse en un lugar distinto sin contaminar.*

PLANIFICACIÓN PARA EL FUTURO
*Al final del ciclo de crecimiento hay que empezar a planificar la plantación del año siguiente, procurando incluir más hierbas que atraigan las abejas, como borraja, cilantro, melisa y ajedrea de jardín, para garantizar un nivel alto de polinización.*

# Poda

Al finalizar la estación de crecimiento es necesario examinar el estado de las plantas. Llegado el momento de arrancar y eliminar las anuales (tras haber recogido las semillas), hay que comprobar el desarrollo de las perennes.

*Lavanda antes de la poda*          *Tras la poda*

*La hierba luisa se poda durante la estación de crecimiento para eliminar las flores secas y los tallos leñosos o irregulares.*

Con unas tijeras de podar afiladas se recortan los tallos secos y las partes alargadas e irregulares. Las plantas leñosas y vigorosas como la lavanda, la ruda, la salvia y el tomillo se podan en profundidad (sin llegar a la madera vieja en el caso de la salvia) para que recuperen su forma y crezcan verdes y ordenadas. Excepto la ruda, las partes recortadas no deben destinarse a abonos, sino quemarse para disfrutar por última vez de su fragancia. Llegará un momento en que estas plantas, perennes pero no perpetuas, no podrán crecer más ni recuperar o mantener su atractiva forma, lo que indicará la necesidad de multiplicarlas.

# Entutorado

Muchas hierbas tienen un hábito enano y otras se cultivan expresamente para la formación de tapices. Incluso hierbas de gran talla como la angélica, la hierba del asno y el hinojo son capaces de mantenerse en su sitio, aun con vientos fuertes, especialmente si se ha tomado la precaución de plantarlas en un lugar protegido del jardín.

Si las plantas empiezan a tumbarse, hay que entutorarlas con cañas de bambú resistentes, colocando tres alrededor de una mata, sujetas entre sí con un bramante verde.

*Hay que entutorar las plantas altas a medida que crecen para evitar que los tallos largos y las flores se estropeen.*

# HIERBAS

EN ACCIÓN

# NORMAS DE CONSERVACIÓN

Al recolectar hierbas para su almacenamiento y conservación es imprescindible realizar cada paso en el momento preciso. Tanto si se van a usar con fines medicinales como para cocinar, deben recogerse en el punto del ciclo de cultivo en que los aceites volátiles se hallan en el nivel máximo de concentración y a la hora del día en que presenten menos humedad. Para sacarles el máximo partido, hay que manipularlas con esmero, prepararlas para su conservación sin demora y almacenarlas en un lugar oscuro.

## Recolección de las hierbas

Las hojas desprenden más aroma y contienen más aceites volátiles antes de que se abra ninguna flor. Las flores han de recolectarse en cuanto se abren por completo. Las semillas, por su parte, deben recogerse tan pronto como maduren, mientras que las raíces deben dejarse en la tierra hasta el final de la temporada de crecimiento, ya que es entonces cuando presentan una mayor concentración de nutrientes almacenados.

Las partes aéreas de las plantas –flores, hojas, semillas y tallos– deberían recolectarse temprano, un día de tiempo seco, en cuanto se evapore el rocío. Hacia mediodía, cuando el sol se encuentra en su punto álgido, los aceites volátiles ya se habrán disipado. Es conveniente utilizar una podadera afilada o unas tijeras de jardinería para cortar los tallos y así evitar dañar a la planta. Retirar los insectos que pueda haber,

quitar las hojas y las flores en mal estado y colocar las hierbas de inmediato en un recipiente con agua. Deben estar alejadas de la luz intensa, pues disiparía los aceites volátiles.

Recolectar las cabezuelas de semillas cada día, a medida que vayan madurando. Atar un retal de muselina a su alrededor para atrapar las semillas que caigan. No usar una bolsa de plástico, pues las semillas podrían pudrirse por la condensación.

## Secado de las hierbas

El secado requiere la libre circulación de aire seco y cálido así como la ausencia de luz intensa, en especial la luz solar. Las hierbas pueden secarse en una habitación fresca en varios días o más rápidamente en un lugar cálido, pero nunca deben colgarse en un cuarto de baño o en una cocina, pues un ambiente húmedo no resulta favorable. Las hojas se secan mejor en el tallo, aunque las

más grandes, como las de borraja, pueden separarse y dejarse secar en una rejilla. Para secar las cabezuelas de semillas es conveniente colgarlas dentro de una bolsa de papel y recoger las semillas que caigan. Para secar flores, separarlas de los tallos. En el caso de las raíces, limpiarlas y cortarlas en trozos de 2,5 cm.

Separar los tallos en ramilletes para que el aire circule sin dificultad a

su alrededor y colgarlos separados de la pared. Para secar otras partes de la planta, extenderlas en una única capa sobre una rejilla adecuada o en bandejas de horno y dejarlas secar en un horno frío con la puerta entreabierta para evitar la humedad. Darles vueltas a menudo. Las flores y las hojas estarán listas cuando crujan, y las raíces, cuando tengan aspecto leñoso.

*Menta piperita*

*Manzanilla*

*Ulmaria*

# Almacenamiento de las hierbas secas

Deshojar los tallos gradualmente y desmenuzar un poco las hojas con los dedos. En el caso de la caléndula, retirar los pétalos del centro. Desatar las bolsas que cubren las cabezuelas y recoger las semillas caídas.

Las hierbas secas deben guardarse por separado en tarros de cerámica o de vidrio (no de plástico) con tapadera y etiquetados. Los tarros oscuros son ideales, pues impiden el paso de la luz. Si se usan tarros de vidrio claro, mantenerlos en un lugar fresco y seco. Es mejor tener a mano en la cocina un tarro pequeño para el uso diario y rellenarlo periódicamente para no exponer gran cantidad de hierbas al aire y a la luz.

# Congelación de las hierbas

Las hierbas pueden congelarse en el tallo, o bien retirar las hojas y congelarlas enteras. En ambos casos, extenderlas en una única capa sobre una bandeja de horno o una fuente grande y congelarlas, sin cubrirlas. Una vez congeladas resultan muy frágiles y quebradizas, por lo que es conveniente guardarlas en un recipiente con tapadera en vez de en bolsas de polietileno. Para obtener el equivalente congelado de las hierbas secas picadas, desmenuzarlas suavemente con los dedos. Guardarlas en recipientes pequeños con tapadera sin olvidar etiquetarlos.

Otro método consiste en rellenar bandejas para cubitos de hielo con hierbas picadas y cubrirlas con agua. Los cubitos con hierbas se guardan en bolsas de plástico etiquetadas. Pueden añadirse a sopas y guisos, directamente del congelador.

Asimismo pueden congelarse ramilletes de hierbas o flores comestibles en cubitos de hielo o en moldes para galletas rellenos con agua y envueltos en papel de aluminio. Usar hierbas que combinen con la bebida –hierba luisa con limonada– o bien proponer contrastes –cubitos de hojas de pelargonio aromático en infusión de manzanilla fría.

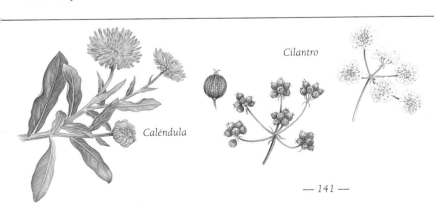

*Cilantro*

*Caléndula*

*Consuelda*

# EN LA COCINA

Si bien actualmente se tiende a pensar que la única función de las hierbas que se añaden a los alimentos consiste en proporcionar sabor, en el pasado se les atribuían bastantes más propiedades. Muchas hierbas son buenos estimulantes gástricos y facilitan la digestión de carnes fuertes como la de cerdo o la de caza. Otras se usaban para que las comidas resultasen más equilibradas y prevenir enfermedades. Culpeper explica que en el siglo XVII todas las amas de casa cocinaban el pescado con hinojo, ya que la condición húmeda del pescado podía provocar trastornos digestivos, mientras que el hinojo es una hierba seca y cálida que la contrarrestaba. Las hierbas son también condimentos ideales que evitan la excesiva dependencia de la sal o del azúcar.

| TIPO DE PLATO | HIERBA | SUGERENCIAS |
|---|---|---|
| Sopas | | |
| *Ligeras* | Estragón | Excelente con sopas a base de caldo de pollo |
| | Perifollo | Para aderezar consomés |
| *De pescado* | Eneldo | Las semillas con pescados fuertes y las hojas, con suaves |
| | Estragón | Excelente con pescados de sabor intenso |
| | Melisa | Puede sustituir a la ralladura de limón |
| *De lentejas* | Alcaravea/Hinojo/ Semillas de eneldo | Usar semillas molidas |
| *Consistentes/ Con carne* | Levístico | Los tallos picados pueden espesar sopas y caldos |
| | Semillas de cilantro | Añadirlas molidas al principio de la cocción |
| *De verdura* | Hinojo | Usar semillas molidas o bulbo de hinojo de Florencia en rodajas finas |
| | Levístico | Los tallos sustituyen al apio |
| | Orégano | Añade un toque mediterráneo |
| | Perifollo | Potencia el sabor |
| | Salvia | Con moderación, es fuerte |
| | Semillas de eneldo | Usar semillas molidas |
| *De guisantes* | Cilantro | Usar semillas molidas |
| | Comino/ Fenogreco | Las semillas molidas aportan un sabor picante |
| | Cúrcuma | Usar molida, con moderación |
| | Jengibre | Usar la raíz fresca picada |
| Entrantes | | |
| *Patés consistentes* | Laurel | Excelente con platos de caza |
| | Perejil | El perejil de hoja tiene un sabor más intenso |
| | Salvia | Excelente con cerdo o conejo |
| Platos principales | | |
| *Pescado azul* | Albahaca | Con caballa y marisco |
| | Estragón | Usarlo en salsas consistentes |
| | Semillas de eneldo | Ideal para el salmón |
| | Tomillo | Excelente con pescado fuerte |

| TIPO DE PLATO | HIERBA | SUGERENCIAS |
|---|---|---|
| *Pescado blanco* | Hinojo/Ramitas de eneldo | Usar ramitas tiernas picadas |
| | Melisa | Puede sustituir al limón |
| | Perifollo | Mezclarlo con melisa en platos ligeros de pescado |
| *Ternera* | Cilantro | Aporta un toque oriental |
| | Hisopo | Excelente en guisos |
| | Levístico | Aporta sabor a apio y espesa |
| | Mejorana/ Tomillo | Para guisos y estofados |
| | Semillas de eneldo | Excelente con ternera |
| *Cordero* | Ajo | Mezclarlo con lavanda para sazonar el lechazo asado |
| | Romero | Clásico para el cordero asado y los estofados de cordero |
| *Cerdo* | Ajedrea de jardín | Excelente con platos de jamón |
| | Hinojo | Excelente en guisos y patés |
| | Mejorana/ Perifollo | En rellenos y salsas para asados |
| | Salvia | Para rellenos |
| *Pollo/ Aves de corral* | Cilantro | Aporta un toque oriental |
| | Estragón | Ideal con pollo al horno y guisos ligeros |
| | Melisa | Restregar la carne con las hojas antes de freírla o asarla |
| | Salvia/Ajedrea de jardín | Añadirla a los guisos y fritos |
| Platos de queso | Menta | Agregarla recién picada al requesón o queso fresco |
| | Mejorana/ Ramitas de eneldo | Incorporarlo recién picado al requesón |
| | Orégano | Ideal para menús vegetariano. |
| | Perifollo | Añadirlo troceado en tortillas y tartas saladas |
| | Salvia | Añadirla a salsas cocinadas o platos de queso y patata |

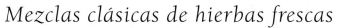

# Mezclas clásicas de hierbas frescas

*Una combinación adecuada de hierbas logra que éstas se complementen y potencia el sabor de los alimentos.*

**FINAS HIERBAS**
*partes iguales de perifollo, cebollino, perejil y estragón*

**BOUQUET GARNÍ**
*3 ramitas de perejil, 1 hoja de laurel y 1 ramillete de tomillo*

**HIERBAS DE PROVENZA**
*orégano, romero, tomillo, ajedrea, mejorana y lavanda francesa*

**MEZCLA PARA PLATOS DE TERNERA**
*partes iguales de romero, tomillo, ajedrea, piel de naranja y perejil*

**MEZCLA PARA PLATOS DE CORDERO**
*partes iguales de romero, tomillo, ajedrea, menta y perejil*

**MEZCLA PARA PLATOS DE CERDO**
*partes iguales de salvia, tomillo y mejorana*

**MEZCLA PARA PLATOS DE AVE**
*partes iguales de perejil, tomillo, mejorana, estragón y hojas de laurel (bayas de enebro para las aves de caza)*

**MEZCLA PARA PLATOS DE MARISCO**
*partes iguales de eneldo, estragón y piel de limón*

| TIPO DE PLATO | HIERBA | SUGERENCIAS |
|---|---|---|
| Platos a base de huevo | Albahaca/Perifollo/Ramitas de eneldo/Tomillo | Añadirlo picado a las tortillas y otras preparaciones |
| | Tanaceto | Para budines dulces |
| Pasta | Albahaca | Usarla fresca en salsas de tomate |
| | Mejorana/Orégano | Su sabor tiende a intensificarse cuando está seco |
| | Nuez moscada | Usarla rallada con parmesano |
| Ensaladas | Acedera | Da un toque alegre a la lechuga |
| | Albahaca | Usar hojas picadas de variedades de distintas tonalidades |
| | Borraja/Caléndula | Decorar las ensaladas con las flores o con los pétalos |
| | Capuchina | Usar las flores y las hojas |
| | Cebollino | Picado aporta un suave sabor a cebolla |
| | Cilantro/Melisa | Añadir dos o tres hojas a las ensaladas verdes |
| | Pimpinela | Aporta cierto sabor a pepino |
| Hortalizas Tomate | Albahaca | Aporta a los platos de tomate el clásico sabor italiano |
| | Orégano | Fresco en la ensalada griega |
| Arroz | Azafrán | Clásico en platos orientales |
| | Hinojo | Añadir una bolsa de semillas al arroz durante el hervor o usarlo picado |
| Judías/Guisantes | Ajedrea de jardín/Perifollo | Excelentes potenciadores de sabor |
| | Menta | Fresca con guisantes tiernos |
| | Semillas de eneldo | Con habas o guisantes |
| Familia de la col | Mejorana | Excelente con el brécol |
| | Semillas de alcaravea | Excelente con todos los platos de col y choucroute |
| | Semillas de hinojo | Añadir a las coles de Bruselas |
| | Tomillo | Añadir un ramillete a la col hervida/cocida al vapor |

| TIPO DE PLATO | HIERBA | SUGERENCIAS |
|---|---|---|
| Tubérculos | Ajo | Añadirlo a las patatas al horno |
| | Fenogreco | Excelente con zanahorias |
| | Pimentón | Da cuerpo a zanahorias/nabos |
| | Salvia | Añadir una ramita a zanahorias/patatas durante el hervor |
| Legumbres | Semillas de eneldo | Cocinarlas enteras con zanahorias y chirivías |
| | Alcaravea/Semillas de hinojo | Usarlas molidas |
| | Hisopo | Excelente en platos rápidos |
| | Jengibre | Aporta un sabor picante al pastel de lentejas |
| | Mejorana | Con pastel de lentejas y guisos |
| Cebollas | Alcaravea | Ideal para tartas saladas |
| | Orégano | En tartas saladas y sopas |
| Postres | Bergamota | Poner flores en la macedonia |
| | Menta | Usarla picada en macedonias y con peras/manzanas cocidas |
| | Pelargonios aromáticos | Para aromatizar helados y sorbetes o para decorar |
| | Perifollo oloroso | Como sustituto del azúcar al cocer ruibarbos o manzanas |
| | Pétalos de rosa | Para aromatizar helados y cuajadas o escarchados |
| | Violetas | Escarchar para decorar |
| Panes y pasteles | Jengibre | En galletas especiadas y de mantequilla |
| | Menta | Añadir a los pasteles glaseados |
| | Semillas de alcaravea | Espolvorear con ellas panes y galletas saladas |
| | Semillas de eneldo | Molidas en galletas saladas |
| | Semillas de hinojo | Usarlas molidas para aromatizar el pan |
| | Tanaceto | Ideal en los pasteles de Pascua |
| Escabeches y condimentos | Eneldo | Para escabeches y con pescado |
| | Menta | Ideal con cordero y fiambres |
| | Semillas de mostaza | Con salmón marinado y platos sazonados |

# SOPAS Y ENTRANTES

Las hierbas frescas y las especias aromáticas ofrecen una gran versatilidad a la hora de empezar una comida, desde una sopa de acedera o una crema de ajo hasta un consistente paté de caza. Con panecillos o pan a las hierbas, cualquiera de estos platos puede constituir un almuerzo ligero.

## Paté de liebre

*Si se prefiere una mezcla más ligera, utilizar conejo o pollo en lugar de liebre para la elaboración de este paté rústico.*

*1 kg de liebre*
*450 g de falda de cerdo, sin piel*
*1 cebolla, troceada*
*2 dientes de ajo, picados gruesos*
*3 cucharadas de perejil picado*
*2 cucharaditas de salvia picada*
*sal y pimienta negra*
*100 ml de vino tinto*
*40 g de mantequilla, fundida*
*3 hojas de laurel*

Deshuesar la carne y trocearla. Recortar la grasa de la carne de cerdo y cortarla en dados. Mezclar la carne de liebre, la de cerdo, la cebolla y el ajo en un robot de cocina y triturarlo todo hasta obtener una pasta fina. Agregar el perejil y la salvia, salpimentarlo y añadir el vino.

Introducir la mezcla en una fuente de horno o en un molde alargado de 1,2 litros de capacidad y nivelar la superficie. Cubrirlo con papel de aluminio y colocar la fuente en una cazuela al baño maría. Hornearlo a 170°C durante 1½ horas.

Retirar el exceso de grasa y dejar que el paté se enfríe. Disponer las hojas de laurel por encima y cubrirlo con la mantequilla fundida. Refrigerarlo hasta que el paté adquiera consistencia.

*Para 6 u 8 personas*

## Sopa de ajo fría

*Tan solo una pizca de ajo aporta un agradable sabor a esta elegante sopa.*

*12 almendras peladas*
*6 dientes de ajo, pelados*
*2 cucharadas de aceite de oliva*
*2 rebanadas gruesas de pan blanco,*
*sin corteza, cortado en dados pequeños*
*600 ml de caldo de pollo ligero*
*150 ml de vino blanco seco*
*sal y pimienta negra*
*2 cucharadas de cebollino, troceado*

En una picadora o robot de cocina, triturar las almendras y el ajo hasta obtener una pasta, o bien machacarlo en un mortero. Calentar el aceite en una sartén pequeña y freír la pasta de ajo y los dados de pan a fuego medio hasta que se doren.

Verter el caldo de pollo y el vino en una batidora o robot de cocina, añadir la mezcla de ajo y pan y salpimentarlo. Triturarlo todo hasta que quede fino.

Incorporar el cebollino y refrigerar la sopa al menos 1 hora. Antes de servirla, probarla de sazón y corregir en caso necesario. Decorarla con tostones.

*Para 4 personas*

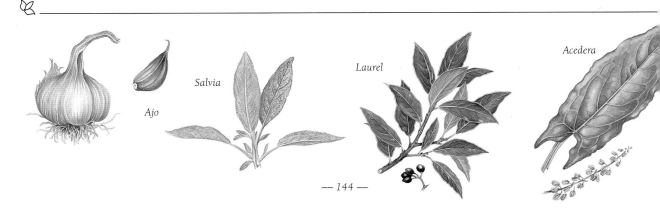

Ajo

Salvia

Laurel

Acedera

# Sopa de acedera

*Esta sopa, de tonalidad verde muy oscura y con un fuerte aroma a limón, puede servirse caliente o fría.*

450 g de acedera
50 g de mantequilla
1 cebolla, picada gruesa
600 ml de caldo de pollo
sal y pimienta negra
1 cucharada de zumo de limón
1 cucharada de harina
4 cucharadas de nata líquida
1 cucharadita de ralladura de limón,
para decorar

Lavar la acedera, escurrirla y desechar los tallos. Fundir 25 g de mantequilla en una cacerola grande y saltear la cebolla a fuego medio hasta que quede traslúcida pero sin llegar a tomar color. Incorporar la acedera y remover hasta que se reduzca el volumen. Añadir el caldo, salpimentarlo y dejarlo cocer, tapado, 15 minutos. Triturarlo en una batidora o robot de cocina. Aclarar la cacerola.

Fundir la mantequilla restante e incorporar la harina para hacer una salsa rubia. Agregar de forma gradual el puré de acedera, sin dejar de remover. Añadir el zumo de limón, probarlo y corregirlo de sazón si fuese necesario. Si se desea servir la sopa caliente, calentarla de nuevo. Si se prefiere fría, dejarla enfriar y refrigerarla al menos 1 hora.

Antes de servirla, formar un remolino con una cucharada de nata líquida en cada plato y esparcir la ralladura de limón por encima.

*Para 4 personas*

# Sopa especiada de guisantes

*Esta sopa dorada salpicada de pasas emana la agradable fragancia de una mezcla de especias molidas.*

150 g de guisantes secos amarillos
partidos, en remojo al menos 1 hora
600 ml de caldo de pollo
25 g de mantequilla
1 cucharadita de comino molido
1 cucharadita de cilantro molido
½ cucharadita de jengibre molido
½ cucharadita de cúrcuma molida
una buena pizca de fenogreco molido
una pizca de azúcar
sal
2 cucharadas de uvas pasas sin pepitas,
para decorar
hojas de cilantro, para decorar

Colocar los guisantes en una cacerola grande con agua sin sal, llevarlos a ebullición y dejarlos cocer, tapados, entre 30 y 45 minutos, hasta que estén tiernos. Escurrirlos y desechar el líquido. Reservar 2 cucharadas de los guisantes ya cocidos y triturar el resto junto con el caldo de pollo en una batidora o robot de cocina.

Fundir la mantequilla en una cacerola grande y freír las especias molidas a fuego medio durante 2 minutos, sin dejar de remover. Incorporar los guisantes reservados, el puré de guisantes y el azúcar.

Salar y llevar a ebullición.

Antes de servir, añadir las pasas y decorar con las hojas de cilantro.

*Para 4 personas*

VARIACIONES
Si se prefiere un aroma incluso más intenso, pueden usarse semillas de fenogreco, cilantro y comino enteras y machacarlas en un mortero.

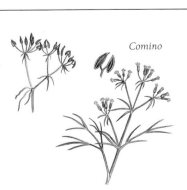

*Comino*

# SALSAS, ACEITES Y VINAGRES

Filetes de salmón con aceite de estragón a la parrilla, ternera para asado marinada en vinagre y aceite de orégano, verduras frescas con mantequilla de finas hierbas o trucha arco iris frita con una cucharada de salsa verde. Éstos y otros condimentos y salsas de hierbas pueden convertir en manjares los platos más sencillos a la vez que hacen perdurar la fragancia primaveral de una aromática huerta.

## Mantequilla de finas hierbas

*Puede servirse como salsa para acompañar a pescados, filetes o chuletas a la parrilla, con pasta normal o verde, o bien con verduras frescas.*

*100 g de mantequilla sin sal, a temperatura ambiente*
*1 diente de ajo, picado fino*
*4 cucharadas de perejil picado*
*1 cucharada de cebollino picado*
*sal y pimienta negra*
*1 cucharadita de zumo de limón*

Batir la mantequilla junto con el ajo, el perejil y el cebollino. Salpimentar e incorporar poco a poco el zumo de limón mientras se bate. Formar un cilindro con la mantequilla, envolverla en papel de aluminio o film transparente y refrigerar. Antes de servir, cortarla en porciones.

*Para 100 g*

VARIACIONES

La mantequilla de berro resulta deliciosa con salmón cocido o a la parrilla. Para prepararla, usar un ramillete de hojas de berro picadas finas en vez de perejil y cebollino. Elaborar otras mantequillas con hierbas picadas como hinojo, melisa, menta, ajedrea de jardín u orégano.

## Salsa verde

*Esta salsa picante se suele servir con pescado frito o a la parrilla. Para conservar la frescura de las hierbas, prepararla justo antes de servir.*

*2 dientes de ajo, majados*
*2 cucharadas de alcaparras, aclaradas*
*4 filetes de anchoa, picados*
*1 cucharada de albahaca picada*
*3 cucharadas de perejil de hoja picado*
*1 cucharadita de mostaza en grano*
*3 cucharadas de zumo de limón*
*3 cucharadas de aceite de oliva*
*pimienta negra*

Batir todos los ingredientes hasta obtener una mezcla homogénea. Probar la salsa de sazón. Si está demasiado fuerte o salada, añadir 1 ó 2 cucharaditas de crema espesa o yogur natural.

*Para 4 personas*

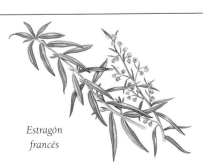

*Estragón francés*

# Aceites de hierbas

*Usar estos aceites aromáticos para aderezar ensaladas, en salsas y marinadas, o para untar la carne o el pescado antes de colocarlo en la parrilla. Asimismo pueden utilizarse en guisos y sopas.*

*6 cucharadas de hierba picada (albahaca, menta, orégano, estragón o tomillo)*
*600 ml de aceite de oliva*
*1 ó 2 ramitas de la misma hierba*

Triturar la hierba en un mortero hasta formar una pasta. Añadir unas gotas de aceite, remover hasta homogeneizarla y agregar el aceite restante. Pasarlo a un tarro esterilizado, tapar y dejar reposar 2 semanas, agitándolo o removiéndolo 1 ó 2 veces al día. Colar el aceite y ponerlo en botellas esterilizadas, añadir las ramitas, cerrar herméticamente y mantener en un lugar fresco y oscuro.

*Para 600 ml*

# Vinagres de hierbas

*Añade un toque picante a las ensaladas, salsas, marinadas y guisos.*

*10 cucharadas de hierba picada (albahaca, menta, orégano, estragón o tomillo)*
*600 ml de vinagre de vino blanco*
*1 ó 2 ramitas de la misma hierba*

Machacar la hierba hasta obtener una pasta y pasarla a una jarra refractaria. Poner el vinagre en una cacerola de vidrio o de esmalte, llevar a ebullición y verterlo sobre la hierba. Remover bien y dejar enfriar. Pasarlo a un tarro esterilizado, tapar y dejar reposar 3 semanas, agitándolo o removiéndolo 1 ó 2 veces al día. Colar el vinagre y ponerlo en botellas esterilizadas, añadir las ramitas, cerrar las botellas y mantenerlas en un lugar fresco y alejado de la luz.

*Para 600 ml*

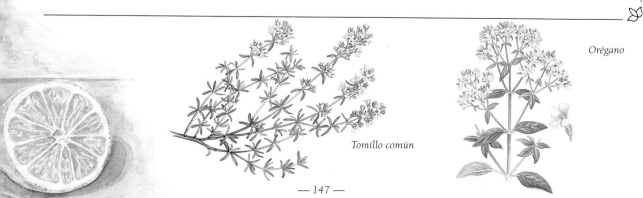

*Orégano*

*Tomillo común*

# CARNES Y PESCADOS

El uso de hierbas para intensificar o compensar el sabor de carnes y pescados tiene sus orígenes en tiempos remotos y pueblos del mundo entero han incorporado a su patrimonio cultural combinaciones ya clásicas. Cordero al horno con trocitos de ajo y romero, salmón crudo envuelto en hojas de eneldo marinado en sal y especias conservantes (*gravlaks*), o dados de cordero, cerdo o ternera con semillas de cilantro, hinojo y comino para el satay malayo son algunas recetas que, junto con las que siguen, ilustran los vínculos culinarios entre las plantas aromáticas y los alimentos ricos en proteínas.

## Albóndigas en salsa de eneldo

*Una salsa tradicional de la cocina griega elaborada a base de huevo y limón puede aromatizarse con eneldo para complementar este plato de albóndigas cocidas en un caldo perfumado con hierbas.*

*350 g de carne magra de cerdo, en dados*
*1 cebolla pequeña, picada gruesa*
*40 g de pan blanco reciente rallado*
*2 cucharadas de perifollo picado (o perejil)*
*sal y pimienta negra*
*una buena pizca de nuez moscada rallada*
*1 yema de huevo, poco batida*
*harina, para espolvorear*
*900 ml de caldo de pollo*
*5 ó 6 ramitas de perejil*
*2 yemas de huevo*
*4 cucharadas de zumo de limón*
*2 cucharadas de eneldo picado*
*hojas de eneldo, para decorar*
*porciones de limón, para servir*

Picar la carne junto con la cebolla en un robot de cocina o una picadora hasta obtener una masa fina. Incorporar el pan rallado y el perifollo, y sazonar con la sal, la pimienta y la nuez moscada. Añadir la yema de huevo batida y mezclarlo todo bien. Cubrirlo y refrigerarlo al menos 1 hora.

Espolvorearse las manos con harina y formar albóndigas del tamaño de una nuez con la mezcla.

Pasar el caldo a una cazuela grande, añadir las ramitas de perejil y, cuando hierva, agregar las albóndigas. Llevar el caldo de nuevo a ebullición, tapar la cazuela en parte y dejar cocer de 10 a 15 minutos. Retirar las albóndigas con una cuchara y disponerlas en una fuente de servir precalentada para que mantengan el calor mientras se prepara la salsa.

Colar el caldo y pasar 300 ml del mismo a un cazo limpio. Calentarlo a fuego medio sin que llegue a hervir. Batir las yemas de huevo junto con el zumo de limón, incorporar el eneldo y salpimentar. Añadir unas cucharadas del caldo caliente a la mezcla de huevo y limón y removerlo todo bien. (Es muy importante no dejar que el caldo llegue a hervir, pues la mezcla podría cortarse.)

Pasar la salsa al cazo y calentarla a fuego lento, removiendo constantemente. En cuanto la salsa espese, retirarla del fuego y corregir de sazón.

Verter la salsa por encima de las albóndigas, decorar la fuente con hojas de eneldo y servir con porciones de limón. Este plato puede acompañarse con una ensalada verde o bien con un plato de pasta con salsa de nata y hierbas frescas picadas.

*Para 4 personas*

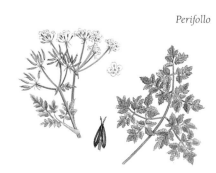

*Perifollo*

# Brema al horno

*Este pescado, cocinado en una salsa consistente, vistosa y aromática, puede servirse
al estilo marinero, directamente en la fuente utilizada para su preparación.*

1 brema, de 1,5 kg aproximadamente
zumo de 1 limón
sal y pimienta negra
3 hojas de laurel
6 cucharadas de aceite de oliva
1 cebolla mediana, en rodajas
2 dientes de ajo, picados
150 ml de vino blanco
1 cucharada de vinagre de vino blanco
225 g de tomates picados
2 cucharadas de concentrado de tomate
5 cucharadas de perejil de hoja picado
8 cucharadas de pan blanco rallado
75 g de queso feta, desmigado
12 aceitunas negras, para decorar

Pedir al pescadero que limpie el pescado. Lavarlo bien, rociar el interior con zumo de limón, salpimentar e introducir en él las hojas de laurel. Calentar el aceite en una sartén y sofreír la cebolla a fuego medio hasta que se vuelva transparente. Freír el ajo durante 1 minuto, añadir el vino, el vinagre, los tomates picados, el concentrado de tomate y el perejil y salpimentar. Remover todo bien y llevar a ebullición.

Poner la mitad de la salsa en una fuente de horno plana –tradicionalmente se usa una de hierro colado– y colocar encima la brema. Verter la salsa restante sobre el pescado y espolvorear con el pan rallado. Asarlo, destapado, en un horno precalentado a 190°C durante 35 ó 40 minutos, hasta que adquiera consistencia. A continuación, esparcir el queso desmigado por encima y servir decorado con las aceitunas.

*Para 6 personas*

# Pollo a las hierbas

*Las pechugas de pollo, en una marinada especiada, se saltean para que el rebozado
adquiera una textura deliciosamente crujiente.*

4 pechugas pequeñas o supremas
de pollo, sin piel
2 cucharadas de mostaza de Dijon
1 cucharada de mostaza inglesa
2 yemas de huevo, poco batidas
3 cucharadas de nata espesa
sal y pimienta negra
100 g de pan blanco rallado
3 cucharadas de estragón francés picado
(o cilantro o perejil de hoja)
harina blanca, para espolvorear
aceite, para freír

Eliminar la humedad de las pechugas. En un cuenco plano, mezclar las mostazas, las yemas de huevo y la nata, y salpimentar. Mezclar el pan rallado y el estragón en una fuente grande o sobre papel encerado.

Rebozar las pechugas de pollo con harina y pasarlas por la mezcla de mostaza de manera que queden cubiertas uniformemente. Escurrir el exceso y empanar las pechugas con la mezcla de pan rallado.

Cubrir las pechugas y refrigerarlas al menos 4 horas a fin de que los aromas se impregnen en la carne y de que el rebozado se asiente.

Calentar aceite en una sartén grande de fondo pesado. Freír el pollo durante unos 10 minutos por cada lado, hasta que se dore. Para saber si la carne está hecha, clavar una brocheta fina en la parte más gruesa: el jugo debería salir claro.

Las patatas nuevas y la acedera resultan buenos acompañamientos.

*Para 4 personas*

Laurel

Perejil
de hoja

Estragón francés

# MENÚ VEGETARIANO

La cocina vegetariana siempre ha sido muy imaginativa y entretenida, pero la utilización de una amplia gama de hierbas permite mayor diversidad aún. Un hojaldre integral con el toque que aportan unas semillas de alcaravea, una costrada de hortalizas aromatizada con una pizca de jengibre molido o un reconfortante estofado sazonado con semillas picantes son algunas de las recetas que sin duda atraerán no solo a los vegetarianos convencidos, sino también a un público mucho más amplio.

## Costrada de habas y zanahorias

*Un plato de verduras frescas complementadas con la fragancia de las hierbas*
*resulta delicioso tanto en el almuerzo como en la cena.*

*450 g de zanahorias, sin los extremos*
*y en rodajas*
*225 g de habas sin vaina, frescas*
*o congeladas*
*15 g de mantequilla*
*1 cucharada de mejorana picada*
*1 cucharadita de miel líquida*
*½ cucharadita de jengibre molido*
*3 cucharadas de caldo de verdura*

PARA LA COSTRADA
*25 g de harina integral*
*25 g de pan integral rallado*
*½ cucharadita de jengibre molido*
*1 cucharada de semillas de girasol*
*1 cucharada de semillas de sésamo*
*sal y pimienta blanca*
*5 cucharadas de aceite vegetal*

Cocer al vapor las zanahorias y las habas hasta que estén tiernas y reservar el caldo. Mezclar las hortalizas con la mantequilla e incorporar la mejorana, la miel y el jengibre. Pasar la mezcla a una fuente de horno y rociarla con 3 cucharadas del caldo reservado.

Para preparar la costrada, mezclar la harina, el pan rallado, el jengibre molido, las semillas de girasol, las de sésamo y salpimentar al gusto. Añadir el aceite y extender la mezcla

sobre las hortalizas.

Hornear a 190°C entre 20 y 25 minutos, hasta que la superficie quede dorada.

*Para 4 personas*

# Tarta de cebolla y alcaravea

*Una pizca de alcaravea tanto en el hojaldre como en el relleno añade
un original toque picante a esta tarta de verduras.*

*150 g de harina integral*
*85 g de mantequilla, rallada*
*1 cucharadita de semillas de alcaravea,
ligeramente picadas*
*sal*
*1 yema de huevo mezclada con
2 cucharadas de agua*

PARA EL RELLENO
*40 g de mantequilla*
*675 g de cebollas, en rodajas finas*
*1 cucharada de aceite de oliva*
*2 huevos*
*2 yemas de huevo*
*150 ml de nata líquida*
*1 cucharadita de semillas de alcaravea*
*sal y pimienta negra*

Para preparar el hojaldre, mezclar la harina y la mantequilla con los dedos. Incorporar las semillas de alcaravea y la sal, a continuación añadir la yema de huevo y el agua, y mezclar todo hasta obtener una masa consistente. Envolverla en film transparente o en papel de aluminio y refrigerarla al menos 30 minutos.

Trabajar el hojaldre con un rodillo hasta que pueda cubrir un molde para tartas de 20 cm. Recortar los bordes, pinchar la base con un tenedor, cubrirla con papel de aluminio o encerado y disponer legumbres secas por encima. Hornear el hojaldre en seco a 200°C durante 10 minutos. Retirar las legumbres y el papel y hornear otros 5 minutos. Bajar la temperatura del horno a 180°C.

Para preparar el relleno, fundir la mantequilla y el aceite en una cacerola y sofreír las cebollas a fuego lento hasta que estén tiernas y empiecen a tomar color. Retirar del fuego.

Batir los huevos junto con las yemas de huevo y la nata, incorporar las semillas de alcaravea y salpimentar. Verter esta mezcla sobre la cebolla y remover con una cuchara de madera. Poner la mezcla en el hojaldre, ya horneado en parte, y meter en el horno 25 minutos, hasta que cuaje la crema. Puede servirse templado o frío.

*Para 4 ó 6 personas*

# Tagliatelle con salsa de perejil

*Servir este plato de pasta acompañado con una vistosa ensalada de pimientos rojos y amarillos asados
o bien con tomates espolvoreados con albahaca picada y semillas de girasol.*

*450 g de tagliatelle frescos verdes*
*3 cucharadas de aceite de oliva*
*6 cebolletas, en rodajas finas*
*4 dientes de ajo, picados finos*
*350 g de champiñones pequeños,
en láminas finas*
*1 taza de perejil rizado picado*
*sal y pimienta negra*
*nuez moscada rallada*
*150 ml de crème fraîche*
*225 g de queso feta, desmigado*

Cocer los tagliatelle en agua salada hirviendo hasta que estén tiernos. Escurrirlos y mantenerlos calientes.

Mientras tanto, calentar el aceite en una sartén y sofreír las cebolletas a fuego medio hasta que se vuelva traslúcida. Añadir el ajo y freírlo durante otro minuto. Agregar los champiñones, removerlo bien, tapar y dejar cocer a fuego lento 5 minutos. Incorporar el perejil con cuidado para evitar que se rompan las láminas de champiñones y sazonar con sal, pimienta y nuez moscada. Añadir la *crème fraîche* y dejar que se caliente todo uniformemente.

Pasar los tagliatelle a una fuente de servir precalentada, verter la salsa por encima y removerlo bien. Esparcir el queso sobre la pasta y servir con tostadas.

*Para 4 personas*

*Alcaravea*

*Ajo*

*Perejil
rizado*

# HORTALIZAS Y ENSALADAS

Las hortalizas y verduras que crecen en las huertas junto a las hierbas presentan una afinidad natural también en la mesa. Algunos consejos: añadir una o dos ramitas de hierbas al agua de cocer las verduras; al saltear hortalizas rebozadas, espolvorearlas con hierbas picadas antes de servir; por último, unas hojitas de hierbas variadas pueden dar un toque personal a una simple ensalada verde.

## Sambal de manzana y menta

*Este plato de fruta, ácido y crujiente, se prepara al instante y, servido muy frío,*
*es un acompañamiento ideal para el pescado o la carne a la parrilla.*

*2 limones*
*4 manzanas de mesa grandes,*
*sin el corazón y en rodajas finas*
*4 cucharadas de menta picada*
*sal*

Partir los limones por la mitad, cortar 2 rodajas muy finas y reservarlas. Rallar la piel y exprimir el zumo.

Colocar las manzanas en un cuenco y añadir de inmediato el zumo y la ralladura de limón a fin de evitar su oxidación. Justo antes de servir, incorporar la menta y salar. Servir frío, decorado con las rodajas de limón cortadas por la mitad.

*Para 4 personas*

## Zanahorias con fenogreco

*Ésta es una manera rápida y sencilla de añadir un poco de gracia a las zanahorias*
*servidas como acompañamiento.*

*675 g de zanahorias pequeñas, limpias*
*4 cucharadas de aceite de oliva*
*1 cebolla, picada fina*
*1 diente de ajo, picado fino*
*1 cucharadita de semillas de fenogreco*
*1 cucharada de vinagre de vino tinto*
*2 cucharadas de zumo de naranja*
*4 cucharadas de agua*
*una buena pizca de pimentón*
*sal y pimienta negra*
*1 cucharada de ralladura de naranja*
*1 cucharadita de perifollo picado*

Si las zanahorias no son pequeñas, cortarlas en trozos de 7,5 cm. En una sartén, sofreír la cebolla en el aceite a fuego medio hasta que se vuelva transparente. Añadir el ajo y las semillas de fenogreco molidas, agregar las zanahorias y saltear 2 minutos. Añadir el vinagre, el zumo y el agua, y sazonar con pimentón, sal y pimienta. Tapar y dejar cocer suavemente 15 minutos, hasta que estén tiernas. Agitar la sartén y vigilar que no se quede sin líquido.

Esparcir por encima la ralladura de naranja y el perifollo picado. Servir caliente.

*Para 4 personas*

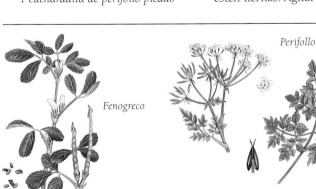

*Perifollo*

*Fenogreco*

*Menta común*

# Ensalada de flores de capuchina

*Utilizar espléndidas flores de capuchina rojas, amarillas y naranjas
como recipientes para esta cremosa ensalada.*

225 g de requesón
6 cucharadas de crème fraîche
40 g de huevas de lompa
1 cucharadita de ralladura de naranja
1 cucharada de zumo de naranja

2 cucharadas de melisa picada
1 cucharada de cebollino troceado
12 flores de capuchina, lavadas,
secadas y sin estambres
hojas de lechuga, para servir

Batir el requesón y la *crème fraîche*.
Incorporar las huevas de lompa, la
ralladura y el zumo de naranja y las
hierbas. Disponer cucharadas de la
mezcla en las flores.

*Para 4 personas*

# Cuscús y ensalada de cilantro

*Los granos del cuscús absorben la fragancia del aderezo de hierbas
y forman la base para la ensalada.*

150 g de cuscús precocinado
zumo de ½ naranja
3 cucharadas de hojas de cilantro
picadas
sal y pimienta negra
300 ml de agua hirviendo
2 naranjas
un trozo de pepino de 7,5 cm
4 tomates, a cuartos
3 huevos, cocidos y a cuartos
1 lata de filetes de anchoas, escurridos
y cortados por la mitad a lo largo
12 aceitunas negras
1 cucharada de piñones
ramitas de cilantro, para decorar

PARA LA SALSA
150 ml de yogur griego
zumo de ½ naranja
2 dientes de ajo, majados
3 cucharadas de aceite de oliva
2 cucharadas de cilantro picado
una buena pizca de cilantro molido
sal y pimienta

Forrar un tamiz con muselina,
colocar en él el cuscús y tamizarlo
haciendo pasar agua fría. Escurrirlo
bien y pasarlo a un cuenco grande.

Mezclar el zumo de naranja, el
aceite de oliva, el cilantro picado y
salpimentar generosamente. Verter
el aderezo sobre el cuscús y
mezclarlo todo bien. Agregar el agua
hirviendo y remover con suavidad
mientras se hinchan los granos.
Seguir removiendo hasta que el
volumen de éstos aumente al doble
y pasarlo entonces a una fuente de
servir grande.

Pelar las naranjas y cortarlas en
rodajas. Cortar también el pepino en
rodajas finas y disponerlas todas

ellas por encima del cuscús. Colocar
a continuación los trozos de tomate
y de huevo, las anchoas y las olivas.
Esparcir los piñones por encima,
tapar y refrigerar.

Para preparar la salsa, mezclar el
yogur, el zumo de naranja, el ajo, el
aceite, el cilantro picado, el cilantro
molido y salpimentar al gusto.

Decorar la ensalada con cilantro
fresco y servir la salsa por separado.

*Para 6 u 8 personas*

*Capuchina*

# POSTRES Y DULCES

Es un placer tomar una cesta, salir a la huerta o acercarse a la jardinera y seleccionar las hierbas más frescas y tiernas para perfumar jarabes, cremas y otros postres. Escoger siempre las mejores flores de violeta, mejorana o borraja para convertirlas en dulces decoraciones comestibles.

## Cuajada de pétalos de rosa

*La cuajada o cáseo era tan popular en el siglo XVIII*
*como lo es el yogur hoy en día.*

*600 ml de leche entera*
*1 cucharada de azúcar extrafino de*
*pétalos de rosa (ver la p. 159)*
*1 sobre de preparado para cuajada*
*natural, en polvo*
*2 cucharadas de agua de rosas triple*
*250 ml de* crème fraîche *y pétalos de*
*rosa escarchados (ver la p. 156)*

Calentar la leche y el azúcar a 37°C, removiendo 1 ó 2 veces. Retirarlo del fuego e incorporar el preparado para cuajada y el agua de rosas. Pasarlo a una fuente de vidrio para servir y dejar reposar, destapado, unos 30 minutos, hasta que el postre cuaje. Una vez cuajado, extender con esmero la *crème fraîche* por encima y decorar con pétalos de rosa escarchados.

Este postre resulta delicioso acompañado con fresas o frambuesas frescas, o bien con grosellas negras ligeramente cocidas.

*Para 4 personas*

## Ensalada de frutas con bergamota

*Las aromáticas hojas de esta hierba tan versátil perfuman el jarabe de este postre*
*a la vez que las tupidas flores de color rojo fuego aportan un toque decorativo.*

*75 g de azúcar extrafino*
*150 ml de agua*
*zumo de 2 naranjas*
*4-6 hojas de bergamota*
*225 g de grosellas negras, sin tallos*
*225 g de fresas, sin tallos*
*225 g de frambuesas, sin tallos*
*2 ó 3 flores de bergamota, para decorar*
*hojas de pelargonio aromático,*
*para decorar*

Colocar el azúcar, el agua, el zumo de naranja y las hojas de bergamota en una cacerola y calentarlo a fuego lento, removiendo de vez en cuando, hasta que se disuelva el azúcar. Llevarlo entonces a ebullición y dejar hervir 5 minutos para que se reduzca el jarabe. Retirar las hojas de bergamota, añadir las grosellas negras y llevar de nuevo a ebullición. Dejar cocer 5 minutos, retirarlo del fuego y dejar enfriar.

Incorporar las fresas y las frambuesas, verter todo en una fuente de vidrio para servir y decorar el postre con las flores de bergamota y las hojas de pelargonio aromático.

*Para 4 ó 6 personas*

*Orégano*

*Violeta*

*Bergamota*

# Postre helado al limón

*Las hojas de pelargonio con aroma de limón añaden un sutil sabor y una agradable fragancia a este postre, sencillo y rápido de preparar, que puede tomarse helado o muy frío.*

ralladura y zumo de 2 naranjas
ralladura y zumo de 1 limón
3-4 hojas de pelargonio con aroma
de limón
150 g de mantequilla sin sal,
a temperatura ambiente
150 g de azúcar extrafino
3 huevos
16 bizcochos de soletilla

Forrar un molde alargado con una capacidad de 450 g. En un cuenco, dejar 30 minutos en infusión las ralladuras y los zumos junto con las hojas de pelargonio aromático.

Batir la mantequilla y el azúcar hasta que quede ligero y esponjoso. Incorporar las yemas de una en una y seguir batiendo. Desechar las hojas de pelargonio y añadirle, gradualmente y sin dejar de batir, el zumo

de frutas. Batir las claras a punto de nieve y agregarlas a la mezcla. Disponer capas alternativas de bizcochos y de la mezcla de fruta en el molde hasta acabar con una de bizcochos. Cubrir con papel de aluminio y congelar al menos 3 horas. Servir helado, o pasar a la nevera 1 hora antes de servir y tomar bien frío. Decorar con hojas de pelargonio.

*Para 6 personas*

*Pelargonio de
hojas aromáticas*

*Rosa roja de
Lancaster*

# HORNEADO

Existen maneras muy diversas en que las hierbas frescas picadas y las semillas pueden aportar un aromático toque personal a los productos de horneado, desde pan integral o panecillos hasta unas galletas saladas. Por otro lado, las pastas de té resultan deliciosas con conservas de pétalos de rosa.

## Galletas de mantequilla con jengibre

*Ésta es una deliciosa variación de la tradicional receta de galletas de mantequilla gracias al jengibre escarchado picado.*

*350 g de harina, y un poco adicional para espolvorear*
*1 cucharadita de jengibre molido*
*sal*
*175 g de mantequilla*
*50 g de azúcar glas*
*3 cucharadas colmadas de miel dura*
*100 g de jengibre escarchado, picado*
*azúcar moreno extrafino, para espolvorear*

Tamizar a la vez la harina, el jengibre molido y la sal. Incorporar con los dedos la mantequilla y el azúcar. Añadir la miel y el jengibre escarchado y mezclar todo hasta obtener una pasta consistente. Amasarla un poco en el mismo cuenco.

Dividir la masa en dos partes, ponerlas sobre una tabla ligeramente enharinada y, con un rodillo, formar dos círculos de 20 cm. Colocar las bases en placas de horno, marcar 8 porciones en cada una y pinchar decorativamente con un tenedor.

Hornear a 160°C de 15 a 20 minutos, hasta que esté crujiente y dorado. Espolvorear con el azúcar, dejar enfriar un poco y pasar a una rejilla para que se enfríe del todo.

*Para 16 porciones*

## Cómo escarchar flores, pétalos y hojas

*Elegir únicamente flores comestibles, como la borraja, la caléndula, la mejorana, el tomillo, el perifollo oloroso, la flor de saúco, la violeta o la rosa, y hojas de hierbas decorativas como la melisa, la menta, la hierba luisa o el perifollo oloroso.*

*Cuando se trate de inflorescencias, como en la mejorana, cortarlas en pequeños ramilletes. En el caso de las rosas, separar cada uno de los pétalos, y si son flores individuales, quitar los tallos. Dividir las hierbas en pequeños ramilletes o separar las hojas individuales. Batir a punto de nieve la clara de un huevo y, con un pincelito fino, pintar la planta de forma que quede bien cubierta y sin burbujas de aire. Espolvorear ligeramente con azúcar extrafino hasta recubrirla por completo.*

*Disponer las flores, pétalos y hojas sobre papel encerado o engrasado y dejarlas secar en un lugar cálido y seco durante al menos 2 horas. Para su conservación, guardarlas en un contenedor hermético, en capas separadas por láminas de papel.*

# Galletas con semillas de eneldo

*Para que estas galletas saladas sean incluso algo más picantes, utilizar semillas de alcaravea o de comino en lugar de las de eneldo.*

*50 g de harina, y un poco adicional para espolvorear*
*25 g de mantequilla, y un poco adicional para engrasar*
*sal*
*una pizca de pimienta de Cayena*
*1 cucharadita de semillas de eneldo*
*75 g de queso cheddar, rallado*
*1 yema de huevo, poco batida*
*1 cucharada de agua helada*

Tamizar la harina sobre un cuenco e incorporar la mantequilla, con los dedos. Añadir la sal, la pimienta, las semillas y el queso. Agregar la yema y mezclar bien, añadiendo el agua poco a poco, hasta que la masa esté blanda pero consistente. Envolverla en papel de aluminio o film transparente y refrigerar al menos 1 hora.

Sobre una tabla ligeramente enharinada, pasarle el rodillo hasta que tenga un grosor de unos 3 mm y cortar círculos con un cortapastas de 4 cm. Trabajar de nuevo la masa sobrante y recortar más círculos. Colocarlos espaciados sobre una placa de horno engrasada y hornear a 200°C durante 7 minutos, hasta que se doren. Dejar enfriar un poco las galletas y pasarlas a una rejilla para que se enfríen del todo.

*Para unas 20 galletas*

# Pan de hinojo

*Nada puede compararse al olor que desprende el pan recién hecho, excepto cuando a éste se añade la fragancia de las hierbas.*

*1 litro de agua templada*
*1 cucharada de levadura seca*
*1,5 kg de harina integral, y un poco adicional para espolvorear*
*3 cucharadas de sal*
*40 g de mantequilla, y un poco adicional para engrasar*
*3 cucharadas de hinojo picado*
*leche, para pintar*
*3 cucharadas de semillas de hinojo, para decorar*

Poner 300 ml de agua en un cuenco y espolvorear la levadura por encima. Dejarlo 10 minutos en un lugar cálido, hasta que esté espumoso.

Tamizar la harina y la sal sobre un cuenco grande e introducir también el salvado que quede en el tamiz. Incorporar la mantequilla con los dedos hasta que la mezcla adquiera el aspecto de pan rallado y agregar el hinojo picado. Añadir gradualmente el líquido con la levadura y el resto de agua, sin dejar de remover, y mezclar hasta que la masa no se adhiera a las paredes del cuenco. Colocarla sobre una tabla enharinada y amasar hasta que quede fina y elástica, o bien utilizar el accesorio correspondiente de la batidora.

Dividir la masa en 3 partes iguales y colocarlas en 3 moldes alargados con una capacidad de 1 kg, engrasados, presionando la masa contra las paredes. Cubrirlos con papel de aluminio engrasado o con film transparente. Dejarlos en un lugar cálido de 60 a 90 minutos, hasta que la masa crezca hasta el borde del molde.

Untar los panes con leche y espolvorearlos con las semillas de hinojo. Hornear a 220°C durante 40 minutos, hasta que se doren y estén bien hechos. Al dar golpecitos en la parte inferior de los moldes, debería producirse un sonido hueco.

Desmoldar los panes y dejar enfriar sobre unas rejillas.

*Para 3 panes de 1 kg*

*Eneldo*

*Borraja*

# CONSERVAS AROMÁTICAS

Ésta es una pequeña selección de la infinidad de mermeladas y jaleas, jarabes y cordiales, escabeches y otras muchas conservas que pretende mostrar las características de las hierbas tanto dulces como picantes y en la que se incluyen azúcares aromatizados y un dulce tradicional, la miel de violetas.

## Pepinos en escabeche de eneldo

*Servir estos pepinos en escabeche agridulce con pescados a la parrilla, como arenques o caballa, o con pan y queso o paté, al estilo rústico.*

*2 pepinos de caballón
300 ml de vinagre de sidra
75 g de azúcar
½ cucharadita de sal
6 granos de pimienta negra
4 clavos
½ cucharadita de semillas de mostaza
1 cucharadita de semillas de eneldo
2 ramilletes de hojas de eneldo*

Para preparar el vinagre especiado, poner el vinagre, el azúcar, la sal, la pimienta, los clavos y las semillas de mostaza y de eneldo en una cacerola de vidrio o de esmalte. Llevar lentamente a ebullición y dejar cocer 2-3 minutos. Dejar reposar, tapado, 2 h.

Cortar los extremos de los pepinos y trocearlos en rodajas de 6 mm.

Meter en tarros esterilizados fríos.

Colocar la cacerola al fuego, llevar el vinagre a ebullición, dejar enfriar y colarlo sobre los pepinos. Poner una ramita de eneldo en cada tarro, cerrarlos, etiquetarlos y guardarlos en un lugar fresco. Estarán listos para su consumo al cabo de 1 semana.

*Para 900 g*

## Miel de violetas

*El siglo pasado, la miel con aroma de flores era muy popular en algunas regiones. Puede utilizarse en salsas, untada en pan o para endulzar el yogur.*

*225 g de miel líquida
½ taza de pétalos de violeta*

Poner la miel al baño maría, incorporar los pétalos de violeta, tapar y dejar cocer durante 30 minutos. Retirarla del fuego y dejar reposar 1 semana para que se impregne bien el aroma. Volver a calentar la miel aromatizada para que sea más fácil de manipular y

colarla de nuevo en el tarro.

*Para 225 g*

VARIACIÓN
La miel de romero se prepara de modo similar con 3 ó 4 ramilletes de hojas de romero. Es una conserva ideal para el desayuno.

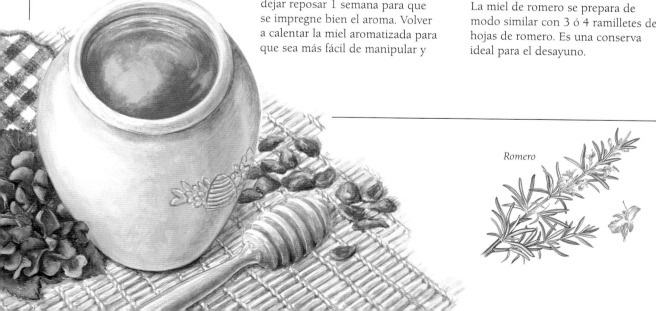

*Romero*

# Jalea de sidra y salvia

*Glasear el jamón o la carne de cerdo o de pato antes de cocinarla con esta conserva agridulce, o bien servirla como acompañamiento de carnes asadas o a la parrilla.*

*1 kg de manzanas para cocinar, en rodajas*
*zumo de 1 limón*
*750 ml de agua*
*750 ml de sidra de graduación media*
*6 ramilletes de hojas de salvia*
*775 g de azúcar, aproximadamente (ver la receta)*
*5 cucharadas de salvia picada*

Colocar las manzanas, el zumo, el agua y la sidra en una cacerola grande. Añadir los ramilletes de salvia y llevarlo lentamente a ebullición, removiendo de vez en cuando. Dejarlo cocer 25 minutos o hasta que las manzanas estén tiernas. Colar la fruta y el líquido con una bolsa a tal efecto y dejarla escurrir unas horas. No es conveniente apretarla para agilizar el proceso: la jalea podría enturbiarse.

Medir la cantidad de zumo de fruta colado y tomar 800 g de azúcar por cada litro. Pasar el zumo a la cacerola, agregar el azúcar y calentarlo a fuego lento, removiendo de vez en cuando hasta que se disuelva. Subir el fuego, llevarlo a ebullición y dejarlo hervir a fuego fuerte 10 minutos, espumándolo si fuera necesario.

Para comprobar si la conserva está en su punto, dejar enfriar una pequeña cantidad de la misma sobre un plato frío. Al apretar con el dedo, debería arrugarse. Cuando la jalea haya alcanzado el punto de coagulación, retirar la cacerola del fuego, incorporar la salvia picada y dejar reposar unos 5 minutos. A continuación, remover de nuevo y pasarla a tarros esterilizados tibios. Taparlos con discos encerados y cubiertas de film transparente o con tapaderas herméticas, etiquetarlos y guardarlos en un lugar fresco y seco.

*Para 1,5 kg aproximadamente*

VARIACIONES
Con jalea de manzana como base, puede prepararse una gran variedad de conservas a las hierbas de modo similar. Si se prefiere, sustituir parte de la sidra por agua.

## Azúcar aromatizado

*Tenga siempre a mano pequeños tarros con tapadera que contengan diversos tipos de azúcar –granulado, extrafino o glas– y aromatícelos con pétalos de rosa, romero, laurel, lavanda, pelargonio aromático o tomillo. La cantidad de hierbas necesaria depende del volumen de azúcar así como de la intensidad de sabor que se quiera. Experimentar hasta encontrar el grado de aroma deseado es uno de los placeres de la cocina.*

*Antes de su uso tamice el azúcar, pues podría contener, por ejemplo, alguna flor de lavanda.*

Lavanda
'Munstead'

Salvia

# COSMÉTICA

En los siglos XVII y XVIII, todas las casas grandes contaban con una dependencia para la fabricación de perfumes y pociones, aromas y jabones, perlas para el baño y lociones corporales; incluso algunos productos adquirieron renombre mundial. Los cosméticos elaborados a base de hierbas son fáciles de fabricar en casa y pueden resultar tan eficaces como los productos comerciales y más económicos.

*Un aclarado a base de infusión de pétalos de caléndula puede realzar el tono rubio de los cabellos.*

*Los cosméticos de hierbas deben conservarse en recipientes opacos o alejados de luz intensa.*

| APLICACIÓN | HIERBA | PARTE USADA | MODO DE EMPLEO |
|---|---|---|---|
| Aclarado para el cabello | Lavanda | flores | Usar la infusión para cabello graso |
| | Limón | zumo | Usar la infusión para cabello rubio |
| | Manzanilla | flores | Usar la infusión para cabello rubio |
| | Menta piperita | hojas | Usar la infusión o decocción con vinagre para el cabello graso |
| | Ortigas | hojas/puntas | Usar la infusión para la caspa |
| | Romero/ Salvia | hojas | Usar la infusión para el cabello moreno y para la caspa |
| Acondicionador de cabello | Abedul | hojas | Infusión |
| | Malvavisco | hojas | Usar la infusión para cabello seco |
| | Mejorana | partes aéreas | Infusión |
| | | aceite | Añadir unas gotas al agua o aceite de almendras dulce y aclarar el cabello |
| | Ortigas | puntas o raíz | Infusión o decocción; realizar un buen masaje para que penetre |
| | Romero | hojas | Usar la infusión |
| | | aceite | Añadir unas gotas al agua o aceite de almendras dulce y aclarar el cabello |
| | Saúco | bayas | Decocción colada |
| | Tomillo | hojas | Usar la infusión |
| | | aceite | Añadir unas gotas al agua o aceite de almendras dulce y aclarar el cabello |
| Agua de colonia | Melisa | hojas | Usar la tintura o la infusión |
| | Naranja | piel | Usar la infusión |
| | | agua de flores | Usar sin diluir o mezclar con otros aceites perfumados |
| | Romero | hojas | Usar la infusión |
| | | aceite | Añadir al agua o alcohol |
| | Rosa | pétalos | Usar la infusión |
| | | agua de flores | Usar sin diluir o mezclar con otros aceites perfumados |
| | | aceite | Añadir unas gotas al agua o alcohol |
| Antiarrugas | Consuelda | hojas | En cremas o aceites macerados |
| Baños | Avena | harina | Añadir un saquito con harina de avena |
| | Caléndula | pétalos | Infusión purificante y astringente |
| | Diente de león | hojas | Purificante, añadir una infusión |
| | Eucalipto | aceite | Añadir unas gotas para dolores musculares |
| | Jazmín | aceite | Estimulante, añadir unas gotas |
| | Lavanda/ | aceite | Relajante, añadir unas gotas |
| | Mejorana | flores | Usar en tintura como gel tónico |
| | Manzanilla | flores | Relajante, añadir una infusión |
| | | aceite | Añadir unas gotas |

| APLICACIÓN | HIERBA | PARTE USADA | MODO DE EMPLEO |
|---|---|---|---|
| Baños (cont.) | Melisa | hojas | Relajante, añadir una infusión |
| | Menta piperita | hojas | Estimulante, añadir una infusión |
| | Romero | aceite | Añadir para baños estimulantes |
| | | hojas | Usar la infusión en el agua del baño |
| Caída de cabello | Abrótano | hojas | Aclarar el cabello con la infusión |
| Cremas limpiadoras | Avena | harina | Como exfoliante facial |
| | Lavanda | flores | En baños de vapor faciales |
| | | agua de flores | Como loción |
| | Levístico | semillas | Infusión como gel y desodorante |
| | Manzanilla | flores | En baños de vapor o lociones faciales |
| | | aceite | Añadir unas gotas a las mascarillas faciales de harina de avena |
| | Menta piperita | hojas | En baños de vapor faciales |
| | Milenrama | flores | En cremas y lociones |
| | Tomillo | hojas | En baños de vapor faciales |
| | | aceite esencial | Añadir unas gotas a lociones o en baños de vapor faciales |
| | Violeta | flores/ hojas | En baños de vapor faciales o en infusión como gel |
| Crema para las manos | Lavanda/Manzanilla/Saúco | flores | Usar para cremas y lociones |
| Champú | Ortigas | hojas | Añadir a otro champú, para la caspa |
| | Romero | hojas | Añadir a cualquier champú |
| | Saponaria | hojas | Para cabello seco o como base para mezclas de jabón |
| Hidratantes | Manzanilla | flores | Preparar una emulsión con la infusión y aceite de almendras |
| | | aceite | Añadir unas gotas al aceite de almendras y a la base de manteca de cacao |
| | Rosa | pétalos | Usar en cremas |
| | | agua de flores | Mezclar con aceite de almendras o glicerina |
| Hierbas para pieles grasas | Agrimonia | hojas | Usar la infusión como loción |
| | Alquimila | hojas | Usar la infusión como loción con olmo escocés |
| | Caléndula | pétalos | Usar la infusión como loción |
| | Hinojo | semillas | Usar la infusión como loción con olmo escocés |
| Hierbas para pieles secas | Caléndula | pétalos | Usar en cremas y aceites macerados |
| | Consuelda | hojas | Usar en cremas y aceites macerados |
| | Manzanilla | flores | Usar en cremas |
| | | aceite | Añadir a las cremas |
| Tónicos | Agrimonia | hojas | Usar la infusión como lavado facial |
| | Alquimila | partes aéreas | Usar la infusión como lavado facial |
| | Caléndula | pétalos | Usar la infusión como lavado facial |
| | Hinojo | semillas | Usar la infusión como lavado facial |
| | | aceite esencial | Añadir unas gotas a las lociones para la piel |
| | Lavanda | agua de flores | Mezclar con olmo escocés |
| | Menta | hojas | En vinagres/ infusiónes como lavado |
| | Menta piperita | aceite | Añadir unas gotas al lavado facial |
| | Milenrama | flores | Mezclar la infusión con olmo escocés destilado |
| | Olmo escocés | extracto destilado | Mezclar con agua de rosas o lavanda |

## Advertencia

*Antes de aplicarse en la cara ninguno de los preparados aquí descritos, conviene ponerse un poco de la loción en la muñeca y esperar unos instantes para comprobar que la piel no presenta reacciones adversas. Algunas personas son alérgicas a determinados componentes de las plantas y más vale prevenir que curar.*

*Las rodajas de pepino revitalizan los ojos cansados.*

*Un mortero y su mano son tan útiles en el baño como en la cocina.*

# PREPARADOS PARA EL BAÑO

Dependiendo de la selección de hierbas, un baño o una ducha pueden ayudar a prepararse para los rigores del día o a relajarse después del ajetreo de la jornada. Un baño también hidrata la piel y ayuda a reponer los aceites naturales del cuerpo. Al elaborar en casa los productos para el baño, uno puede estar seguro de que sólo contienen ingredientes puros, además de poder adaptar la selección de hierbas a las necesidades personales. Es recomendable tener a mano una variedad de aceites, geles, jabones y saquitos perfumados para poder realizar la elección día a día.

## Gel tónico de hierbas

*A medio camino entre un gel y un aceite de baño, este gel tónico se elabora mezclando una infusión de hierbas con jabón de Castilla puro rallado.*

*1 puñado de hojas de zarzamora
o de eucalipto
1 litro de agua blanda,
agua de lluvia si fuese posible
5 cucharadas de jabón de Castilla
rallado*

Colocar las hojas en una cacerola, añadir el agua, llevar a ebullición y dejar cocer, tapado, unos 15 minutos. Retirar la cacerola del fuego y dejar 2 horas en infusión.

Colar la infusión, desechar las hojas y pasar de nuevo el líquido a la cacerola. Llevar a ebullición e

incorporar el jabón rallado. Remover hasta que se disuelva, retirarlo entonces del fuego y dejar enfriar.

Ponerlo en botellas, taparlas, etiquetarlas y guardarlas en el frigorífico. Emplear como un gel.

*Para 1 litro aproximadamente*

## Geles florales para el baño

*Se elaboran con una pasta o un polvillo formado por flores frescas o secas molidas, tales como la lavanda, el tomillo o la manzanilla.*

*3 cucharadas de flores frescas o secas,
separadas de los tallos
150 ml de agua
12 cucharadas de jabón de Castilla
rallado
3-4 gotas de aceite de lavanda
o de tomillo (opcional)*

Moler las flores en un mortero hasta formar una pasta o un polvillo. Poner el agua en una cacerola pequeña, llevar a ebullición, añadir el jabón rallado y remover hasta que se disuelva. Retirarlo entonces del fuego. Incorporar las flores y, si se desea, el aceite.

Dejar enfriar, ponerlo en botellas, taparlas, etiquetarlas y guardarlas en el frigorífico. Usar como un gel.

*Para unos 250 ml*

*Lavandula
stoechas*

*Lavanda
'Twickle Purple'*

*Tomillo
común*

# Aceite para baños espumosos

*Este aceite, el preparado fundamental para el baño,*
*nutre, suaviza e hidrata la piel.*

2 huevos
250 ml de aceite de oliva
150 ml de aceite de cereales
150 ml de aceite de almendras
2 cucharadas de miel líquida
250 ml de leche
100 ml de vodka
1 cucharada de jabón en escamas suave
3 gotas de aceite esencial, al gusto

Batir los huevos junto con los aceites vegetales y la miel. Añadir la leche, el vodka, el jabón en escamas y el aceite esencial, sin dejar de remover. Ponerlo en botellas, taparlas, etiquetarlas y guardar en el frigorífico.

Añadir al baño una cucharada bajo el grifo de agua caliente.

***Para 1 litro aproximadamente***

ACEITES Y VINAGRES PARA EL BAÑO
Los aceites y vinagres de hierbas (ver p. 146) pueden ser útiles tanto en el baño como en la cocina. Añadir al baño caliente una cucharada de aceite o hasta media taza de vinagre perfumado con menta, tomillo, orégano u otra hierba. Sólo queda disfrutar de su efecto tonificante y reconstituyente.

*Menta de Bowles*

*Mastranzo*

*Orégano*

# Jabón de miel y hierbas

*Si se prefiere evitar el engorroso proceso de elaborar el propio jabón, puede utilizarse jabón de Castilla puro como base a la que se añade una selección personal de aceites de hierbas.*

*10 cucharadas de jabón de Castilla rallado*
*½ cucharadita de aceite de oliva*
*2 cucharaditas de miel líquida*
*2-3 gotas de aceite esencial, por ejemplo, de romero*

Derretir el jabón rallado al baño maría o colocándolo en un cuenco en el horno microondas a una temperatura baja. Incorporar el aceite de oliva, gota a gota. Añadir la miel y el aceite esencial. Retirarlo del fuego y seguir removiendo hasta que la mezcla sea homogénea.

Colocarla en moldes tales como moldecitos de papel para tartaletas engrasados, cubrirlos y dejar reposar hasta que endurezca, lo que puede requerir hasta 2 semanas. Desmoldar y guardar el jabón envuelto en papel encerado.

*Para 1 pastilla de jabón*

# Tradicionales bolitas de jabón

*Estos jabones individuales perfumados con rosas son uno de los más evocadores vínculos con el pasado.*

*150 g de jabón de Castilla puro rallado*
*150 ml de agua de rosas,*
*y un poco adicional para untar*

Derretir el jabón al baño maría (ver "Jabón de miel y hierbas") e incorporar el agua de rosas. Batir hasta que la mezcla sea homogénea. Retirar del fuego, dejar enfriar un poco y, con una cucharilla, formar

bolitas. Dejar secar en un lugar cálido sobre papel encerado.

Cuando las bolitas de jabón estén sólidas, pulirlas con un algodón humedecido con agua de rosas.

*Para unos 250 g*

*Romero*

*Diente de león*

*Rosa roja de Lancaster*

# Uso de las hierbas en el baño

*Añadir al baño caliente una infusión de un puñado de hojas o flores en 1 litro de agua hirviendo.*

| PLANTA | PARTE DE LA PLANTA | EFECTO |
| --- | --- | --- |
| Alquimila | Infusión de hojas | Calmante |
| Caléndula | Infusión de hojas | Curativo, para varices y problemas de circulación |
| Cola de caballo | Infusión de hojas | Curativo |
| Consuelda | Infusión de hojas o decocción de la raíz | Curativo |
| Diente de león | Infusión de hojas | Purificante |
| Eucalipto | Infusión de hojas | Purificante y calmante |
| Hierba luisa | Infusión de hojas | Estimulante |
| Lavanda | Infusión de flores | Purificante y desodorante |
| Levístico | Infusión de hojas | Purificante y desodorante |
| Manzanilla | Infusión de hojas y flores | Calmante |
| Menta | Infusión de hojas | Curativo y purificante |
| Milenrama | Infusión de hojas | Astringente y purificante |
| Ortigas | Infusión de hojas | Purificante |
| Romero | Infusión de hojas | Estimulante |
| Saúco | Infusión de hojas | Curativo y estimulante |
| Tomillo | Infusión de hojas y flores | Estimulante y purificante |
| Zarzamora | Infusión de hojas | Calmante para la piel |

# Saquitos para el baño

*Hay que resistirse a la tentación de sumergir un puñado de hierbas aromáticas en la bañera, pues únicamente se conseguiría salir con trozos de hierbas adheridos al cuerpo.*

Si en lugar de una infusión se prefiere un contacto más directo con las hierbas frescas o secas, conviene envolver las hojas o flores en un retal de muselina o estopilla y colgar el saquito bajo el grifo de agua caliente. Otro método, derivado del principio medieval de las pomas, consiste en llenar de hierbas un infusor y colocarlo debajo del grifo de agua caliente.

*Alquimila*

*Levístico*

# TRATAMIENTOS DE COSMÉTICA

Elaborar los propios productos de cosmética es un pasatiempo placentero. El simple hecho de incorporar pétalos de caléndula a un cuenco de agua hirviendo es relajante y a la vez estimulante, una forma indirecta de aromaterapia. También es posible perfumar las cremas limpiadoras, hidratantes y nutritivas con un aceite o una infusión de hierbas para así mimar un poco más a la piel. En esta sección se proponen numerosas recetas cosméticas y terapéuticas a base de hierbas aromáticas destinadas al cuidado de la piel o simplemente a la satisfacción personal.

## Crema limpiadora de lavanda

*La lavanda refresca y nutre la piel. Esta crema, adecuada para pieles secas, ayuda a reponer los aceites naturales.*

*6 cucharadas de aceite de almendras*
*10 cucharadas de cera blanca rallada*
*3 cucharadas de agua de lavanda*
*½ cucharadita de vinagre de sidra*
*1 gota de aceite de lavanda (opcional)*

Derretir el aceite y la cera al baño maría. Retirarlo del fuego, dejar enfriar ligeramente e incorporar el agua de lavanda, el vinagre de sidra y el aceite de lavanda, en caso de utilizarse. Pasar la crema a un tarro con tapadera. No refrigerar.

Extender esta aromática crema por la cara y el cuello, evitando la zona cercana a los ojos, y retirar con un algodón.

*Para unos 250 ml*

## Leche limpiadora de manzanilla

*Gracias a su contenido en zumo de limón, este preparado es especialmente adecuado para la pieles normales y grasas.*

*150 ml de suero de leche*
*2 cucharadas de zumo de limón*
*3 cucharadas de tisana de manzanilla*

Batir todos los ingredientes hasta obtener una mezcla homogénea. Ponerla en tarros y refrigerar.

Humedecer un algodón en el preparado y extenderlo suavemente por la cara y el cuello, evitando el entorno de los ojos.

*Para 225 ml*

*Manzanilla*

*Lavandula stoechas*

# Crema refrescante de pétalos de rosa

*Usar como crema hidratante de noche. Es adecuada para todo tipo de pieles.*

*1½ tazas, aproximadamente, de pétalos de rosa de Damasco u otra rosa perfumada*
*6 cucharadas de aceite de oliva*
*1½ cucharadas de cera de abejas refinada*
*1 cucharadita de agua destilada, aproximadamente*

Seleccionar los pétalos de rosa y desechar los que se encuentren en mal estado. Colocar el aceite de oliva al baño maría y calentarlo suavemente. Incorporar tantos pétalos de rosa como éste pueda absorber. Retirar del fuego, tapar y dejar en infusión 7 días.

Colar el aceite por un tamiz de nailon, presionando los pétalos contra los laterales para extraer el máximo de aceite.

Derretir la cera de abejas en un cuenco al baño maría e incorporar gradualmente el aceite perfumado. Retirar del fuego y añadir el agua, gota a gota, hasta que la crema adquiera la consistencia deseada. Verter la crema en un tarro, tapar y etiquetar.

*Para 120 ml*

# Gel floral para las manos

*Las flores de lavanda y las de manzanilla tienen propiedades beneficiosas similares y limpian, calman y suavizan la piel. Aplicar este gel para las manos en pequeñas cantidades realizando un suave masaje para que penetre bien.*

*300 ml de vaselina*
*2 cucharadas de flores de lavanda, separadas de los tallos*
*1 taza de flores de manzanilla, aproximadamente*

Calentar la vaselina al baño maría e incorporar tantas flores como ésta pueda absorber. Tapar y dejar cocer durante 1 hora, removiendo de vez en cuando. Retirar del fuego y dejar enfriar. Colar por un tamiz de nailon, presionando las flores contra los laterales a fin de extraer tanta cantidad de aceites volátiles como sea posible.

Poner la jalea perfumada en tarros, tapar y etiquetar.

*Para 300 ml*

## Aceites para masajes

*Se pueden elaborar los propios aceites perfumados con una mezcla de estos aceites vegetales y otros productos de hierbas.*

Aceite de aguacate
Aceite de albaricoque
Aceite de almendras
Aceite de cacahuete
Aceite de cártamo
Aceite de cereales
Aceite de coco (aceite saturado que queda totalmente sólido)
Aceite de germen de trigo
Aceite de girasol
Aceite de maíz

Aceite de melocotón
Aceite de soja
Cera de abejas refinada
Glicerina
Lanolina
Manteca de cacao derretida

# Loción de flores de lavanda

*Añadir esta suave loción tonificante al baño para conseguir una piel tersa y fresca.*

*5 cucharadas de agua de lavanda*
*5 cucharadas de olmo escocés*
*5 cucharadas de zumo de limón,*
*colado por muselina*
*2-3 gotas de aceite de lavanda*

Poner todos los ingredientes en una botella, cerrarla con un tapón o corcho y agitar vigorosamente. Agitar bien antes de usar.

*Para 225 ml*

# Astringente de menta

*Este suave astringente calma la piel y ayuda a cuidar el cutis.*

*2 cucharadas de menta picada*
*4 cucharadas de vinagre de sidra*
*600 ml de agua destilada*

Colocar la menta y el vinagre en un tarro con tapadera, taparlo y dejar en infusión 7 días. Colarlo y añadir el agua destilada. Mezclar bien.

Embotellar el astringente, tapar y etiquetar. Agitar bien antes de usar.
*Para 600 ml*

# Aceite de diente de león

*Esta receta tradicional utiliza los aceites volátiles de las hojas de diente de león para blanquear las pecas y otras manchas de la piel. No aplicar más de dos veces al día.*

*6 hojas tiernas de diente de león,*
*picadas*
*6 cucharadas de aceite de ricino*

Calentar a fuego lento las hojas picadas y el aceite en un cazo de vidrio o de esmalte, llevar a ebullición y dejar cocer 15 minutos. Retirar del fuego, tapar y dejar en infusión 4 ó 5 ho-

ras. Colar por un tamiz de nailon, presionando las hojas contra los laterales para escurrirlas al máximo. Embotellar, tapar y etiquetar.
*Para 6 cucharadas*

## Hierbas para el cuidado de la piel

*Esta tabla puede ayudar a seleccionar las hierbas más beneficiosas para infusiones y lociones.*

| Hierba | Efecto |
| --- | --- |
| Alquimila | Astringente |
| Caléndula | Astringente, purificante, tónico, curativo |
| Cola de caballo | Astringente |
| Consuelda | Emoliente |
| Diente de león | Blanqueante, secante |
| Hinojo | Astringente |
| Lavanda | Antiséptico, estimulante, tónico |
| Malvavisco | Emoliente |
| Manzanilla | Purificante, refrescante, calmante |

| Hierba | Efecto |
| --- | --- |
| Menta | Astringente, purificante, calmante |
| Milenrama | Purificante, tónico |
| Olmo escocés | Astringente, curativo |
| Perejil | Mitigante |
| Rábano rusticano | Blanqueante, secante |
| Romero | Purificante, estimulante |
| Tomillo | Purificante, antiséptico, tónico |
| Violeta | Purificante, emoliente |

# Baño de vapor facial

*Seleccionar la hierba más adecuada al tipo de piel. Este baño de vapor facial perfumado*
*es útil para purificar pieles tanto secas como grasas.*

2 tazas de hierba fresca o 1 taza de
hierba seca, tales como lavanda,
menta piperita o tomillo
agua caliente (no hirviendo)

Colocar las hierbas en un cuenco,
verter el agua caliente por encima y
remover bien. Cubrirse la cabeza
con una toalla para que no escape el
vapor y realizar un baño de vapor

facial durante 5 minutos.
   Nutrir las pieles secas realizando
un suave masaje con crema hidratante después del baño de vapor.
   *Para un baño de vapor*

# Mascarilla facial de hierbas

*Cubrirse la cara con esta mascarilla calmante, evitando la zona cercana a los ojos y a la boca.*
*Colocar una rodaja de pepino sobre cada ojo y dejar actuar 10 minutos.*
*Eliminar con agua templada o con una infusión de hierbas.*

2 cucharadas de yogur natural
2 cucharadas de flores u hojas de
hierbas finamente picadas,
seleccionadas según el tipo de piel
1-2 cucharadas de harina de avena

Mezclar el yogur y las hierbas hasta
obtener una mezcla homogénea.
Incorporar la cantidad justa de
harina de avena para formar una
pasta blanda y mezclar todo bien.

Para conservar la mascarilla,
pasarla a un tarro a cucharadas,
tapar, etiquetar y guardar en el
frigorífico.
   *Para unas 5 cucharadas*

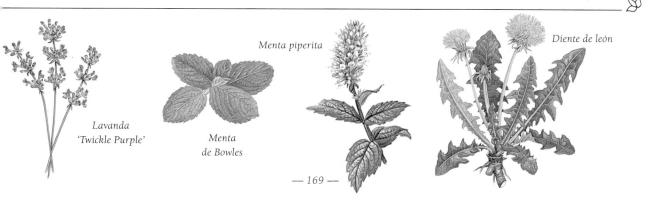

Lavanda
'Twickle Purple'

Menta
de Bowles

Menta piperita

Diente de león

# COLONIAS Y AGUAS DE FLORES

Numerosos cuadros y grabados muestran la imagen apacible de laboriosas damas dedicadas a la elaboración de fragancias exóticas y seductoras, al despuntar el día, en las dependencias destinadas a tal efecto de las grandes mansiones.

Aunque las cocinas modernas no cuentan con el material especializado utilizado antaño, nuestros jardines son una rica fuente de flores y hojas perfumadas. Además, las estanterías de las herboristerías están bien provistas de aceites esenciales que permiten añadir aromas concentrados.

## Agua de lavanda

*Esta agua floral revitalizante puede utilizarse como tónico corporal después del baño o, como era costumbre en el siglo XIX, perfumar con ella el pañuelo para inhalar su fragancia.*

*2 tazas de flores de lavanda*
*1 litro de agua destilada, hirviendo*
*2 cucharadas de vodka*

Colocar las flores de lavanda en un recipiente refractario, verter encima el agua hirviendo y remover bien. Cubrir y dejar en infusión unas 48 horas, removiendo de vez en cuando.

Colar el líquido por un tamiz de nailon, presionando las flores contra los laterales a fin de extraer la máxima fragancia posible. Incorporar el vodka, embotellar, tapar y etiquetar.

*Para 1 litro*

## Agua de baño floral

*Esta agua de baño se caracteriza por su aroma fuerte y embriagador. Puede variarse la fragancia utilizando otros aceites esenciales.*

*4 gotas de aceite de romero*
*4 gotas de aceite de bergamota*
*2 cucharadas de agua de rosas*
*300 ml de vodka*

Mezclar todos los ingredientes, embotellar, tapar y dejar reposar al menos 6 semanas, agitándolo cada día si es posible.

*Para unos 300 ml*

*Romero*

*Lavanda
'Hidcote'*

# Fragancia floral de tocador

*Se pueden adaptar las fragancias al gusto personal utilizando una única clase de flor
o mezclando dos o más clases.*

*4 tazas de pétalos o flores perfumadas,
tales como manzanilla, lavanda,
caléndula, rosa o violeta
600 ml de vinagre de vino blanco
300 ml de agua destilada*

Colocar las flores o pétalos en un recipiente refractario. Calentar el vinagre y el agua hasta llevar a ebullición, verter entonces sobre las flores y remover bien. Cubrir y dejar 3 semanas en un lugar cálido, removiendo al menos una vez al día si es posible.

Colar por un tamiz de nailon, presionando las flores contra los laterales a fin de extraer el máximo de fragancia. Embotellar, tapar, etiquetar y guardar.

*Para 900 ml*

# Colonia de melisa y romero

*En esta refrescante colonia las hierbas frescas añaden una fragancia
que contrasta con el agua de rosas y el alcohol*

*3 cucharadas de melisa
3 cucharadas de romero
tira de piel de naranja, bien fina
300 ml de agua de rosas
6 cucharadas de vodka*

Colocar todo en un tarro con tapadera de rosca, tapar y agitar vigorosamente. Dejar en infusión 2 semanas, agitándolo una vez al día.

Colar por un tamiz de nailon, presionando las hierbas contra los laterales para extraer el máximo de fragancia. Embotellar, tapar y etiquetar. Guardar en un lugar fresco y oscuro.

*Para unos 400 ml*

# Agua de rosas

*El auténtico agua de rosas es el aromático derivado de la destilación de rosas,
proceso por el cual se extrae el aceite o esencia de rosas.*

*10 tazas de pétalos de rosa perfumada,
tradicionalmente rosa de Damasco
600 ml de agua destilada
1 cucharadita de estoraque líquido
1 cucharadita de tintura de benjuí*

Colocar los pétalos de rosa y el agua en una cacerola con tapadera hermética, o bien cubrirla con papel de aluminio de modo que quede ajustado. Llevar lentamente a ebullición, bajar el fuego y dejar cocer a fuego muy lento durante 2 horas. Retirar del fuego y dejar en infusión unas 48 horas.

Llevar de nuevo a ebullición el agua con los pétalos, dejar cocer otra hora y dejar enfriar. Colar por un tamiz de nailon, presionando los pétalos contra los laterales para extraer el máximo de fragancia. Incorporar el estoraque y la tintura de benjuí. Embotellar, tapar y etiquetar.

*Para unos 450 ml*

*Manzanilla*

*Caléndula*

*Violeta*

# CUIDADO DEL CABELLO

Una simple ojeada a la sección de productos para el cuidado del cabello de cualquier perfumería o supermercado confirmará que la práctica de utilizar hierbas en los champús, acondicionadores y tónicos sigue hoy en día tan viva como siempre. En el folclore abundan las recomendaciones de usar hierbas para aclarar u oscurecer el cabello, para fortalecer o revitalizar. Entre las recetas tradicionales más conocidas se hallan la de manzanilla para los cabellos rubios y la de romero para los morenos. En las recetas siguientes se emplean diferentes hierbas para los distintos tipos de cabello.

## Champú de cola de caballo

*Este champú y acondicionador combina las propiedades limpiadoras de la raíz de la saponaria con las acondicionadoras de la cola de caballo.*

*7 cucharadas de tallos de cola de caballo*
*7 cucharadas de raíz de saponaria seca rallada*
*2 litros de agua blanda*

Colocar la cola de caballo y la saponaria en una cacerola, añadir el agua y remover bien. Llevar a ebullición, tapar y dejar cocer durante 15 minutos. Retirar del fuego y dejar en infusión 1 hora.

Colar el líquido, pasarlo a botellas, taparlas y etiquetar. Utilizar unos 300 ml de champú en cada lavado.
*Para unos 2 litros*

## Hierbas para el cuidado del cabello

| TIPO DE CABELLO | HIERBA |
| --- | --- |
| Seco | Consuelda, malvavisco |
| Graso | Lavanda, menta piperita |
| Triste y desvitalizado | Hinojo, perejil, romero, puntas de ortiga mayor, ajo |
| Rubio | Flores de manzanilla |
| Moreno | Consuelda, romero, salvia, tomillo |
| Castaño | Pétalos de caléndula |
| Contra la caspa | Menta piperita 'citrata', flores de saúco, perejil, salvia, abrótano, tomillo |
| Acondicionadores generales | Hojas de abedul, tallos de cola de caballo, mejorana, romero, tomillo, ortigas |

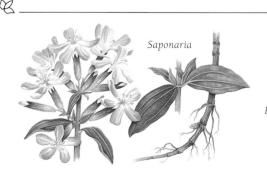

*Saponaria*

*Perejil*

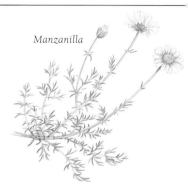

*Manzanilla*

# Loción moldeadora

*Ésta puede ser la solución para aquellos que afirman que no se puede hacer nada con su cabello.*

10 cucharadas de tisana de hierbas
(según el tipo de cabello)
1 cucharada de agua de colonia
1 cucharada de glicerina

Verter la infusión de hierbas y el agua de colonia en un cuenco y añadir la glicerina gota a gota, sin dejar de batir. Pasar la loción a una botella, tapar y etiquetar.

Realizar un suave masaje para que penetre en el cuero cabelludo o peinar para distribuirlo por el cabello.

*Para 180 ml*

# Acondicionador de ajo

*Gracias a sus propiedades antisépticas, el ajo es muy útil para ayudar a curar afecciones del cuero cabelludo a la vez que aporta brillo al cabello triste y sin vida. Después de este tratamiento es conveniente lavar el cabello con un champú aromatizado con la fragancia preferida.*

10 dientes de ajo grandes, majados
150 ml de aceite de ricino, caliente

Mezclar el ajo y el aceite de ricino hasta obtener una mezcla homogénea, tapar y dejar reposar 2 días. Colar, embotellar, tapar y etiquetar.

Realizar un masaje con el aceite en el cuero cabelludo, envolverse la cabeza con una toalla y dejar actuar 1 hora. A continuación, lavar bien con un champú.

*Para unos 150 ml*

# Aclarado de menta

*Este aromático aclarado es especialmente adecuado para cabellos grasos.*

10 cucharadas de hojas de menta
piperita picadas
1 litro de agua blanda
1 litro de vinagre de sidra

Colocar las hojas de menta en una cacerola, añadir el agua y llevar lentamente a ebullición. Dejar cocer 15 minutos, retirar del fuego y dejar en infusión durante 1 hora. Colar la infusión e incorporar el vinagre. Embotellar, tapar y etiquetar.

Usar unos 300 ml del aclarado después de enjabonarse el cabello.

*Para unos 2 litros*

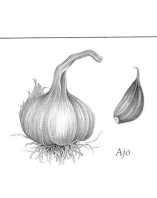

*Ajo*

*Menta piperita*

# REMEDIOS MEDICINALES

Para muchas personas las hierbas son, incluso hoy en día, la única medicina disponible y los curandero siguen tradiciones centenarias en la preparación de sus remedios. En Occidente es más frecuente utilización de medicinas a base de hierbas en la forma de extractos químicos, como el caso de la aspirin que en su origen derivaba de la corteza de sauce, o de la efredina, antiguamente extraída de la planta chir *Ma-huang*. Sin embargo, las plantas pueden ser tan eficaces como estos extractos patentados y son m suaves, por lo que presentan menos efectos secundarios, aunque la precaución nunca está de más.

*Los usos medicinales del malvavisco datan de tiempos remotos.*

| MALESTAR | HIERBA | APLICACIÓN |
|---|---|---|
| Depresión | Hipérico/ Melisa | Partes aéreas en infusión o tintura |
| | Jazmín/ Neroli/Rosa | Aceite esencial diluido para masajes o inhalaciones |
| Dolor de cabeza y migraña | Lavanda/ Menta piperita/ Romero | Diluir el aceite esencial para realizar masajes en las sienes |
| | Matricaria | Hojas frescas entre pan o como infusión o tintura |
| Dolor de garganta | Eufrasia | Infusión de toda la planta como enjuague o gargarismo |
| | Salvia/Tomillo | Infusión de hojas como gargarismo |
| Dolor de muelas | Clavos | Aplicar el aceite esencial en la zona de las encías |
| Dolor de oídos | Hipérico | Empapar un algodón en acei te macerado, usar como tapó |
| | Lavanda | Diluir aceite esencial y realiza un masaje externo en la oreja |
| Dolores bucales y de encías | Perifollo oloroso | Usar tintura diluida como enjuague |
| | Romero/ Salvia/Tomillo | Infusión de hojas como enjuague |
| Dolores y achaques | Abedul Apio | Usar aceite/savia para masaje Infusión de semillas para el reumatismo o la artritis |
| | Peralito/ Romero/Tomillo | Usar flores o aceite esencial para hacer aceite para masaje |
| | Lavanda | Usar flores o aceite esencial para hacer aceite para masaje |
| Eczemas | Caléndula | Infusión de pétalos como gel o tisana; cremas y ungüentos |
| | Hierba del asno | Aceite de semillas en cápsula o en ungüento |
| | Manzanilla/ Saúco | Flores en infusión como gel corporal o en cremas |
| | Ortiga mayor | Infusión de las partes aéreas para purificar internamente |
| Espinillas | Caléndula | Tintura de pétalos diluida en compresa |

| MALESTAR | HIERBA | APLICACIÓN |
|---|---|---|
| Abscesos y furúnculos | Consuelda | Cataplasma de raíces mezcla-da con infusión de hojas |
| | Fenogreco | Cataplasma de semillas trituradas |
| | Malvavisco | Cataplasma de raíces, sólo o con olmo rojo americano |
| | Olmo rojo americano | Cataplasma de la corteza |
| Acné | Ajo | Frotar con un diente tierno |
| | Caléndula | Usar tintura o infusión de pétalos como lavado facial |
| | Manzanilla | Usar tintura o infusión de flores como lavado facial |
| | Olmo escocés | Loción con extracto destilado |
| | Rosa | Loción de agua de rosas |
| | Salvia | Preparar una loción con hojas |
| Contusiones | Consuelda | Infusión de hojas en compresa |
| | Olmo escocés | Extracto destilado en compresa |
| Cortes y rozaduras | Ajo | Cataplasma de los dientes |
| | Caléndula | Infusión de pétalos o tintura diluida en compresa |
| | Hipérico | Crema/aceite macerado de flores |

| Malestar | Hierba | Aplicación |
|---|---|---|
| Espinillas (cont.) | Consuelda | Cataplasma de raíces mezclado con infusión de caléndula; infusión de hojas como lavado facial |
| Mal aliento | Alcaravea/Comino/Feno-greco/Hinojo/Levístico | Masticar las semillas, frescas o secas |
| | Menta/Perejil | Masticar las hojas frescas |
| Ojos cansados o irritados | Eufrasia | Infusión de toda la planta en un lavaojos esterilizado |
| | Hinojo | Compresa de semillas o bolsita de infusión fría |
| | Manzanilla | Cataplasma de flores o bolsita de infusión fría sobre los ojos |
| | Pepino | Aplicar rodajas crudas |
| Picaduras de insectos | Cebolla | Aplicar rodajas a la picadura |
| | Eucalipto/Lavanda | Aplicar el aceite esencial diluido |
| | Matricaria | Loción de infusión de hojas |
| | Melisa/Salvia | Aplicar las hojas frescas |
| | Olmo escocés | Aplicar una loción de extracto destilado |
| Problemas digestivos | Eneldo/Hinojo | Infusión de semillas para la flatulencia e indigestión |
| | Fenogreco | Infusión de semillas para trastornos estomacales/retortijones |
| | Hierba gatera | Partes aéreas en infusión, en especial para los niños |
| | Manzanilla | Infusión de flores para la flatulencia |
| | Melisa | Infusión de hojas para trastornos nerviosos del estómago |
| | Menta piperita | Infusión de hojas para flatulencia |
| | Perejil/Salvia | Infusión de hojas, estimulante |
| | Regaliz | Decocción de la raíz para úlceras o inflamación |

| Malestar | Hierba | Aplicación |
|---|---|---|
| Problemas digestivos (cont.) | Romero | Infusión de hojas como estimulante amargo |
| | Tomillo | Tintura o infusión de hojas para la diarrea |
| Quemaduras | Caléndula | Diluir tintura de pétalos en una compresa |
| | Hipérico | Usar tintura de las flores diluida en compresa; aplicar aceite macerado directamente |
| | Lavanda | Usar el aceite esencial diluido en compresa o añadir al aceite macerado de hipérico |
| Resfriados y gripes | Eucalipto/Hisopo/Tomillo | Usar el aceite esencial en bálsamo pectoral o inhalación de vapor |
| | Jengibre | Decocción de la raíz fresca |
| | Menta piperita | Inhalar unas gotas de aceite esencial |
| | Milenrama | Infusión de hojas o flores |
| Tensión nerviosa | Hierba gatera/Melisa/Verbena | Usar las partes aéreas en infusión o tintura |
| | Lavanda/Manzanilla | Usar las flores en infusión o tintura |
| Torceduras | Romero | Infusión de hojas en compresa |
| | Tomillo | Diluir el aceite esencial para masajes o en compresas |
| Tos | Ajo | Jarabe, inhalación de vapor |
| | Angélica | Tintura o infusión de hojas |
| | Cebolla | Jarabe de la hortaliza fresca |
| | Hisopo | Diluir el aceite esencial para bálsamos pectorales |
| | Malvavisco | Usar las hojas y flores para hacer jarabe o infusión |
| | Orégano | Inhalación de vapor del aceite esencial |
| | Regaliz | Jarabe o decocción de la raíz |

*Conviene tener un recipiente destinado exclusivamente a la preparación de estas delicadas tisanas.*

# TISANAS DE HIERBAS

Las tisanas o infusiones de hierbas son los remedios caseros más extendidos y unos de los más sencillos de preparar. Para ello, se realiza una infusión en agua hirviendo de las partes aéreas de una hierba, las flores o los pétalos frescos o secos, durante el tiempo necesario para que liberen las sustancias activas contenidas en los aceites volátiles. La infusión puede tomarse caliente y, si se desea, endulzada con un poco de miel, o bien fría y con una rodaja de limón o lima. Si se va a administrar la tisana a alguien con fiebre, ésta debería tomarse templada.

### PREPARACIÓN DE UNA TISANA

Las tisanas de hierbas tienen un sabor delicado y, en algunos casos, prácticamente imperceptible. Deben prepararse en un recipiente de vidrio o de porcelana, tan bonito como sea posible, destinado exclusivamente a tal efecto. Los residuos del tanino que pueden quedar en el recipiente al realizar una infusión de hierbas podrían afectar el sabor de la tisana así como sus efectos beneficiosos.

Utilizar una cucharadita rasa de hierbas secas o una cucharada rasa de hierbas frescas para cada taza. Colocar las hierbas en un recipiente caliente, medir y añadir la cantidad necesaria de agua hirviendo. Tapar, dejar en infusión entre 10 y 15 minutos, pero no más, y colar. No es recomendable aumentar el tiempo de infusión para, por ejemplo, obtener un sabor más intenso, pues una exposición prolongada al calor provoca una pérdida de los aceites volátiles por evaporación.

Las tisanas de hierbas, a diferencia de las tinturas, que se confeccionan con alcohol, pueden conservarse durante un periodo de tiempo relativamente breve. Si se desea servir una tisana helada o prepararla en grandes cantidades, hay que dejarla enfriar, colar el líquido, pasarlo a un recipiente con tapadera y guardar en el frigorífico no más de 24 horas. Para tomar la tisana caliente, recalentarla en un cazo de vidrio o de esmalte sin que llegue a hervir.

Cuando uno se acostumbra a las propiedades saludables de las tisanas de hierbas, llega a convertirse en todo un experto. Mezclando dos o más clases de flores y hojas aromáticas es posible crear una infinidad de sabores distintos y beneficiarse simultáneamente de las propiedades medicinales de más de una planta.

Por ejemplo, una infusión de hojas de melisa y de romero con flores de espino puede ayudar a aliviar el estrés y la tensión nerviosa; con una mezcla de milenrama, flores de saúco y menta piperita se obtiene una infusión que ya es un remedio clásico contra la fiebre, mientras que sin menta, la combinación de la milenrama con las flores de saúco es ideal para combatir los efectos de una resaca.

ADMINISTRACIÓN DE LAS TISANAS

Las tisanas de hierbas elaboradas en las proporciones indicadas son medicinas suaves que pueden tomarse para aliviar determinados síntomas durante un periodo de 4 a 8 semanas. Si durante este tiempo aparecen nuevos síntomas o la situación empeora, debería consultarse con un médico. Cuando las tisanas se toman por razones medicinales y no sociales, la frecuencia normal es de 2 ó 3 veces al día, después de las comidas. No es aconsejable tomar las tisanas antes de las comidas, como aperitivo medicinal, ya que pueden diluir los jugos gástricos y afectar la digestión.

Mientras que algunos remedios a base de hierbas pueden producir un alivio prácticamente inmediato, por ejemplo como calmante del dolor de cabeza, otros requieren cierto tiempo para fortalecer y estimular los sistemas del cuerpo humano. Así, al tratar trastornos crónicos como el reumatismo, la paciencia es una virtud imprescindible.

# Guía de tisanas de hierbas y sus propiedades

| HIERBA | USOS MEDICINALES |
| --- | --- |
| Ajenjo | indigestión |
| Albahaca | flatulencia, náuseas |
| Alcaravea | flatulencia |
| Alquimila | problemas menstruales |
| Caléndula, pétalos | indigestión, problemas en la vesícula biliar |
| Hierba gatera | fiebre, insomnio |
| Hisopo | mucosidad pectoral |
| Lavanda, flores | dolor de cabeza, nerviosismo |
| Manzanilla, flores | insomnio |
| Mejorana | flatulencia, náuseas, asma |
| Melisa | dolor de cabeza, insomnio, depresión |
| Menta | trastornos digestivos |
| Menta piperita | flatulencia, náuseas, cólicos |
| Milenrama | flatulencia, indigestión |
| Perejil | indigestión |
| Romero | indigestión, mala circulación, nerviosismo |
| Salvia | tos, dolor de garganta, indigestión |
| Saúco, flores | escalofríos, fiebre |
| Tomillo | resfriado, indigestión, asma |
| Ulmaria | acidez de estómago |

# DECOCCIONES, COMPRESAS Y TINTURAS

Las decocciones consisten en hervir en un líquido las raíces, rizomas o partes leñosas de las plantas a fin de extraer los principios amargos y las sales minerales. El líquido colado se puede beber o añadir a compresas y aplicarlas sobre la piel de manera que los elementos beneficiosos sean absorbidos rápidamente. También puede hacerse una infusión de hierbas en alcohol para obtener una tintura.

### COMPRESAS Y CATAPLASMAS

Las compresas y cataplasmas, particularmente eficaces en el tratamiento de contusiones, torceduras e inflamaciones, ayudan al cuerpo a absorber los componentes beneficiosos de las hierbas a través de la piel.

Para preparar una compresa, humedecer con una decocción o infusión un trozo limpio de tela, como hilas, lino, algodón o gasa, y aplicarla tan caliente como se tolere. Cuando la compresa se enfríe, puede empaparse tantes veces como se desee en el líquido recalentado y volverla a aplicar hasta que sienta alivio.

Las cataplasmas, usadas en la medicina casera durante siglos, se elaboran con partes sólidas de la hierba en lugar de una decocción o infusión, y se aplican directamente sobre la piel. O bien, se prepara una pasta y se envuelve con gasa esterilizada.

Las cataplasmas son especialmente eficaces en el tratamiento local de abscesos y furúnculos. Entre las de uso más extendido se hallan las compuestas por raíz de malvavisco, raíz de consuelda u olmo rojo americano en polvo, hierbas que se hallan disponibles en cualquier herboristería. Para preparar la cataplasma, mezclar una cucharada (15 ml) de la hierba en polvo con infusión caliente de hojas de consuelda o de manzanilla, vinagre de sidra o agua caliente hasta obtener una pasta espesa. Extenderla entre dos trozos de gasa y aplicar caliente sobre la zona afectada. Si se coloca una botella de agua caliente sobre la cataplasma, el calor se mantendrá durante más tiempo. Una vez fría, debe cambiarse y colocar en su sitio una nueva, tan caliente como sea posible.

Con hierbas frescas puede prepararse otro tipo de cataplasmas. La aplicación de hojas de perejil fresco o pétalos de caléndula humedecidos con un poco de agua caliente puede aliviar la inflamación de las glándulas que se hallan en la base de las pestañas, es decir, los orzuelos.

Es bien conocido el método de aplicar rodajas de pepino fresco para aliviar los ojos cansados. Para calmar y reducir la inflamación de los párpados hinchados, aplicar patata cruda rallada. Relajarse en un lugar tranquilo con los ojos cerrados puede aumentar los efectos beneficiosos de la cataplasma en ambos casos.

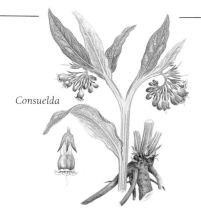

*Consuelda*

## Culpeper dice...

*Nicholas Culpeper, el famoso bótanico inglés del siglo XVII, atribuyó poderosas propiedades reconstituyentes y curativas al abrótano (Artemisia abrotanum), hierba deliciosamente aromática. Afirmaba que "hervida con harina de cebada, elimina los granos y verdugones de la cara y otras partes del cuerpo... Las cenizas mezcladas con el aceite de la ensalada ayudan a los calvos, ya que hacen crecer de nuevo el cabello". Popularmente, esta hierba recibe nombres como "garde-robe", pues se usaba para ahuyentar a las polillas, o "maiden's ruin".*

# Decocciones

*La decocción de valeriana es un ejemplo de medicina de hierbas clásica que puede utilizarse, únicamente durante un periodo de tiempo limitado, para combatir trastornos nerviosos.*

*25 g de raíces o parte leñosa de la planta*
*600 ml de agua*

Poner la hierba en una cacerola de vidrio o de esmalte y añadir el agua fría. Llevar a ebullición, bajar el fuego y dejar cocer de 15 a 20 minutos. Colar la decocción por un tamiz de nailon, presionando las hierbas contra los laterales con una cuchara para extraer la humedad. Dejar enfriar. Conservar en un tarro con tapadera en el frigorífico un máximo de 24 horas. Si se va a tomar o aplicar caliente, recalentar suavemente.

# Tinturas

*Las tinturas, que suelen adquirirse en las herboristerías, pueden tomarse sin diluir o en bebidas calientes o también añadirse a aplicaciones para la piel.*

*100 g de hierbas*
*600 ml de licor, por ejemplo, vodka*

Colocar las hierbas en un tarro con tapadera de rosca y añadir el licor. Tapar, agitar bien y dejar en un lugar cálido y oscuro durante 14 días, agitándolo 1 ó 2 veces al día. Colar y pasar a una botella de vidrio oscuro; guardar en un lugar fresco y alejado de la luz.

Para tomar en bebida, agregar gotas de tintura sin diluir. También pueden mezclarse con compresas, ungüentos o añadirse al baño.

*Perejil rizado*

*Malvavisco*

*Caléndula*

# PROBLEMAS CUTÁNEOS

Los problemas cutáneos, como acné, eczema, abscesos y furúnculos, deberían tratarse de dos modos: a corto plazo, para aliviar la irritación o inflamación de la piel, y a largo plazo, para reforzar el sistema inmunitario del cuerpo y potenciar su correcto funcionamiento.

Una dieta pobre o una carencia nutricional puede contribuir a que se produzcan problemas cutáneos. Un consumo gradualmente reducido de grasas animales y otras grasas saturadas, así como de azúcar y otros carbohidratos refinados tendrá como resultado una mejora notable del estado general de salud.

La fruta y verdura fresca desempeñan un importante papel en la configuración de una dieta sana, mientras que las hierbas empleadas en la coci-

na aportan más que valores nutricionales. Las plantas aromáticas añaden interés y sabor a platos muy diversos. Algunas verduras y hortalizas son alimentos especialmente ricos en sustancias químicas vitales o electrólitos, potasio, hierro y azufre. La inclusión en la dieta de zanahorias, apio, rábanos, cebolletas, espinacas y pimientos verdes o hierbas como hojas de diente de león, perejil y berro pueden ayudar a solucionar los problemas cutáneos.

## Eczema

*El aceite de hierba del asno ayuda a calmar el eczema, que puede deberse a la fatiga, al estrés o a una alergia, especialmente las debidas a productos lácteos.*

Se ha demostrado que el principio activo del aceite de hierba del asno, el ácido gamma-linoleico –GLA–, produce efectos positivos en muchas personas que padecen eczema. En herboristerías y tiendas de productos dietéticos se encuentran disponibles cápsulas y ungüentos.

TISANAS DE FLORES
La tisana de caléndula también

puede ser útil. Prepararla dejando 10 minutos en infusión una cucharadita de flores secas o una cucharada de flores frescas en una taza de agua hirviendo. La tisana caliente puede tomarse 3 veces al día.

INFUSIÓN DE ORTIGAS
Con guantes gruesos de jardinería o de goma, recolectar hojas tiernas de ortiga mayor en algún lugar libre de

contaminación ambiental. Realizar una infusión purificante con un puñado de hojas en 600 ml de agua hirviendo.

LAVADO DE HIERBAS
Para solucionar desde fuera el problema de la piel seca y escamosa, preparar una tisana de hojas de consuelda o de flores de manzanilla o de saúco y usarla fría como lavado.

*Caléndula*

*Milenrama*

*Diente de león*

# Acné

*El acné debe su origen a la obstrucción de las glándulas sebáceas de la cara y el cuello*
*y puede tener consecuencias negativas en el estado anímico de los adolescentes que lo padecen.*

Una limpieza escrupulosa es esencial, siendo preferibles los jabones naturales y cremas limpiadoras de hierbas frente a los productos perfumados sintéticamente. Los tónicos, lavados faciales, cataplasmas y tinturas de hierbas pueden ser útiles. Entre las plantas más adecuadas para este tratamiento se encuentran la caléndula, la manzanilla, las hojas de salvia y el olmo escocés.

### TÓNICO DE HIERBAS

Mezclar partes iguales de olmo escocés y agua de rosas (no agua triple de rosas) y mantener en una botella tapada en lugar fresco. Aplicar sin friccionar tras lavar o limpiar la piel.

### LAVADO FACIAL DE HIERBAS

Puede realizarse un lavado facial purificante y refrescante con una infusión de flores frescas o secas, para el que son adecuadas las flores de saúco, manzanilla, lavanda o milenrama. Preparar una infusión con un puñado de flores en 600 ml de agua hirviendo; dejar reposar 10 minutos, enfriar, colar y guardar en una botella tapada en la nevera. Rociar las zonas afectadas o aplicar con un algodón generosamente y sin friccionar.

### CATAPLASMA DE CONSUELDA

Para preparar una cataplasma limpiadora, mezclar una cucharadita de raíz de consuelda en polvo con una infusión de consuelda o agua caliente hasta obtener una pasta. Extender sobre las zonas afectadas. Retirar suavemente rociando con una infusión fría de consuelda, elaborada con las hojas verde oscuro. Esta planta contiene alantoína, sustancia que potencia el efecto curativo.

### COMPRESA DE CALÉNDULA

Mezclar una cucharadita de tintura de caléndula (disponible en herboristerías) con 200 ml de agua destilada para beneficiarse de las propiedades calmantes y curativas de esta hierba. Aplicar en las zonas afectadas o usar la mezcla como lavado facial. Guardar en una botella tapada.

# Furúnculos y abscesos

*La tendencia a que aparezcan furúnculos y abscesos es indicativo de algún trastorno interno.*
*Es aconsejable consultar con un especialista.*

Estas infecciones locales suelen darse en personas que presentan carencias nutricionales o un malestar general. Los remedios estimulantes y curativos deberían acompañarse de ejercicio adecuado y una dieta sana.

### LA CIENCIA DEL LIMÓN

Cuando se trata de favorecer la evolución de furúnculos, un limón es la solución. Exprimir el zumo, humedecer un trozo de hilas esterilizado y sostenerlo o colocarlo a modo de vendaje sobre las erupciones. Otra opción consiste en aplicar directamente una rodaja fina de limón.

Antiguamente los campesinos confiaban en los efectos de las cebollas hervidas u horneadas. Cocer una cebolla hasta que esté tierna, pelarla y aplicarla, tan caliente como se pueda tolerar, sobre la zona afectada.

### LA HORA DEL TÉ

La infusión de fenogreco tiene aplicaciones tanto internas como externas. Machacar una cucharadita de semillas secas y hervirlas en una taza de agua durante 10 minutos. Colar y tomar la infusión caliente. Reservar las semillas, envolverlas en gasa esterilizada y utilizar como cataplasma.

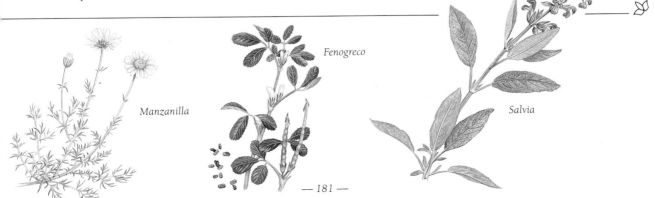

*Manzanilla*

*Fenogreco*

*Salvia*

— 181 —

# TRASTORNOS NERVIOSOS

La tensión nerviosa, la ansiedad y la depresión pueden deberse a numerosos problemas personales y psicológicos distintos. Asimismo pueden ser la causa o el efecto de muy diversos trastornos físicos. Las personas afectadas tienen un enfoque triste de la vida y experimentan un estado de cansancio permanente, pérdida de energía y dolores físicos intensos, entre otros síntomas.

## Veredicto favorable a los lúpulos

*John Gerard, cirujano y boticario del rey Jacobo I de Inglaterra (1545–1612), defendió convincentemente los efectos tranquilizantes de los lúpulos en su herbario, donde exponía las propiedades medicinales de la cerveza.*

*Para disfrutar de los beneficios de los lúpulos, dejar 10 minutos en infusión tres cabezuelas frescas o secas en una taza de agua caliente y tomar la tisana. Reforzar su efecto con un baño caliente al que se ha añadido una infusión fuerte de lúpulos y acostarse con una almohada llena de lúpulos secos.*

A medida que se avanza en la comprensión de los vínculos entre cuerpo y mente se ha descubierto que la depresión, uno de los trastornos nerviosos más frecuentes, puede deberse a numerosas causas, no todas de origen psicológico. En algunas personas, la depresión puede ser sintomática de una alergia a determinados alimentos, a algunos aditivos químicos, a la gasolina u a otros gases. Puede ser también secuela de una enfermedad como la gripe o una afección del hígado, con lo que constituye un serio obstáculo a la recuperación total. Asimismo puede ser señal de una carencia vitamínica. Como es bien sabido, muchas mujeres padecen depresión posparto, lo que puede tener graves consecuencias para la vida familiar. Cuando se trata de una forma grave o aguda de depresión, sea cual sea la causa, es imprescindible consultar con un médico de inmediato.

Algunos fármacos pueden tener efectos secundarios de carácter depresivo, especialmente si se toman en grandes dosis. Entre éstos se encuentran algunos antibióticos y analgésicos, o incluso calmantes prescritos para tratar problemas nerviosos.

Borraja

Hierba gatera

Valeriana

En el caso de las personas que padecen leves trastornos nerviosos, algunas hierbas ofrecen un medio no adictivo de tonificar, fortalecer y revitalizar el sistema nervioso, así como de calmar las tensiones y el estrés cotidiano. Las tisanas de borraja, hierba gatera, manzanilla, melisa, romero, valeriana y verbena han sido tomadas como tranquilizantes suaves durante siglos. Hoy en día, recientes experimentos científicos han demostrado lo que exponentes de la medicina popular y los jóvenes lectores de Beatrix Potter sabían desde hace tiempo: que la manzanilla, una de las hierbas más suaves, tiene propiedades relajantes y somníferas. Así, en una de las historias de la escritora británica, la madre del conejo Perico le hace tomar antes de acostarse una taza de manzanilla para calmar los nervios de la aventura vivida en un jardín cercano.

Las tisanas pueden prepararse con hierbas frescas o secas, según los métodos descritos en las pp. 184-185. Las flores secas de manzanilla pueden adquirirse en herboristerías y tiendas de productos dietéticos, y se encuentran entre las muchas hierbas disponibles en polvo y vendidas en bolsitas para infusiones, una forma moderna de tomar remedios antiguos.

Verbena

## Consejos rápidos

● *Se puede disfrutar de los efectos beneficiosos complementarios de dos hierbas relajantes añadiendo una ramita con hojas de hierba gatera fresca a la infusión de manzanilla.*

● *La infusión de melisa, otra medicina casera de gran tradición, se suele consumir fría. Como antidepresivo es especialmente eficaz antes de acostarse.*

● *Para preparar una manzanilla, dejar 10 minutos en infusión una cucharadita colmada de flores secas en una taza de agua hirviendo y tomar caliente.*

● *Añadir uno o dos pellizcos de flores de lavanda a la infusión de manzanilla, o a cualquier otra tisana relajante, para incrementar sus efectos.*

● *Si una medicina tiene mal sabor, seguro que es eficaz. La valeriana es un buen ejemplo de esta antigua creencia. En una herboristería puede adquirirse la raíz en polvo para realizar una decocción. Incorporar unas hojas de menta piperita o melisa y una cucharada de miel para que las 3 dosis diarias sean una experiencia más agradable.*

● *Después de una enfermedad, el romero puede ayudar a ver la cara alegre de la vida. Es una hierba rica en calcio y se ha probado su eficacia contra este tipo de depresión. Beber infusión de romero caliente y endulzada con miel, si se desea.*

● *Algunos aceites esenciales, que pueden adquirirse en cualquier herboristería, pueden diluirse con un aceite vegetal a fin de realizar con ellos un masaje curativo que alivie la depresión. Entre los más eficaces se hallan los de bergamota, jazmín, neroli, naranja y rosa.*

# TRASTORNOS RESPIRATORIOS

Desde el resfriado común hasta la laringitis, los trastornos respiratorios siempre son irritantes e incluso pueden llegar a incapacitar temporalmente al afectado. Si el paciente es reacio a consultar con un médico y se trata de una forma leve, sus efectos pueden reducirse gracias a la medicina casera. Otros trastornos como la amigdalitis, la bronquitis o el asma requieren asistencia médica urgente.

## Resfriado común

*Ante los primeros síntomas de resfriado –ojos y garganta irritados o picor en la nariz–*
*puede recurrirse al principio tradicional de curarlo sudando*
*con las infusiones descritas a continuación.*

Las hierbas calmantes como el malvavisco mitigan los trastornos respiratorios. Otras pueden solucionar problemas más concretos. El eucalipto, el hisopo, la lavanda, el romero y el tomillo contienen aceites volátiles con propiedades antibióticas. Hierbas como la agrimonia, la eufrasia y las flores de saúco, entre otras, ayudan a secar la mucosidad.

### INFUSIÓN DE FLOR DE SAÚCO Y MILENRAMA
Dejar 15 minutos en infusión una cucharadita de flores de saúco y otra de flores de milenrama en una taza de agua hirviendo. Colar, endulzar con miel si se desea y tomar caliente cada 2 ó 3 horas, en especial antes de acostarse.

### INFUSIÓN AROMÁTICA
Cortar en rodajas 25 g de raíz de jengibre fresco y colocarlo en un recipiente de vidrio o de esmalte con 1 rama desmigada de canela, 6 clavos, 1 cucharadita de semillas de cilantro y ½ limón en rodajas . Añadir 600 ml de agua hirviendo, tapar y llevar a ebullición. Cocer 15 minutos, colar y tomar caliente, endulzado con miel si se desea, cada 2 ó 3 horas, en especial antes de acostarse.

### BAÑOS DE VAPOR
Colocar en un cuenco de 8 a 10 gotas de aceite de lavanda, tomillo y eucalipto –uno de ellos o una mezcla de dos o tres– y añadir 600 ml de agua hirviendo. Cubrir la cabeza con una toalla e inhalar el vapor.

### MEZCLAS CONTRA EL CATARRO
La concentración de mucosidad resultante de la irritación de las membranas mucosas puede combatirse aspirando suavemente una infusión caliente. El zumo de medio limón en una taza de agua caliente o la infusión de fenogreco, que también es una bebida calmante, son dos mezclas eficaces.

### INFUSIÓN DE FENOGRECO
Triturar ligeramente una cucharadita de semillas de fenogreco, añadir una taza de agua y hervir durante 15 minutos. Colar, dejar enfriar y aspirar suavemente. Endulzar el resto con miel y beber caliente.

### MASAJE DE VAPOR
El bálsamo pectoral de dientes de ajo majados y vaselina es un antiguo remedio valorado más por sus propiedades antisépticas y bactericidas que por su fragancia y que puede resultar muy eficaz antes de acostarse. Majar 6 dientes de ajo y colocarlos en un recipiente de vidrio o de esmalte junto con una cucharada de vaselina. Calentar hasta que se derrita la vaselina, pasar a un tarro esterilizado y dejar enfriar. Realizar un masaje en el pecho y en la espalda.

*Hisopo*

*Anís*

*Fenogreco*

# Irritación de garganta

*La salvia, el tomillo, el vinagre, el limón y la miel son los ingredientes que hay que tener a mano para calmar la irritación de garganta. Gargarismos, infusiones y compresas también pueden aliviar las molestias provocadas por la amigdalitis.*

GARGARISMOS DE HIERBAS

Para realizar gárgaras calmantes, también útiles en los casos de laringitis, se puede elegir entre la mezcla de salvia con vinagre o la de tomillo con limón. Dejar 10 minutos en infusión una cucharadita de hojas frescas en una taza de agua hirviendo. Añadir una cucharadita de vinagre o de zumo de limón, según la hierba utilizada. Hacer gárgaras con parte de la infusión y beber el resto.

La amigdalitis requiere atención médica, aunque las gárgaras de hierbas pueden calmar la irritación. Se pueden usar las infusiones de salvia o de tomillo para compresas y colocarlas en la zona de la garganta.

# Tos

*La tos desaloja el exceso de mucosidad resultante de la irritación o infección (como en el caso de la bronquitis) de la membrana de la garganta o de las vías respiratorias. Las tisanas pueden ser calmantes y curativas.*

MEZCLA CONTRA LA TOS

Una combinación de decocción e infusión constituye una medicina contra la tos de triple efecto. Colocar en una cacerola una cucharadita de semillas de anís ligeramente trituradas y una cucharada de raíz de regaliz en polvo (disponible en herboristerías), añadir 600 ml de agua y dejar hervir 20 minutos. Verter la decocción sobre una cucharadita de flores secas de tusílago y otra de hojas secas de tomillo, tapar y dejar en infusión 10 minutos. Colar por muselina y beber una taza caliente, 3 ó 4 veces al día.

REMEDIO CULINARIO

Pelar una cebolla grande, cortarla en aros y colocar en un cuenco. Añadir 3 cucharadas de miel orgánica líquida, un excelente antiséptico y expectorante. Tapar y dejar reposar una noche. Colar y tomar una cucharada pequeña 4 veces al día.

ELIXIR DE AJO

Las propiedades antisépticas del ajo y la miel se unen en un remedio popular para la tos bronquial. Picar 8 dientes de ajo, colocarlos en un tarro y cubrirlos con 4 cucharadas de miel orgánica líquida. Disfrutar de una cucharadita del elixir a intervalos de 2 horas.

INFUSIÓN DE EUCALIPTO

Es preciso hervir brevemente las hojas más duras de esta planta medicinal antes de preparar la infusión. Colocar 25 g de hojas secas en una cacerola de vidrio o de esmalte, añadir 600 ml de agua y llevar a ebullición. Tapar y dejar en infusión durante 15 minutos. Colar y tomar caliente cada 3 horas.

INHALACIONES

Los aceites esenciales de hierbas como la lavanda, el orégano y el tomillo son eficaces en inhalaciones. Rociar un pañuelo con 1 ó 2 gotas, como hacían las damas en el siglo pasado, o verter de 6 a 8 gotas de uno de los aceites en un cuenco con 600 ml de agua hirviendo. Cubrir la cabeza con una toalla e inhalar el vapor. Otra alternativa, quizás menos agradable, consiste en majar 3 dientes grandes de ajo y añadirlos al agua hirviendo.

*Ajo*

*Regaliz*

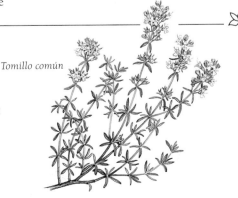

*Tomillo común*

# DOLORES Y ACHAQUES

Existen dolores y achaques que pueden hacer de la vida cotidiana una horrible pesadilla, desde la inflamación reumática de músculos y articulaciones hasta trastornos nerviosos o alergias que pueden dar lugar a cefaleas o incluso migrañas.

## Dolor de cabeza y migraña

*Lo primero que uno debe preguntarse ante un dolor de cabeza es ¿por qué? Las causas pueden ser numerosas: indigestión, presión sanguínea alta, tensión, fatiga, bajo nivel de azúcar o problemas menstruales, entre otros.*

Si el dolor de cabeza aparece de manera frecuente o recurrente, debería comunicarse esta situación al médico. Las cefaleas provocadas por la tensión nerviosa pueden aliviarse con cualquiera de las infusiones propuestas en la p. 183.

### BÁLSAMOS DE HIERBAS
Puede ser útil realizar masajes en las sienes con un aceite de menta piperita o romero, por ejemplo, diluido en un aceite vegetal. Otra posibilidad consiste en rociar un pañuelo con 1 ó 2 gotas de aceite, descansar en una habitación oscura e inhalar la fragancia.

### INFUSIÓN DE MATRICARIA
Dejar en infusión, según el método habitual, una cucharadita de hojas secas o una cucharada colmada de hojas frescas en una taza de agua hirviendo. Tomar caliente, no más de 2 veces al día. Es muy probable que se necesite endulzar la infusión con miel.

### LAVANDA DULCE
La lavanda es muy eficaz a la hora de aliviar el dolor de cabeza de origen nervioso. Rociar un terrón de azúcar con 2 ó 3 gotas de tintura de lavanda y dejar disolver lentamente en la boca. También puede realizarse un masaje en las sienes con aceite de lavanda. Una tercera opción consiste en tomarse una taza caliente de infusión de flores de lavanda endulzada.

### MIGRAÑA
Cualquiera de los remedios propuestos para el dolor de cabeza provocado por la tensión puede ayudar a aliviar el dolor punzante y a veces localizado de la migraña. Investigaciones recientes han demostrado que la matricaria es un buen remedio herbal. Ahora se sabe que esta hierba medicinal tiene unos efectos similares a los de la aspirina. Para que sea más agradable, tomar las hojas más amargas, de dos en dos o tres en tres, en *sandwiches* de miel.

## Veredicto favorable a la matricaria

En el Herball (siglo XVI), Gerard afirmaba que la matricaria "es muy buena para aquellos que se sienten mareados o padecen vértigo".

La investigación científica ha llevado más lejos su afirmación. Se ha descubierto que los extractos de matricaria inhiben la producción en el cuerpo de prostaglandinas, una sustancia que participa en los procesos inflamatorios y dolorosos. Esta hierba se utiliza actualmente en el tratamiento de la migraña así como del reumatismo y la artritis.

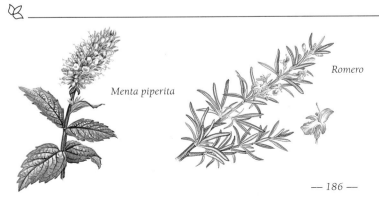

*Menta piperita*

*Romero*

# Torceduras

*Las torceduras y posibles fracturas requieren asistencia médica, pero en casos leves*
*pueden aliviarse con ungüentos y compresas de hierbas.*

Tratar las torceduras con una compresa de hilas esterilizada humedecida con infusión caliente de consuelda, o bien con una cataplasma de raíz de consuelda molida.

Mezclar 2 cucharadas de raíz de consuelda seca en polvo (disponible en herboristerías) con agua hirviendo hasta formar una pasta. Hervir a fuego muy lento durante 15 minutos, añadiendo agua poco a poco si fuese necesario.

John Wesley escribió un libro sobre remedios caseros, *Primitive Physick*, en el que recomendaba el uso de consuelda para las lesiones de tendones: "Hervir raíces de consuelda hasta obtener una jalea o mucílago espeso y aplicar como cataplasma, cambiándola 2 veces al día." Puede prepararse una versión moderna de esta "jalea" hirviendo 3 cucharadas de raíz de consuelda seca en polvo con 250 g de vaselina. Dejar enfriar y colar por muselina sobre un tarro pequeño. Aplicar friccionando sobre la zona afectada.

# Dolores musculares y en las articulaciones

*Las lesiones musculares leves o la fatiga provocada por un sobreexceso pueden verse aliviadas*
*mediante un suave masaje con aceite de hierbas. Será más eficaz si primero*
*se sumerge la zona afectada en agua caliente.*

Es recomendable consultar con un médico o herbolario para averiguar la causa tanto del reumatismo, que podría deberse al estrés o a una dieta poco equilibrada, como de la artritis, posible secuela de una lesión.

Para preparar un aceite calmante, poner 300 ml de aceite de oliva en un cazo y añadir 2 cucharadas de flores de lavanda, hojas secas de romero o tomillo, o algunas ramitas de las hierbas frescas. Calentar suavemente el aceite, apagar el fuego y dejar reposar unos 10 minutos. Colar el aceite y usar caliente para calmar el dolor de los músculos afectados.

### Una solución urticante
Las puntas de los tallos de la ortiga mayor pueden recolectarse en primavera y verano. Son ricos en vitaminas y minerales, así como altamente alcalinos, por lo que pueden neutralizar un exceso de acidez y mitigar así los dolores y achaques reumáticos. También pueden adquirirse las hierbas secas o, más práctico, en bolsitas para hacer infusiones de ortigas.

### Leche de apio
La leche de apio es un antiguo remedio popular como tratamiento para el reumatismo y la artritis. Para prepararlo, picar 3 tallos grandes de apio y cocerlos en 300 ml de leche durante 20 minutos. La mezcla resultante se toma caliente como sopa.

Las semillas de apio presentan un alto contenido alcalino y pueden consumirse en infusión. Machacar ligeramente una cucharadita de semillas y cocer 5 minutos en una taza de agua. Tapar, dejar reposar 10 minutos, colar y tomar caliente.

### Una antigua tradición
Los nativos americanos usaban el aceite de peralito como tratamiento para el reumatismo. Un aceite similar, que en la actualidad se extrae del abedul y que a veces recibe el nombre de aceite dulce de abedul, puede aliviar las zonas afectadas al aplicarlo con un suave masaje.

Algunos herbolarios aconsejan añadir extracto de hojas de abedul al baño caliente para mitigar los dolores reumáticos o artríticos.

Lavanda
'Twicke Purple'

Lavanda
'Munstead'

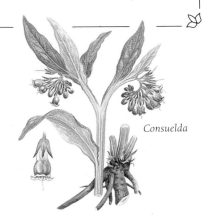

Consuelda

# CORTES, CONTUSIONES, PICADURAS

La medicina casera puede curar algunas picaduras y mordeduras así como los cortes, abrasiones, contusiones y quemaduras resultantes de los pequeños accidentes que pueden tener lugar en casa, en el jardín o en el parque. Las lesiones de mayor envergadura requieren atención médica urgente. Si se trata de niños, un remedio suave junto con una actitud amable obtendrán excelentes resultados.

## Cortes y rozaduras

*El primer paso que debe seguirse cuando se ha dañado la piel es lavar a fondo la zona afectada. Una forma de hacerlo consiste en limpiar la herida con una mezcla de 2,5 ml de tintura de caléndula con 300 ml de agua hervida.*

### Culpeper dice...

*Nicholas Culpeper, cuyo Complete Herbal (siglo XVII) empezaba a identificar las propiedades medicinales de las plantas y a definir sus usos, tenía su opinión respecto al tratamiento de heridas y cortes así como de algunas mordeduras. Describió la matricaria como "una de las hierbas más singulares para la curación de heridas". En cuanto a la menta, escribió que "aplicada con sal, calma las mordeduras de perros rabiosos... y es buena para lavar la cabeza a los niños cuando presenta erupciones, llagas y costras..."*

Una gasa humedecida en esta solución, recién preparada, y sujeta a la herida con un vendaje tiene buenas propiedades curativas. Las heridas más pequeñas pueden tratarse con 1 ó 2 gotas de tintura de caléndula aplicadas a la gasa de una tirita.

CATAPLASMA DE AJO
Como planta curativa, el ajo cuenta con una larga y amplia historia. Los chinos aplicaban rodajas de ajo crudo a las heridas, y durante la Primera Guerra Mundial se utilizaban vendajes con ajo para curar las heridas de guerra.

Si se desea poner a prueba su fama como protección contra infecciones, preparar una cataplasma con rodajas finas de ajo envueltas en gasa esterilizada. Como alternativa pueden combinarse las propiedades del ajo con las de otra conocida sustancia antiséptica, la miel orgánica. El elixir de ajo propuesto

en la p. 185 para los problemas de bronquios también puede extenderse sobre cortes y rozaduras, cubrir con hilas esterilizadas y un vendaje. Si el olor del ajo resulta demasiado desagradable, cubrir la herida con miel.

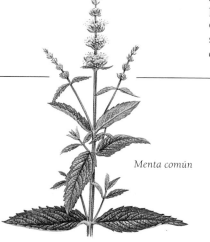

*Menta común*

*Matricaria*

*Manzanilla*

# Contusiones

*Son diversas las aplicaciones medicinales de la consuelda.*
*Investigaciones recientes dan fe de su utilización popular para tratar contusiones.*

Lavar la zona afectada con una infusión caliente de consuelda o aplicar una tisana en compresa debería aliviar el dolor y reducir los hematomas. El ungüento de consuelda, disponible en herboristerías, aprovecha las propiedades de la planta en una presentación distinta.

El nombre botánico de esta planta, *Symphytum*, derivado de la palabra griega para "unión", hace referencia a su capacidad para cicatrizar las heridas.

Los primeros pobladores de Nueva Inglaterra adquirieron muchos de sus conocimientos sobre los usos medicinales de las plantas de los nativos americanos, quienes usaban el extracto de olmo escocés para tratar las contusiones más graves. Es recomendable tener una botella en el botiquín y humedecer un algodón con este extracto para aliviar el malestar.

# Quemaduras

*La preocupación inmediata ante quemaduras y escaldaduras es refrescar la zona afectada;*
*no obstante, si se trata de lesiones graves deben ser atendidas urgentemente por un médico.*

Es posible impedir un mayor daño del tejido sumergiendo la quemadura en agua fría o vertiendo agua sobre la zona afectada.

Soluciones de agua fría con unas gotas de tintura de caléndula o hipérico pueden aplicarse a quemaduras y escaldaduras leves. Aplicarlas en una compresa de hilas esterilizada o con un algodón. Si no se dispone de ninguna tintura, una infusión fría de manzanilla o de caléndula también pueden emplearse del mismo modo.

En los casos en los que la piel se ha desgarrado, resulta calmante y curativo aplicar una pasta elaborada con miel orgánica y cualquiera de las dos tisanas anteriores.

# Picaduras y mordeduras

*En los casos de picadura de avispa o abeja, el aguijón debe extraerse de inmediato.*
*El tratamiento inmediato más eficaz lo constituye un baño en*
*una solución alcalina de agua y bicarbonato de sosa.*

## Consejos rápidos

- *Las picaduras de hormiga se calman rápidamente con una solución de agua y bicarbonato de sosa.*

- *Refrescar las picaduras con olmo escocés, tan frío como sea posible. Es útil tener una botella en la nevera.*

- *Quizás el antídoto más conocido contra las irritaciones provocadas por ortigas sea la aplicación inmediata de una hoja de acedera.*

- *Tanto el aceite de eucalipto como la esencia de lavanda aplicados con los dedos sobre una picadura de insecto calman la sensación de ardor.*

- *Tradicionalmente se empleaba la cebolla para calmar el dolor de las picaduras. Usar una rodaja gruesa como cataplasma, sujetándola con esparadrapo o una venda. O preparar una compresa con cebolla rallada o en rodajas en gasa esterilizada.*

- *La infusión de matricaria, elaborada con 30 ml de cabezuelas de flores en una taza de agua hirviendo, es un antiguo remedio popular para calmar las picaduras y mordeduras. Aplicar generosamente sobre la zona afectada y dejar secar.*

- *La misma infusión se usaba para ahuyentar los insectos. La matricaria contiene alcanfor, sustancia que repele las abejas y otros insectos.*

# TRASTORNOS DIGESTIVOS

Muchos trastornos digestivos pueden atribuirse a una dieta poco equilibrada o incluso a la manera de comer. Los alimentos ricos en grasas saturadas, carbohidratos refinados y, sobre todo, los bajos en fibra, las bebidas con un alto contenido en cafeína, tanino o alcohol, y una rutina alimentaria caracterizada por las prisas son factores que pueden contribuir a la aparición de indigestiones, acidez de estómago, flatulencia y cólicos así como trastornos intestinales y de colon.

Nunca resulta excesivo insistir en el hecho de que cuando se sospecha que se trata de un trastorno grave, la asistencia médica inmediata es imprescindible. Los remedios caseros pueden aliviar considerablemente los trastornos leves, pero no deben emplearse para ocultar los síntomas de un problema más serio.

Es posible que las tisanas y decocciones se inventaran para mitigar el malestar de la indigestión y otros problemas conexos. En la página siguiente se ofrece una lista de diez de las más útiles.

### DIENTE DE LEÓN
El diente de león es una planta versátil con interesantes propiedades medicinales. La raíz, con la que se puede preparar una decocción, es útil en casos de dispepsia o como laxante suave aunque amargo. Gracias a su contenido en taraxacina, el diente de león estimula las funciones del hígado y de la vesícula biliar, con lo que incrementa el flujo biliar y favorece una buena digestión.

Las hojas tienen fama de ser un eficaz diurético, función de la que dan fe los nombres populares que recibe la planta en inglés, "*piss-a-bed*", o en francés, "*pis en lit*". Pueden cocerse un poco y servirse, como las espinacas, con zumo de limón y pimienta o en ensaladas verdes. Las hojas tiernas, de color verde claro intenso, recolectadas en primavera, resultan excelentes con berros. (El berro también es diurético. Ayuda a liberar la retención de líquidos, haciendo que el cuerpo elimine residuos tóxicos de los tejidos y la sangre. Además, estimula la digestión.)

### RAÍZ DE REGALIZ
En el campo, antiguamente, a los niños se les solía dar raíz de regaliz para mascar "a fin de que tuviesen el estómago en orden". Esta planta se ha usado durante mucho tiempo como remedio para la indigestión. Debido a su capacidad de reducir el nivel de ácido del estómago, es muy eficaz para combatir la acidez. También alivia los espasmos del intestino gueso y contribuye a curar úlceras de estómago. Se puede realizar una decocción con la raíz en polvo, disponible en herboristerías.

NOTA  No tomar regaliz si se tiene la presión sanguínea alta.

*Diente de león*

*Berro*

*Eneldo*

# Diez de las tisanas más útiles

aromática si se le añade una cucharada de las florecillas rosadas.

### TOMILLO

Una de las muchas propiedades de una infusión de tomillo consiste en calmar los trastornos digestivos y aliviar la flatulencia. Ello se debe al efecto antiespasmódico de su aceite volátil sobre el músculo liso.

### ROMERO

Una o dos tazas de infusión de romero pueden aliviar la flatulencia, favorecer la digestión y estimular el flujo biliar. Esto se debe a la acción de la rosmanicina que, al ser absorbida por el cuerpo, estimula el músculo liso de la vesícula biliar y las vías del aparato digestivo.

### MENTA PIPERITA

Los términos menta piperita e indigestión están inextricablemente vinculados, por lo que es frecuente encontrar un paquete de pastillas de menta fuertes en el botiquín de muchas personas. Esta hierba contiene flavonoides que estimulan la acción del hígado y la vesícula biliar, con lo que aumenta el flujo biliar. Puede ser un eficaz remedio para cólicos y flatulencias, y tiene un efecto antiespasmódico sobre el músculo liso del tracto digestivo.

### PEREJIL

Esta hierba es un fuerte diurético útil para combatir las infecciones urinarias, los cálculos y la retención de líquidos. Es una fuente rica de hierro y vitamina C y ayuda a realizar una buena digestión.

### SALVIA

El aceite volátil tiene un efecto estimulante y carminativo sobre la digestión. La infusión de salvia, útil para calmar trastornos respiratorios, también puede aliviar el malestar.

### MEJORANA

Tal vez el uso extendido de esta hierba en la cocina como condimento en platos de huevo y carne se deba a sus efectos positivos sobre la digestión. La infusión de mejorana resulta más

### ENELDO

El agua de eneldo se ha utilizado durante generaciones para favorecer la digestión y estimular el apetito. El eneldo, valorado por su capacidad para aliviar los cólicos y flatulencias, se usa aún en la fabricación de algunas medicinas infantiles. Para preparar una tisana, dejar en infusión una cucharadita de semillas poco trituradas en una taza de agua hirviendo.

### HINOJO

Las semillas y la raíz de esta planta umbelífera pueden facilitar la digestión y calmar el malestar, a pesar de ser más frecuente el uso de la infusión de semillas poco trituradas. En las herboristerías puede adquirirse raíz de hinojo en polvo para preparar una decocción. La tisana es apropiada para calmar cólicos en bebés y la acidez e indigestión en adultos.

### MELISA

Los apreciados aceites volátiles que se encuentran en las hojas pueden perderse durante el proceso de secado, por lo que es mejor utilizar la hierba fresca o congelada. Una taza de infusión de melisa, tomada lentamente después de las comidas, resulta excelente para una buena digestión, además de aliviar cólicos y flatulencias. Esto se debe a los efectos antiespasmódicos de los aceites esenciales, en especial del eugenol.

### ANGÉLICA

Una infusión de semillas poco trituradas, con su sabor fuerte y amargo, estimula la digestión y alivia los retortijones, cólicos y flatulencias. También tiene propiedades diuréticas que pueden ser beneficiosas en el tratamiento de infecciones urinarias.

# OJOS, OÍDOS Y BOCA

Los problemas inconexos de ojos hinchados y dolor de oídos pueden remediarse con el uso de una única planta, según Nicholas Culpeper. En *The Complete Herbal* afirmaba del perejil que "colocar las hojas sobre los ojos inflamados o irritados puede calmarlos... unas gotas del zumo junto con un poco de vino puede aliviar el dolor de oídos". También tenía un remedio para los dolores bucales, para los que recomendaba la menta con las siguientes palabras: "Unas gárgaras de la decocción mitigan el dolor de boca y de encías a la vez que combaten el mal aliento".

## Ojos cansados o irritados

*La falta de sueño, el estrés, la fatiga o una exposición al humo del tabaco pueden provocar irritación, inflamación y picor de ojos. El remedio tradicional consiste en colocar una compresa fría sobre cada ojo y descansar en una habitación fresca y oscura.*

Los discos de algodón humedecidos con agua helada son útiles, pero las infusiones de hierbas frías resultan más eficaces. La infusión de semillas de hinojo es un antiguo remedio popular. Más propio de nuestros días es el uso de bolsitas para infusión de manzanilla o de hinojo frías.

### BAÑOS CALMANTES PARA LOS OJOS
Los ojos irritados y rojos pueden tratarse en casa con numerosos baños calmantes. La conjuntivitis y otras infecciones de los ojos requieren atención médica. La higiene y limpieza debe ser escrupulosa. En primer lugar, esterilizar un lavaojos en agua hirviendo. A continuación, utilizar cualquiera de las infusiones o mezclas propuestas para lavar los ojos afectados. Dejar enfriar la solución antes de su uso, refrigerarla en una botella cerrada hasta 24 horas y desechar la solución utilizada después de cada aplicación.

*Infusión de manzanilla* elaborada con las flores.

*Infusión de flor de saúco.*

*Infusión de hinojo* elaborada con las semillas.

*Solución de caléndula para lavado de ojos* Mezclar 2 gotas de tintura de caléndula con 15 ml de agua destilada para cada baño, para cada ojo.

*Compresa de pétalos de caléndula* Calmante para los ojos cansados, puede ser también útil para eliminar orzuelos, al igual que las hojas de perejil picadas envueltas en gasa caliente y esterilizada.

## Agudeza visual

*Culpeper atribuyó considerables propiedades a la Euphrasia officinalis: "Si esta hierba se utilizase tanto como se abandona, acabaría con la mitad del negocio de los fabricantes de lentes".*

*Para preparar una solución de eufrasia, mezclar 5 gotas de tintura de eufrasia con una cucharada de agua de rosas para cada baño. Usar una nueva solución para cada ojo y aplicación.*

*Una infusión de hojas puede tomarse como tisana, o bien dejarla enfriar y usar como lavado de ojos o compresa. Como enjuague o gargarismo, la infusión también puede calmar el dolor de boca o de garganta.*

Caléndula

Hinojo

Perifollo oloroso

# Dolor de oídos

*El dolor de oídos puede ser un efecto secundario de un resfriado o un síntoma de infección.*
*Es importante no correr riesgos y consultar de inmediato*
*la opinión de un médico.*

Los casos leves de dolor de oídos pueden calmarse con un aceite caliente de hierbas. Prepararlo con 20 gotas de tintura de mirra o de eucalipto y 1 cucharada de aceite de almendras. Guardar en una botella cerrada. Para usarlo, verter un poco en una cucharilla precalentada en agua hirviendo. Aplicar cuidadosamente el aceite con un algodón empleado a modo de tapón.

El aceite de ajo es otro sencillo remedio, que puede adquirirse en cápsulas. Utilizar de la manera descrita, agujereando una cápsula y vaciando el aceite en la cuchara caliente.

El aceite de lavanda diluido en aceite de almendras o aceite de oliva puede utilizarse para realizar masajes externos en la oreja a fin de reducir el riesgo de infección.

# Dolores bucales

*Un dolor de muelas o una irritación o infección de las encías son síntomas*
*que deberían ser puestos en conocimiento del dentista.*

Los enjuagues de hierbas pueden aliviar la irritación y actuar como bactericidas. También resulta útil cualquier suplemento vitamínico, en especial de vitamina C ó B.

### ENJUAGUES DE HIERBAS
Las tisanas preparadas según el método habitual pueden utilizarse como enjuagues para calmar el dolor de muelas o la irritación de encías. Enjuagar bien toda la boca con la infusión y retenerla tanto tiempo como sea posible. Las siguientes soluciones resultan adecuadas:
*Infusión de romero* Usar hojas frescas o secas.

*Infusión de salvia* Utilizar hojas frescas o secas.
*Infusión de tomillo* Hojas frescas o secas y, si es posible, alguna flor.
*Infusión de lavanda* Utilizar flores.
*Tintura de mirra* Diluir la tintura en agua hervida caliente en una proporción de 8 gotas por 150 ml de agua.
*Aceite de clavos* Se emplea como anestesia local para calmar los dolores de muela punzantes. Humedecer un palillo de algodón con unas gotas y extender sobre las encías cercanas al diente afectado. Repetir cada 2 ó 3 horas.

### ALIENTO FRESCO
Cualquiera de las tisanas o soluciones descritas son también útiles cuando se trata de un problema de mal aliento, aunque sería preciso determinar la causa subyacente. Asimismo, se puede refrescar el aliento mascando algunas semillas de alcaravea, comino o hinojo, o bien hojas de menta o perejil.

*Manzanilla*

# AROMATERAPIA

El empleo de los aceites esenciales de las plantas como medio de favorecer el bienestar físico y emocional era algo muy apreciado en las culturas antiguas de todo el mundo. La aromaterapia representaba una parte importante de la práctica médica tanto en China como en Egipto, donde las propiedades terapéuticas de los aceites estaban ampliamente admitidas.

La aromaterapia aprovecha las propiedades terapeúticas de los aceites esenciales para poner remedio a los malestares físicos y psicológicos así como para incrementar el bienestar. Los aceites pueden administrarse vía tópica mediante un masaje cutáneo, por vía respiratoria en inhalaciones o por vía oral en tisanas.

Relacionado con las tres vías está el sentido del olfato, a través del cual los aromas llegan al cerebro. Las neuronas –las células nerviosas– que se encuentran en las membranas de las fosas nasales permiten que la información se transmita rápidamente a las diferentes partes del cerebro. Kyphi, la mezcla de aceites desarrollada por los antiguos griegos, poseía propiedades documentadas para alterar el estado anímico.

El uso de aceites para realizar masajes corporales es uno de los aspectos más ampliamente conocidos de la aromaterapia. La piel, nuestro mayor órgano, absorbe los aceites volátiles, que son captados de forma selectiva por los diferentes tejidos del cuerpo. Asimismo, refuerzan los procesos curativos naturales del cuerpo. Y por

añadidura, todo masaje resulta calmante.

Los aceites son complejos, al igual que su acción, la cual no puede ser totalmente comprendida sin un estudio en profundidad. Por ejemplo, es posible un uso no tópico de los aceites esenciales, pero debido a que están muy concentrados y a la

enorme diversidad de sus propiedades, esto no es recomendable a menos que se realice bajo la supervisión de un facultativo cualificado.

Uno de los aspectos más fascinantes de la aromaterapia es la posibilidad de combinar más de un aceite esencial para formar lo que se conoce como compuestos sinérgicos,

*Salvia purpúrea*

*Rosa roja de Lancaster*

*Cilantro*

cada uno formulado para poseer una única propiedad y acción. Este es otro ámbito en el que resulta aconsejable seguir las recomendaciones de un experto.

## USO DE LOS ACEITES ESENCIALES

Los aceites esenciales no deben utilizarse directamente, pues están muy concentrados, sino diluidos en una proporción máxima de 5 gotas de aceite esencial por 5 ml de aceite neutro o base. Puede tratarse de un solo aceite o una mezcla de dos o más: aceite de pepita de uva, cacahuete, avellana, nuez, soja o almedra, entre otros. Por lo general, una cucharadita de aceite basta para un masaje corporal completo.

La inhalación es otro sistema para beneficiarse de las propiedades de los aceites esenciales. Así, un pañuelo impregnado con una gota de aceite de lavanda puede emanar aroma suficiente para tener efectos calmantes y relajantes, mientras que 2 ó 3 gotas de un aceite esencial en un cuenco grande de agua caliente produce un fuerte vapor aromático. Para maximizar sus efectos, mantener la cara a unos 25 cm del cuenco, cubrir la cabeza con una toalla, cerrar los ojos y respirar profundamente por la nariz durante 1 minuto. El hecho de respirar profundamente también contribuye a los efectos beneficiosos de este remedio ancestral.

**ADVERTENCIA** Los aceites esenciales no deber usarse durante el embarazo. Muchos son ligeramente tóxicos o podrían provocar un aborto.

*Lavanda 'Twickle Purple'*

---

# Selección de un aceite esencial

*Algunos aceites pueden utilizarse para realizar masajes, inhalaciones o bien añadir 3 ó 4 gotas al baño.*

### SÁNDALO
*El aceite esencial del sándalo, originario de Mysore –India–, no se desarrolla por completo hasta que el árbol tiene 30 años. Se utiliza para combatir la ansiedad y reducir la tensión nerviosa.*

### JAZMÍN
*Se necesitan 8 millones de flores de jazmín recogidas a mano para obtener 1 kg del absoluto a partir del cual se elabora el aceite. Se usa como relajante, para combatir el insomnio y calmar la ansiedad.*

### YLANG YLANG
*Este aceite dulce se extrae de la flor del "árbol de perfume" que crece en Madagascar. Este aceite, sedante y antidepresivo, posee un aroma ligeramente empalagoso, por lo que debe usarse con moderación.*

### INCIENSO
*Extraído de la resina del árbol Boswellia thurifera, este aceite se caracteriza por su efecto calmante. Es muy eficaz cuando se vaporiza como ambientador relajante.*

### NEROLI
*Este aceite, procedente del naranjo amargo, posee propiedades relajantes y a la vez estimulantes. Puede calmar la tensión nerviosa y la ansiedad y combatir el insomnio.*

### GERANIO
*A veces se encuentra disponible como "aceite de geranio Bourbon-La Reunión", por la isla de donde esta planta es originaria. El aceite esencial es calmante y relajante.*

### LAVANDA
*Se utiliza por sus efectos calmantes y relajantes. Es eficaz como aceite de masaje y para inhalaciones, usando 2 ó 3 gotas cada vez.*

### BERGAMOTA
*Se usa para combatir la depresión y fomentar un enfoque optimista.*

### MANZANILLA
*Este aceite dorado se usa para calmar la ansiedad y disipar el mal humor. También es eficaz en inhalaciones, usando 2 ó 3 gotas.*

### MELISA
*El aceite, obtenido por destilación de las hojas de melisa, combate la depresión y aporta bienestar.*

### ROMERO
*Este aceite esencial puede combatir el cansancio, estimular los sentidos y favorecer la concentración.*

### POMELO
*Este aceite calmante y reconfortante es ideal para devolver a alguien la confianza en sí mismo.*

### CILANTRO
*Para elaborar este aceite, el cilantro se recolecta cuando el fruto está totalmente maduro. Su efecto estimulante combate el cansancia .*

### ROSA
*El aceite o esencia de rosas se obtiene por destilación de rosas gallica, damascena o centifolia. Calma la tensión y la ansiedad; es muy útil en la depresión posparto. Para 1 kg de aceite, se precisan 5 t de rosas.*

# ARTES DECORATIVAS

Hubo un tiempo en que las hierbas, utilizadas en tintes o como elementos decorativos, fueron el pilar de las artes propias del hogar. Muchos usos ornamentales tienen su origen en creencias religiosas o simbólicas, como los ramitos de hipérico colgados en la ventana para alejar a los espíritus malignos o el muérdago para atraer la buena fortuna y la fertilidad. Hoy en día se conserva gran parte de estos significados simbólicos en listas del 'lenguaje de las flores' que datan del siglo pasado, aunque las decoraciones actuales suelen contemplarse simplemente como ornamentos. Sin embargo, los tintes de hierbas tradicionales no han quedado relegados al olvido. Muchos tejedores e hilanderos artesanales siguen prefiriendo la diversidad y sutilidad de sus matices a la estandarización de los productos químicos.

*Las flores del tanaceto son fáciles de secar y resultan atractivas en decoraciones.*

*Las coronas son adecuadas para cualquier época del año.*

## Hierbas para coronas y adornos de flores secas

*Los adornos de flores secas pueden presentar colores mucho más ricos y variados que las tonalidades verdosas y marrones que nos son más familiares. En la siguiente lista se enumeran las hierbas más adecuadas para decoraciones, pues conservan sus colores una vez secas. También se incluyen algunas por sus interesantes formas. Al seleccionar hierbas para secar, recolectarlas cuando acaban de abrirse, pues sus tonos resultarán más vivos.*

| HIERBA | PARTES UTILIZADAS | COLORES, UNA VEZ SECAS |
|---|---|---|
| Abrótano | tallos y hojas | verde |
| Acedera | cabezuelas de semillas | tonos verdes |
| Alcaravea | cabezuelas de semillas | castaño y marrón |
| Alquimila | tallos con flores | tonos amarillos y verdosos |
| Bergamota | tallos con flores | escarlata |
| Eneldo | cabezuelas de semillas | verde y marrón |
| Eucalipto | hojas | gris plateado |
| Hinojo | cabezuelas de semillas | marrón grisáceo claro; cabezuelas en forma de sombrilla |
| Laurel | hojas y tallos | verde oscuro |
| Lavanda | tallos con flores | tonalidades púrpura y azul oscuro |
| Manzanilla | flores | tonos amarillos y grisáceos |
| Milenrama | tallos con flores | rosa, blanco, amarillo oscuro |
| Perifollo | cabezuelas de semillas | verde y marrón |
| Poleo | tallos con flores y hojas | púrpura |
| Romero | tallos y hojas | verde oscuro |
| Tanaceto | tallos con flores | amarillo vivo |

# El lenguaje de las hierbas

Esta tabla muestra los significados simbólicos de algunas hierbas, que podrían tenerse en cuenta en los adornos para ocasiones especiales.

| Hierba | Significado simbólico |
|---|---|
| Abrótano | constancia |
| Albahaca | mejores deseos, amistad cordial |
| Azafrán | matrimonio |
| Borraja | valor |
| Capuchina | conquista |
| Cilantro | admiración secreta, sentimientos ocultos |
| Flor de saúco | compasión, condolencia |
| Geranio | comodidad, consuelo |
| Hierba del asno | inconstancia, inseguridad |
| Hinojo | fuerza, adulación |
| Laurel | honor, lealtad y afecto constante, fidelidad |
| Lavanda | silencio, aceptación y reconocimiento del amor |
| Manzanilla | paciencia, docilidad, resignación |
| Mejorana | felicidad, alegría |
| Menta | sabiduría |
| Mirto | amor, primera declaración de amor |
| Perejil | celebraciones, festividad |
| Perifollo | sinceridad, sentimientos cordiales |
| Romero | recuerdo |
| Rosa | silencio |
| Rosa roja | amor sincero |
| Ruda | arrepentimiento |
| Salvia | estima, amistad |
| Tomillo | actividad |

# Hierbas para tintes

*A partir de las hierbas puede elaborarse una amplia gama de tintes naturales de colores más suaves y sutiles que los de los tintes sintéticos. Los mordientes fijan el tinte en el tejido y afectan al color final; los que se sugieren aquí son apropiados para teñir lana. Para intentar teñir en casa, es conveniente empezar con un pequeño trozo de tela de lana o de algodón natural, por ejemplo, una bufanda de lana. Los mordientes pueden adquirirse en tiendas de decoración; consultar las instrucciones adjuntas y seguirlas al pie de la letra. Para teñir con hierbas es preciso estar bien abastecido, ya que el color es más suave que en los tintes industriales y se necesitarán grandes cantidades de hierbas para obtener un tono suficientemente intenso. Las siguientes hierbas ofrecen buenos resultados:*

| Hierba | Parte usada | Color | Mordiente |
|---|---|---|---|
| Caléndula | pétalos | amarillo pálido | alumbre |
| Glasto | hojas | azul/lila | amoniaco |
| Hipérico | flores | rojo | estaño/ácido acético |
| Perejil | hojas y tallos | crema | alumbre |
| Saúco | hojas | verde | alumbre |
| | bayas | azul/lila | alumbre/sal |
| | bayas | violeta | alumbre |
| | corteza | negro | hierro |
| Tanaceto | sumidades floridas | amarillo oscuro | alumbre |

*Las guirnaldas de hierbas frescas pueden usarse para suavizar líneas duras y crear un efecto más natural.*

# CORONAS Y GUIRNALDAS

Antiguamente era habitual confeccionar coronas y guirnaldas sobre un centro de hierba, brionia y otros tallos flexibles y unirlas con otras del mismo tipo. Hoy en día, los aros *stefani* que se cuelgan en todas las puertas de Grecia durante la celebración del Primero de Mayo suelen hacerlos los niños, uniendo ramilletes de flores aromáticas a una base circular de hierbas diversas.

Bases más sólidas para coronas pueden elaborarse con clemátide, vid, sauce u otras ramas entretejidas que se decorarán con posterioridad, o bien pueden adquirirse directamente en una floristería. Estas formas circulares, así como trenzas gruesas de vid o rafia, hacen las veces de soporte para los ramilletes de hierbas o flores, pero no les aportan humedad. Resultan apropiadas como decoraciones festivas efímeras o para su uso con hierbas perennes como laurel, romero y salvia así como con aquellas flores que puedan secarse de forma natural en un ambiente cálido. Algunas de estas flores son la bergamota, la alcaravea, la manzanilla, el cebollino, la matricaria, la alquimila, la lavanda, la atanasia y el orégano. Las cabezuelas de semillas de hierbas como el perifollo, el eneldo, el hinojo y la acedera poseen propiedades similares. Una corona o guirnalda de cualquiera de estas hierbas o de una mezcla de varias de ellas se irá secando día a día hasta componer un ornamento duradero y atractivo que apenas habrá perdido su lucimiento original o su fragancia.

Las bases de coronas y guirnaldas confeccionadas con materias naturales pueden formar no solo la estructura sino también un elemento visual de la decoración. Un aro de hierba seca con ramilletes de flores de mejorana superpuestos presenta un atractivo contraste de texturas.

Los alambres, cuerdas, cordeles, plásticos y otros materiales de soporte pueden cubrirse con heno o musgo seco. Es conveniente atarlo con bramante verde, que quedará disimulado por los tallos naturales. Ésta es la técnica para la confección de coronas de hierbas duraderas.

*Laurel*

*Caléndula*

*Perifollo*

# Corona de hierbas frescas

*Esta corona de hierbas frescas, que desprende una dulce fragancia al secarse,
conseguirá deleitar a cualquiera.*

*selección de hojas de hierbas como
laurel, santolina, lavanda,
romero y salvia
selección de flores de hierbas como
manzanilla, cebollino, matricaria,
alquimila, lavanda y orégano
bramante verde
heno seco
armazón circular de alambre de cobre
doble, de 25 cm de diámetro
bobina de hilo de plata
aros de alambre de calibre medio,
cortados por la mitad*

Atar un extremo del bramante al armazón circular. Fijar manojos de heno sobre el armazón enrollándolo con el bramante. Formar ramilletes de hojas y flores según el gusto personal, igualar la longitud de los tallos y atarlos con hilo de plata. Mantener los ramilletes en agua hasta que todo esté listo para completar la decoración. Doblar los aros de alambre para formar grapas en forma de U. Colocar uno de los ramilletes plano sobre la base y

fijarlo con una grapa por los tallos. Disponer los ramilletes de manera que la parte superior de uno cubra los tallos del anterior y así sucesivamente. Si se desea, puede dejarse a la vista alguna parte de heno.

Colgar la corona de hierbas en una habitación de ambiente seco y alejada de la luz solar directa. Las hierbas se secarán *in situ*.

# Guirnalda para la mesa

*Esta efímera guirnalda de hojas y flores frescas puede alegrar la mesa principal
en una fiesta veraniega o en la celebración de una boda.*

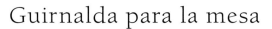

*ramilletes largos de hojas de menta
variegada y orégano dorado,
por ejemplo
flores como rosas de Damasco o
caléndulas
cordón grueso o lazo de papel enrollado
de colores que armonicen con las flores
bobina de hilo de plata
pegamento instantáneo o pistola
termoselladora*

Confeccionar la guirnalda tan próximamente a la celebración como sea posible y mantener las hierbas en agua hasta que todo esté listo para empezar.

Tomar las medidas de la mesa,

teniendo en cuenta que tal vez se desee que la guirnalda cuelgue un poco. Cortar el cordón u otro material similar según la longitud necesaria. Unir los ramilletes de hojas al cordón con hilo de plata, tomando grupos de dos, tres o más, según el grosor previsto para la guirnalda y la densidad del follaje. Recortar los tallos de las flores y fijar estas últimas sobre las hojas. Rociar la guirnalda con agua fría para mantenerla fresca.

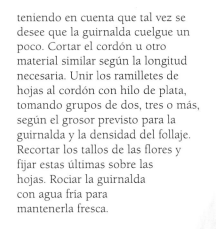

*Mastranzo*

# RAMILLETES DE FLORES

Los ramilletes de flores tienen sus raíces tanto en la tradición popular como en las artes. En la Inglaterra isabelina era frecuente llevar consigo ramilletes aromáticos para perfumar el ambiente y como protección contra plagas y otras enfermedades. Las hierbas con propiedades desinfectantes como la lavanda, el romero y la ruda eran las preferidas a tal efecto.

Durante el siglo pasado, los enamorados intercambiaban pequeños ramos de flores confeccionados con plantas que sugerían un mensaje secreto. Según la tradición del lenguaje de las flores, los ramilletes de romero eran, tal y como dice Ofelia en *Hamlet*, "para el recuerdo". De igual modo, el laurel expresaba los mejores deseos; el cilantro, admiración secreta (cuya procedencia podía ser incierta); las flores de saúco simbolizaban compasión; el hinojo, fuerza; y el perejil representaba festividad. Una rosa roja era casi obligada en un ramo amoroso, como expresión del amor sincero.

Los ramilletes de hierbas pueden componerse con cierta informalidad o bien, más de acuerdo con la tradición victoriana, en anillos concéntricos de flores y hojas aromáticas dispuestos en torno a una flor central, generalmente un pequeño capullo de rosa. En ocasiones especiales, un simple ramillete puede ser un bonito recuerdo para los invitados.

RAMOS PARA OCASIONES ESPECIALES
Un ramillete de hierbas resulta un excelente complemento para una novia o sus acompañantes en una boda campestre. Dentro del mismo estilo pueden mantenerse las flores para las solapas de los caballeros y los ramitos de las damas. Para conservar frescas las plantas más efímeras, insertarlas en un frasco de orquídea.

Algunos ramilletes de flores pueden formar parte de la decoración en ocasiones festivas. Preparar los ramilletes y mantenerlos en agua hasta el último momento. Incorporarlos a una guirnalda de hojas que decore una mesa, disponerlos en los postes de los entoldados o prenderlos en la parte frontal del mantel. Se obtendrá un efecto encantador.

## Ramillete campestre

*Preparar este ramillete de hierbas de manera atractiva pero informal,
como si se tratara de un ramo de flores del campo recogidas por un niño.*

*selección de hierbas y flores como matricaria, claveles de jardín, acianos rosados, salvia purpúrea y menta variegada*

Componer el ramo en las manos o sobre una superficie plana, colocando primero los tallos más largos –quizás los de menta o salvia– como fondo y luego las hierbas con flores de manera escalonada. De este modo, al colocar el ramo en un jarrón pequeño, será posible admirar las diferentes hierbas. Atar los tallos holgadamente con rafia o bramante a fin de que no se desmonte la forma prevista, que debería tener un aspecto natural y espontáneo.

*Alquimila*

*Valeriana*

*Stachys byzantina*

# Decoración de velas

Las velas fabricadas en moldes con forma de cilindro, cubo o cono pueden decorarse con pétalos u hojas. Algunos pétalos de rosa dispuestos en forma de flores resultan apropiados para las velas con fragancia de rosa. Es importante tener en cuenta la armonía de los colores; por ejemplo, puede decorarse una vela amarilla con flores de capuchina o pétalos naranjas de caléndula. La fragancia de limón de algunas velas podría intensificarse con hojas de hierbas con este mismo aroma, mientras que las velas perfumadas con lavanda pueden decorarse con flores y hojas de salvia purpúrea. Pegar las hierbas con cola líquida para papel, o bien extender con un pincel un poco de cera derretida sobre las hierbas y la superficie de la vela que las rodea.

Asimismo pueden adquirirse moldes para velas con formas relacionadas con la fragancia que contienen. Las velas en forma de limón o de naranja pueden perfumarse con los aceites esenciales correspondientes y las velas cónicas, con aceite de sándalo para evocar el aroma del incienso.

# Ramillete victoriano

*La composición de un ramillete al estilo victoriano, formado por anillos concéntricos de hojas y flores, requiere una paciencia considerable. Para un resultado óptimo, ordenar los distintos elementos según el tamaño.*

*selección de hierbas con flores como capullos de rosas, matricaria, manzanilla, santolina y mejorana*
*bramante fino o bobina de hilo de plata*
*lazos a juego*

Retirar las espinas de los tallos de las rosas. Sostener un capullo de rosa en una mano. Rodearlo con flores que armonicen, por ejemplo matricaria, de manera que queden a un nivel ligeramente inferior. A continuación, formar un anillo de hojas, más bajo que el anillo previo.

Ajustar tantas veces como sea preciso a fin de que los anillos queden uniformes y concéntricos.

Atar entonces los tallos con bramante o hilo de plata. Seguir confeccionando anillos alrededor de este centro, atando los tallos a intervalos.

Terminar el ramillete como indica la tradición, enmarcado con un anillo de hojas grandes, como las de la alquimila. Atar los tallos con un lazo y pulir los extremos. Rociar el ramillete y colocarlo en agua.

Santolina

Matricaria

Mejorana

# PREPARADOS DOMÉSTICOS

Antes de extenderse el uso de los detergentes y ceras industriales, las hierbas eran una importante materia prima para el ama de casa, que las empleaba en todo tipo de limpiadores y desinfectantes de fabricación casera. En una época mucho menos preocupada por la higiene que la nuestra, diariamente se esparcían plantas aromáticas por los suelos para absorber la suciedad y los malos olores. Plantas como el galio, la ulmaria o el trébol oloroso se solían utilizar en las casas como ambientadores. Los popurrís tienen su origen en la Edad Media, cuando los ricos llevaban consigo pomas aromáticas no solo para tener algo agradable que oler, sino porque creían que así se protegían de la peste y las plagas.

*Si da mucho sol en el alféizar, regar la albahaca con frecuencia.*

*La lavanda tiene muchos usos en el hogar, desde velas hasta productos contra insectos.*

| APLICACIONES | HIERBA | PARTE USADA | MODO DE EMPLEO |
|---|---|---|---|
| Ambientadores | Bergamota | flores | En popurrís y bolsitas |
| | Borraja | flores | En popurrís |
| | Caléndula | pétalos | En popurrís y bolsitas |
| | Cardamomo | semillas | Usar en polvo de incienso |
| | Cilantro | semillas molidas | En popurrís; en conos y polvo de incienso |
| | Hierba limonera | hojas | En popurrís y bolsitas |
| | Hinojo | semillas | Usar en popurrís |
| | Laurel | hojas | Usar en conos de incienso |
| | Lavanda | podas | Quemar en una chimenea abierta |
| | | flores | En popurrís o guardar en el escritorio para perfumar el papel de carta; en conos de incienso |
| | | tallos | En "botellas" de lavanda para perfumar los cajones, etc. |
| | | aceite | Usar en conos de incienso |
| | Levístico | semillas | Usar en popurrís |
| | Lirio | raíz | Fijador para popurrís |
| | Mejorana | flores | En popurrís y bolsitas |
| | Mirra | resina | Usar en polvo de incienso |
| | Romero | hojas | Usar en popurrís |
| | | flores | En popurrís y bolsitas |
| | | recortes podados | Quemar en una chimenea abierta |
| | Rosa | pétalos | En popurrís y bolsitas |
| | Sándalo | polvo | Usar en conos y polvo de incienso |
| | | aceite | Usar en conos de incienso |
| Colada | Hierba de Santa María | hojas | Usar la infusión colada para el último aclarado de ropa de cama, etc. |
| | Hierba luisa | hojas | Usar la infusión colada para el último aclarado de ropa de cama, etc. |
| | Lavanda | flores | Usar la infusión colada para el último aclarado de ropa de cama, etc. |
| | Menta piperita 'Citrata' | hojas | Usar la infusión colada para el último aclarado de ropa de cama, etc. |
| | Romero | hojas | Usar la infusión colada para el último aclarado de ropa de cama, etc. |

| APLICACIONES | HIERBA | PARTE USADA | MODO DE EMPLEO |
|---|---|---|---|
| Contra los insectos | Abrótano | hojas | Antipolillas, colgar en el armario |
| | Albahaca | toda la planta | Cultivar sobre el alféizar |
| | Lavanda | flores/tallos | Antipolillas, colgar en el armario |
| | Poleo | toda la planta | Cultivar alrededor de arriates para alejar las hormigas |
| | Romero | hojas | Mezclar con abrótano y otros antipolillas en bolsas de muselina |
| | Ruda | hojas/tallos | Aleja moscas y avispas de una habitación o mesa de picnic |
| | Santolina | hojas | Aleja las polillas, colgado en armarios o en bolsas de muselina con abrótano u otros antipolillas |
| | Tanaceto | hojas/tallos | Aleja moscas y avispas de una habitación o mesa de picnic |
| Contra los ratones | Menta | hojas | Esparcir en el área afectada |
| | Pimienta | semillas molidas | Esparcir en el área afectada |
| Limpieza del hogar | Cedro | aceite | Añadir a la cera de abejas y cremas y ceras de trementina |
| | Lavanda | flores | Añadir a la cera de abejas y crema de trementina para muebles |
| | Melisa | hojas | Tradicionalmente añadida a cera para muebles; dejar en infusión en aceite de linaza y trementina |
| | Saponaria | hojas | Usar la infusión para lavar ropa y tapicería |
| | | raíz | Usar la decocción para lavar ropa y tapicería |
| Pomas | Clavos | capullos | Clavar en una naranja seca |
| | Rosa | capullos | Para decorar naranjas secas |
| | | pétalos en polvo | Para perfumar cuentas de cera de abejas |
| | | aceite | Para perfumar cuentas de cera de abejas |
| Rellenos para almohadas | Lavanda | flores | Para perfumar cajones con ropa interior y de cama |
| | Lúpulos | estróbilos | Para combatir el insomnio |
| | Manzanilla | flores | Para combatir el insomnio |
| | Rosa | pétalos | Para perfumar cajones con ropa interior y de cama |
| Velas | Bergamota | flores | Añadir picadas a la cera derretida |
| | Hierba de Santa María | hojas | Añadir picadas a la cera derretida |
| | Lavanda | aceite | Para aromatizar la cera derretida |
| | | flores | Añadir picadas a la cera derretida |
| | Menta | hojas | Añadir picadas a la cera derretida |
| | Naranja/Neroli | aceite | Para aromatizar la cera derretida |
| | Romero | aceite | Para aromatizar la cera derretida |
| | | hojas | Añadir picadas a la cera derretida |
| | Rosa | aceite | Para aromatizar la cera derretida |
| | Sándalo | aceite | Para aromatizar la cera derretida |

*Las damas del siglo XIX solían llevar pomas consigo. Ahora se usan para perfumar habitaciones y armarios.*

*Las hierbas se utilizan tanto para perfumar velas como para decorarlas.*

# PRODUCTOS PARA EL HOGAR

Las hierbas y otras plantas aromáticas pueden emplearse para mantener el hogar limpio y fresco, perfumado y acogedor. La fabricación y el uso de ceras y jabones de hierbas aportan una sensación de satisfacción y de continuidad con el pasado que los productos industriales no pueden igualar.

## Cera de lavanda para los muebles

*Aplicar esta aromática cera con moderación y pulir la superficie con un paño suave y seco.*

*50 g de cera de abejas*
*300 ml de trementina pura*
*50 g de jabón en escamas puro*
*200 ml de infusión de lavanda*

Poner la cera de abejas y la trementina al baño maría y remover hasta que la mezcla resulte homogénea. Retirar del fuego y dejar enfriar.

Colocar el jabón en escamas y la infusión de lavanda en un cazo y calentar suavemente. Batir la mezcla hasta que quede espumosa, retirarla entonces del fuego y dejar enfriar ligeramente.

Incorporar la mezcla de lavanda a la cera de abejas hasta que adquiera una consistencia espesa y cremosa. Pasar a un recipiente hermético, tapar y etiquetar.

*Para unos 600 ml*

## Detergente para el hogar

*Este suave detergente de saponaria está indicado para la limpieza de tapices antiguos y alfombras delicadas.*

*25 g de raíz seca de saponaria, en remojo una noche, o 3 puñados de tallos frescos de saponaria*
*1 litro de agua*

Escurrir la raíz remojada, cortarla en trozos pequeños y machacarlos con un rodillo o un martillo. Si se usan tallos frescos, trocearlos. Colocar la saponaria en una cacerola, incorporar el agua y llevar a ebullición. Tapar y dejar cocer durante 30 minutos, removiendo de vez en cuando. Dejar reposar hasta que se enfríe. Colar el líquido y desechar la hierba. Embotellar, tapar y etiquetar.

*Para 1 litro*

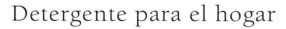

*Saponaria*

# Cómo ahuyentar los insectos

Tanto en los herbarios como en la tradición popular pueden encontrarse numerosos métodos para protegerse contra los insectos. Las podas de lavanda se quemaban en chimeneas abiertas para ahuyentar los insectos a la vez que se perfumaba la estancia, y durante la Edad Media se cubría el suelo de las habitaciones con ramitas de menta para mantener el ambiente fresco y ahuyentar los ratones, pues se creía que no les gustaba este olor. La ruda, el abrótano y el tanaceto también solían cubrir los suelos. Asimismo, se frotaba la carne y el pescado con hojas de tanaceto a fin de impregnar los alimentos con el aroma, antes de cubrirlos con ramas frescas de la misma hierba.

La albahaca, cultivada en la región mediterránea desde tiempos remotos, suele colocarse en macetas sobre los alféizares para ahuyentar las moscas más que para sazonar los tomates. Cultivar en el alféizar hierbas como la menta piperita 'Citrata', la menta piperita, la albahaca o el tomillo, colgar ramilletes de hierbas en una habitación cálida y ventilada para que se sequen, así como disponer jarrones con manzanilla y poleo o santolina y abrótano por toda la casa son diversos métodos para disuadir a los insectos.

### POLILLAS NO, GRACIAS

El abrótano, la santolina, la lavanda y el romero mantienen las polillas alejadas de la ropa. Si se desea utilizar antipolillas de hierbas, envolver ramitas de la hierba en muselina o estopilla, o colocarlas entre capas de papel de seda para no tener que retirar después hojas y semillas de entre la ropa.

### BOLSITAS ANTIPOLILLAS

Para confeccionar bolsitas antipolillas de agradables fragancias, mezclar 6 cucharadas de hojas secas de abrótano con 2 cucharadas de flores secas de manzanilla, 2 cucharadas de hojas de romero secas desmigadas, 1 cucharada de hojas de laurel secas desmigadas, 2 ramas de canela picadas, 1 cucharadita de clavos molidos, 1 cucharadita de polvo de raíz de lirio de Florencia y 1 cucharada de sal. Mantener en un recipiente hermético durante 2 semanas, agitándolo cada 1 ó 2 días. Rellenar bolsitas con la mezcla y colocarlas en armarios y cajones.

# Jabón limpiahogar

*Este jabón para la limpieza del hogar llenará la casa de una agradable fragancia.*
*Es muy adecuado para dar brillo a las superficies pintadas.*

225 g de jabón en escamas puro
2 cucharadas de aceite de cereales, más un poco adicional para engrasar
5 cucharadas de miel líquida
1 cucharadita de aceite de clavo

Poner el jabón en escamas, el aceite de cereales y la miel al baño maría y remover de vez en cuando hasta que se mezcle todo bien. Incorporar el aceite de clavo y seguir removiendo hasta que la mezcla espese y oponga resistencia al movimiento de la cuchara.

Pasar la mezcla a moldes engrasa-dos, por ejemplo moldes para postres individuales, y dejar reposar en un lugar seco y cálido. Según el volumen de cada pastilla, puede requerir 2 ó más semanas. Desmoldar el jabón y pulir con un paño suave.

*Para 325 g*

Poleo

Romero

# FRAGANCIAS DE LAVANDA

Quizás más que ninguna otra hierba aromática, la lavanda se ha asociado con la serenidad, la calma, el frescor, la pulcritud e incluso cierta suntuosidad. Quienquiera que dijese que la limpieza acerca a la virtud, debía de tener una abuela que usaba lavanda para perfumar todas las estancias de su hogar.

Para muchos, la lavanda evoca los tiempos pasados, los antiguos salones perfumados con bolsitas de lavanda colocadas entre los cojines o colgadas en los respaldos de las sillas bajo el antimacasar. Incluso se guardaban bolsitas en los escritorios para aromatizar el papel de carta. Estas y otras costumbres tienen su importancia hoy en día y pueden ayudarnos a mejorar nuestro entorno. Si la dulce fragancia de la lavanda no es del agrado personal, puede añadírsele, por ejemplo, semillas de cilantro machacadas, una rama de canela desmigada, bayas de pimienta de Jamaica y flores secas de tanaceto.

## Rellenos aromáticos

*Las hierbas y otras plantas aromáticas pueden usarse para transformar los objetos cotidianos del hogar en elementos decorativos fragantes.*

### SALVAMANTELES
*Recortar círculos, cuadrados, rectángulos o formas divertidas como fresas o calabazas en tela de algodón resistente. Coser juntas dos piezas iguales y rellenar con una mezcla del aroma preferido. Cada vez que se coloque un recipiente caliente sobre el salvamanteles, la fragancia inundará la sala.*

### BOLSITAS PERFUMADAS
*Las bolsitas pueden rellenarse con la mezcla propuesta en la página siguiente para la almohadilla o con otra similar. Sirven para perfumar cajones y armarios, o pueden colgarse*

*de un picaporte o del extremo de la cuerda de lámparas y persianas.*

*Preparar bolsitas esféricas, bien rellenas de la mezcla floral, y usarlas como bolas antiestrés. Al apretarlas o pasarlas de una mano a la otra se desprende una fragancia calmante.*

### ACERICO
*Los acericos pueden tener cualquier forma, de manzana o de pera, de corazón o de sombrero. Decorar el borde con cinta o trenza, con cuentas o lentejuelas. Rellenar con la mezcla de las bolsitas perfumadas o con una sola fragancia de hierbas, como hojas de cilantro secas con semillas de*

*cilantro ligeramente trituradas. Cada vez de se clave o retire una aguja o alfiler emanará un agradable aroma.*

### PAPEL PERFUMADO
*Introducir una bolsita perfumada en el lugar donde se guarda el papel de carta o los pañuelos de papel. Para un efecto más duradero, coser algunas flores secas entre trozos de muselina. Colocar estas bolsas de muselina entre hojas de papel, envolverlo todo con papel de aluminio y guardar en una caja hermética. Dejar 2 ó 3 semanas, al cabo de las cuales el papel estará bien impregnado de la fragancia de hierbas favorita.*

# Botellas de lavanda

*Las botellas de lavanda, también conocidas como sonajeros de lavanda por su parecido
con los clásicos juguetes para bebés, se basan en un concepto práctico del diseño.*

22 tallos de lavanda en flor,
largos y flexibles
60 cm, aproximadamente, de cinta de
raso de 6 mm de ancho

Las flores de lavanda quedan contenidas en una especie de jaula de tallos y cintas entretejidos, así que no se derraman. En su origen, estos ornamentos se utilizaban para separar la ropa de cama, apilada en grupos de docenas y medias docenas, a la vez que la perfumaban.

Colocar juntos los tallos de lavanda, con las cabezuelas de flores niveladas. Atarlas con un extremo de la cinta, justo por debajo de las flores. Volver el ramo boca abajo y doblar los tallos hacia el exterior, a partir del punto que queda por debajo de la cinta, de manera que las flores queden cubiertas. Agrupar los tallos por pares y tejer con la

cinta, pasándola por encima y por debajo de los pares de tallos de modo que las flores queden en el interior. La cinta debe apretarse más al principio y al final para que la "botella" quede más amplia en el centro. Al final, atar un lazo con la cinta, pulir los extremos y recortar los tallos.

Colocar una botella de lavanda en el cajón de la ropa interior o con las prendas de lana, colgarla en la percha del abrigo, o bien disponer tres o más sobre una bandeja en el dormitorio o el cuarto de baño.

*Para 1 botella*

# Almohadilla

*Confeccionar una almohadilla con una tela bonita y rellenarla con esta mezcla
relajante de hierbas. En casa o a bordo de un avión,
es ideal para combatir el insomnio.*

50 g de flores secas de lavanda
25 g de flores secas de manzanilla
25 g de pétalos secos de rosa fragante
2 cucharadas de semillas de cilantro,
ligeramente trituradas
1 rama pequeña de canela, desmigada
2 cucharadas de polvo de raíz seca
de lirio de Florencia

Mezclar todos los ingredientes y guardarlos 2 semanas en un tarro con tapadera, removiéndolo o agitándolo cada día. Introducir la mezcla de flores secas en la almohadilla, confeccionada con tela bien tupida.

Si se decide variar la mezcla, no olvidar incluir el polvo de raíz de lirio, que actúa como fijador.

*Lavandula
stoechas*

*Manzanilla*

# AMBIENTADORES

Usar las hierbas del jardín o del alféizar de la ventana para contribuir a la atmósfera del momento.
Los popurrís, una fragante mezcla de pétalos y flores secas, hojas y semillas, son un excelente sistema
para disfrutar de los aromas estivales mucho después de que las flores se hayan marchitado.
Es posible ambientar con luz y fragancia al mismo tiempo; para ello, quemar aceites aromáticos en un
quemador o perfumar las velas con aceites para crear una atmósfera romántica o ligeramente suntuosa.

El elemento más creativo lo constituye el proceso de mezclar las hierbas secas. Se pueden combinar según la fragancia -pétalos de rosa con hojas de pelargonio con aroma de rosas-, por el color -la luminosa mezcla de hojas de tomillo dorado y de mejorana dorada con pétalos de caléndula y de rosas amarillas-, o simplemente según la estación. Pocos popurrís resultan más evocadores o románticos que uno compuesto por las flores y hojas recogidas un día de verano.

Los orígenes del popurrí como ambientador se remontan a la Edad Media, época en que las fragancias más fuertes apenas podían disimular los molestos olores de la vida cotidiana. Actualmente se está recuperando esta antigua tradición. La mezcla de aromas dulces y acres, la variedad de texturas junto con un sinfín de posibles matices hacen del popurrí uno de los accesorios más agradables para el hogar.

A pesar de que la idea inicial consistía en una mezcla de las flores más aromáticas del jardín, pétalos de rosa de Damasco y flores de lavanda, es posible incluir algunas hierbas cuya fragancia es mínima y compensar este hecho con una pizca de alguna especia molida y un par de gotas de algún aceite esencial

Existen dos tipos de popurrí. El primero se elabora mediante lo que se conoce como método "húmedo". Éste es el que posee mayor tradición, pues antiguamente se seguía en todas las grandes mansiones. El segundo tipo, confeccionado según el método seco, es más sencillo y versátil.

### EL MÉTODO SECO

Para preparar un popurrí según el método seco es preciso que todos los ingredientes estén completamente secos, tanto que deben crujir como el papel de seda. Mezclar las hierbas y flores secas con las especias y otras fragancias y guardarlas durante 3 ó 4 días en un tarro con tapadera, removiéndolo a diario. Añadir el aceite esencial y el fijador, tapar de nuevo y dejar reposar durante 6 semanas, removiéndolo a diario si fuese posible. El popurrí estará entonces listo para su uso.

### EL MÉTODO HÚMEDO

Para preparar un popurrí según el método húmedo, secar parcialmente las hojas y los pétalos y colocarlos

*Romero*

## Popurrí de rosaleda

*Elaborarlo siguiendo el método seco.*

2 tazas de pétalos de rosa de Damasco
1 taza de hojas y flores de romero
1 taza de flores de manzanilla
1 taza de hojas de hierba luisa
*(todos estos ingredientes secos)*

1 cucharada de pimienta de Jamaica molida y 1 de canela molida
1 cucharada de polvo de raíz de lirio de Florencia
4-5 gotas de aceite de rosas

## Popurrí irisado

*Confeccionar según el método húmedo.*

1 taza de pétalos de caléndula
1 taza de flores de bergamota
1 taza de flores de mejorana, separadas de los tallos
1 taza de hojas de hierba limonera picadas
1 taza de hojas de hierba luisa
1 taza de flores de borraja
*(ingredientes parcialmente secos)*

3 tazas de sal fina
1 cucharada de semillas de anís
1 cucharada de semillas de hinojo
1 cucharada de cilantro molido
1 cucharada de polvo de raíz seca de lirio de Florencia
5-6 gotas de aceite esencial, por ejemplo, de bergamota

consiste en clavar un ramillete de hierbas secas en un bloque de gomaespuma de florista y ocultar el bloque con popurrí. Para conservar el color y la fragancia, guardarlo en un tarro con tapadera y destapar únicamente cuando la estancia -tal vez un cuarto de invitados- esté ocupada.

Asimismo, estas mezclas de hierbas secas pueden introducirse en bolsitas, almohadillas u otros elementos decorativos; en las pp. 206 y 207 se ofrecen más detalles al respecto. Con un popurrí pueden crearse diversos ornamentos tridimensionales. Uno de ellos es el resultado de pegar popurrí en bolas de porexpan recubriendo su superficie uniformemente y apilarlas en una bandeja honda para formar un arreglo atractivo. Pueden cubrirse del mismo modo anillos o corazones de porexpan. El toque final de un ramillete de flores secas atado con un lazo completa un romántico diseño.

en capas intercaladas con sal en un recipiente con tapadera. Dejar reposar, sin remover, durante 2 semanas. Durante este periodo de tiempo, la sal actúa como desecante y absorbe la humedad restante de las hierbas. Romper el bloque que se habrá formado, añadir las especias, el fijador (polvo de raíz de lirio de Florencia molida) y unas gotas de aceite esencial. Remover bien, tapar y dejar reposar durante 6 semanas, removiéndolo a diario si fuese posible. Colocar el popurrí en un recipiente de cuello ancho y mezclarlo con los dedos: resulta sumamente relajante.

### USOS DE LOS POPURRÍS

Los popurrís pueden disponerse en cuencos en lugares de paso donde las personas puedan removerlos con los dedos, o también en los tradicionales cuencos para pomas con tapas perforadas. Una alternativa más sofisticada a la simple opción de rellenar un recipiente de vidrio con popurrí

### CONSERVACIÓN DE UN POPURRÍ

Cuando un popurrí pierde parte de su color y fragancia original, es el momento de seguir ciertas tácticas para devolverle su vistosidad. Desechar los pétalos y hojas marchitos y sustituirlos por otros con tonos más intensos (y totalmente secos). Colocar la mezcla en un recipiente con tapadera, añadir alguna especia y aceite esencial adicionales, remover bien y tapar. Dejar reposar unas 2 semanas, removiéndolo a diario.

*Borraja*

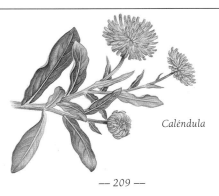

*Caléndula*

*Orégano*

# Poma de capullos de rosa

*Colgar este bonito ornamento en un tocador, en la cama, en un tirador
o en cualquier otro lugar en el que pueda apreciarse su elegancia.*

*bola de porexpan, de unos 7,5 cm de
diámetro
2 cucharadas de clavos
36 capullos de rosa pequeños,
aproximadamente
un puñado de popurrí
medio aro de alambre de calibre medio
cinta estrecha para colgar*

Insertar los clavos por toda la bola de porexpan. Esto aporta al ornamento el característico olor de las pomas tradicionales de naranjas con clavos o de frutas secas. Cortar los tallos de los capullos de rosas a una longitud de unos 8 mm y clavarlos en la bola formando hileras o anillos ordenados. Continuar hasta cubrir toda la bola. Cubrir la poma con popurrí y envolverla con varias capas de tela o con una bolsa de papel (de plástico no). Dejar varias semanas en un lugar seco y cálido. Retirar la poma de su envoltorio, clavar una grapa en forma de U en la parte superior y pasar por ella la cinta para colgar.

*Para 1 poma*

# Velas perfumadas

*Todo lo necesario para perfumar velas de cualquier forma y tamaño
son unas gotas del aceite esencial empleado en los remedios y preparados de cosmética
o de un aceite aromático de fabricación casera.*

*9 cucharadas de cera de parafina
1 cucharada de estearina (ácido esteárico)
tinte para velas
3-4 gotas de aceite esencial de rosa,
naranja o lavanda, por ejemplo, o bien
1 cucharadita de aceite aromático
1 mecha y 1 varilla, lápiz o brocheta
pequeña para sujetarla
molde para velas con una capacidad de
150 ml, o un tarro de yogur*

Derretir la parafina al baño maría. Incorporar la estearina, que refuerza la parafina y reduce la temperatura de fusión, y el tinte. Añadir el aceite aromático y remover hasta que todo esté bien mezclado. Retirar del fuego y dejar enfriar ligeramente.

Cortar un trozo de mecha 7,5 cm más largo que la profundidad del molde. Sumergir la mecha en la cera derretida y atar un extremo al centro de la varilla. Colocar la varilla atravesada sobre el borde superior del molde y pasar el otro extremo de la mecha a través de un orificio situado en el centro de la base del mismo. Poner el molde de pie sobre la base. Si éste no tiene una forma regular, tal vez sea preciso apoyarlo en un tarro o en una caja.

Llenar el molde de cera, con cuidado de que la mecha quede en posición vertical. Dar unos golpecitos en el molde para deshacer posibles burbujas de aire y dejar que la cera se endurezca un poco. Durante este proceso, se formará una depresión en el plano superior. Calentar suavemente la cera restante y verterla en el molde para nivelar la superficie. Dejar enfriar por completo.

Retirar la varilla y el molde, despegándolo si es flexible o dándole golpecitos si es rígido. Recortar la mecha y pulir la vela con un paño suave y seco.

*Para 1 vela*

Lavanda
'Hidcote'

Cilantro

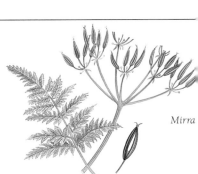

Mirra

# Polvo de incienso

*Espolvorear un poco de este polvo aromático sobre el carbón encendido
en una chimenea abierta o en una barbacoa, pero asegurar siempre
una buena ventilación de la estancia si se utiliza en el interior.*

*25 g de sándalo en polvo
15 g de semillas de cilantro,
ligeramente machacadas
15 g de semillas de cardamomo,
ligeramente machacadas
1 cucharadita de lágrimas de mirra
25 g de flores secas de lavanda, molidas
25 g de resina de benjuí en polvo
2–3 gotas de aceite esencial*

Mezclar el sándalo con las semillas de cilantro y de cardamomo, las lágrimas de mirra y las flores de lavanda. Incorporar la resina de benjuí, que actúa como fijador y retiene las fragancias, y después el aceite esencial. Guardar la mezcla en un recipiente hermético. Espolvorear unos puñaditos sobre el fuego.

*Para unos 100 g*

*Esta sencilla forma de incienso capta la fragancia de las hierbas en una espiral de humo. Seleccionar las hierbas adecuadas a la atmósfera de la ocasión. Desmigarlas o molerlas hasta formar un polvillo, colocarlo en una fuente refractaria y prender fuego.*

PARA UNA OCASIÓN ROMÁNTICA
*Flores de lavanda o pétalos de rosa.*

PARA UN AROMA REFRESCANTE
*Melisa, hierba limonera, menta con aroma a limón, menta piperita, romero, hojas de salvia o de tomillo, semillas de eneldo o de hinojo.*

PARA UN TOQUE EXÓTICO
*Hojas de laurel, semillas de cilantro o de comino.*

# Conos de incienso

*Aportan un toque oriental al vestíbulo o la sala de estar.
Pueden usarse para refrescar el ambiente depués de una fiesta.*

*5 cucharadas de lágrimas de goma
arábiga
150 g de carbón vegetal, machacado
25 g de resina de benjuí en polvo
1 cucharadita de sándalo en polvo
1 cucharadita de cilantro molido
25 g de hojas secas de laurel, picadas
25 g de flores secas de lavanda, molidas
4–5 gotas de aceite esencial de sándalo
o de lavanda, por ejemplo*

Poner la goma arábiga en un cuenco pequeño y mezclar con agua hasta obtener una pasta consistente. Mezclar el carbón, el sándalo, la resina de benjuí y el cilantro e incorporar la pasta de goma arábiga. Añadir las hojas de laurel y las flores de lavanda y agregar el aceite esencial. Remover hasta obtener una mezcla homogénea. Formar conos de unos 5 cm de altura y dejarlos reposar 2 días en un lugar cálido, como un armario de oreo. Una vez secos, envolverlos en papel de aluminio para que conserven el aroma. Desenvolverlos y encender la punta para que arda.

*Para unos 20 conos*

*Laurel*

*Rosa roja de
Lancaster*

# USOS DE LAS HIERBAS

| Hierba | Aromático | Cosmético | Culinario | Decorativo | Doméstico | Medicinal |
|---|---|---|---|---|---|---|
| Abedul (*Betula*) | | cuidado del cabello | | | | aceite: dolor reumático |
| Abrótano (*Artemisia abrotanum*) | dulce, refrescante | cuidado del cabello | relleno para carne y aves | | popurrí, ahuyenta los insectos y polillas; tallos: tinte amarillo | estimulante, antiséptico |
| Acedera (*Rumex acetosa*) | aroma a limón | | sopa, verdura, ensaladas | cabezuelas de semillas: coronas | tinte amarillo y verde | diurético |
| Acedera redonda (*Rumez scutatus*) | | | verdura | cabezuelas de semillas: decoraciones | | |
| Achicoria (*Cichorium intybus*) | | | ensalada, verdura cocida; raíz seca: bebida | | | |
| Agrimonia (*Agrimonia eupatoria*) | | cuidado de la piel | | | raíz: tinte amarillo | diurético |
| Ajedrea de jardín (*Satureja hortensis*) | especiado | | relleno para carne; platos de judías | | | tisana: digestivo, antiséptico, diurético; picaduras de insectos |
| Ajedrea silvestre (*Satureja montana*) | aroma a pimienta | | caza, carnes consistentes, sopas, platos de judías | | ambientador para cubrir el suelo | infusión de flores: digestivo, antiséptico diurético; picaduras de insectos |
| Ajenjo (*Artemisia absinthium*) | | | | | | tisana: digestivo |
| Ajo (*Allium sativum*) | sabor fuerte | cuidado del cabello | platos picantes, aceites, vinagres | | | antiséptico, diurético |
| Albahaca (*Ocimum basilicum*) | similar a los clavos | | tomates, queso, ensaladas | | ahuyenta los insectos | tisana: flatulencia, náuseas |
| Alcaravea (*Carum carvi*) | semillas con aroma acre | | ensaladas; semillas: pasteles, pan, queso | cabezuelas de semillas: coronas | | tisana: flatulencia |
| Alquimila (*Alchemilla vulgaris*) | | cuidado de la piel | | ramilletes, coronas | | tisana: problemas menstruales |
| Amaro (*Salvia sclarea*) | balsámico | | sopas, salsas, elaboración de vino | | | loción para los ojos, gargarismo, antiséptico |
| Angélica (*Angelica archangelica*) | aroma suave | | platos de fruta, de queso, tallos escarchados | | | estimulante del apetito, digestivo |
| Anís (*Pimpinella anisum*) | similar al regaliz, acre | | semillas: curries | | infusión de semillas: insecticida | semillas: aliento fresco; tisana: digestivo, para la tos |

| HIERBA | AROMÁTICO | COSMÉTICO | CULINARIO | DECORATIVO | DOMÉSTICO | MEDICINAL |
|---|---|---|---|---|---|---|
| Artemisa (*Artemisia vulgaris*) | | | | | | digestivo; regula la menstruación |
| Aspérula (*Galium odoratum*) | fragancia a heno recién cortado | | bebida | | perfuma la ropa | |
| Bergamota (*Monarda didyma*) | dulce, fragancia suave | aceite: perfumería | ensaladas, flores: decoración | flores: decoraciones florales | aceite: velas perfumadas | tisana: relajante; inhalación: congestión de pecho |
| Berro (*Nasturtium officinale*) | | | sopas, ensaladas, mantequillas, quesos, tortillas | | | congestión de pecho, digestivo |
| Betónica (*Stachys*) | | | | ramilletes, coronas | | |
| Caléndula (*Calendula officinalis*) | pétalos especiados | cuidado de la piel y del cabello | pétalos: arroz, queso, platos de carne, ensaladas | guirnaldas | pétalos: tinte amarillo pálido | tisana: digestivo; cataplasma: orzuelos |
| Camedrio (*Teucrium chamaedrys*) | | | | | | diurético |
| Capuchina (*Tropaeolum majus*) | especiado | cuidado del cabello | ensaladas; semillas: como alcaparras; flores: ensaladas, decoración | | | tisana: congestión de pecho; infecciones del aparato urinario |
| Cebolla de Gales (*Allium fistulosum*) | similar a la cebolla | | bulbos como las cebollas; puntas: decoración | | | |
| Cebolla egipcia (*Allium cepa proliferum*) | similar a la cebolla | | como las cebollas | | | |
| Cebollino (*Allium schoenoprasum*) | aroma a cebolla | | finas hierbas, ensaladas, platos de huevo | | | antiséptico suave |
| Cilantro (*Coriandrum sativum*) | | | semillas, hojas: platos mexicanos, orientales, ensalada | | semillas molidas: incienso | tisana: digestivo; aceite: aromaterapia |
| Clavo (*Eugenia aromática*) | fuertemente especiado | aceite: cuidado de los pies | platos de carne, curries, platos de fruta | | popurrí, pomas | aceite: dolor de muelas |
| Cola de caballo (*Equisetum arvense*) | | cuidado de la piel y del cabello, fortalece las uñas | tallos verdes: verdura | | para pulir metales; tinte gris | cataplasma: heridas; diurético |
| Comino (*Cuminum cyminum*) | fuerte, acre | | semillas: curries, pan, pasteles | | | semillas: aliento fresco |
| Consuelda (*Symphytum officinale*) | | cuidado de la piel y del cabello | verdura | | tinte amarillo | cataplasma: abscesos, quemaduras, contusiones |
| Consuelda menor (*Prunella vulgaris*) | | | | | | infusión: enjuague |

| HIERBA | AROMÁTICO | COSMÉTICO | CULINARIO | DECORATIVO | DOMÉSTICO | MEDICINAL |
|---|---|---|---|---|---|---|
| Diente de león (*Taraxacum officinale*) | | cuidado de la piel | ensaladas, sopas; flores: vino; raíz seca: bebida | | raíz: tinte magenta, marrón o naranja | estimulante del apetito, laxante, diurético |
| Eneldo (*Anethum graveolens*) | alcaravea | | pescado, salsas; decoración; semillas: aceites, vinagres, escabeches | cabezuelas de semillas: coronas | | decocción de las semillas: sedante, digestivo |
| Estragón (*Artemisia dracúnculus*) | aroma dulce | | finas hierbas, ensaladas, tomates, ave, aceite, vinagre | | | |
| Eucalipto (*Eucalyptus*) | acre | cuidado de la piel | | hojas conservadas: coronas | ambientador purificante | antibiótico; congestión de pecho |
| Eufrasia (*Euphrasia officinalis*) | | | | | | lavado de ojos, gargarismo para dolor de garganta, catarros |
| Fenogreco (*Tribonella foenum-graecum*) | aroma amargo | | semillas tostadas: curries; brotes de semillas: ensalada | | semillas: tinte amarillo | semillas: digestivo, aliento fresco |
| Ginseng (*Panax quinquefolius*) | | | | | | estimulante suave y relajante |
| Glasto (*Isatis tinctoria*) | | | | | tinte azul | |
| Hierba del asno (*Oenothera biennis*) | | | | | | aceite: problemas cutáneos y menstruales |
| Hierba de Santa María (*Chrysanthemum balsamita*) | aroma fuerte | cuidado de la piel y del cabello | ensaladas, sopas, salsas | | ahuyenta los insectos, popurrí | tisana: digestivo |
| Hierba gatera (*Nepeta cataria*) | acre | cuidado de la piel y del cabello | | | | tisana: insomnio, resfriados |
| Hierba limonera (*Cymbopogon citratus*) | | | cocina oriental | | popurrí | |
| Hierba luisa (*Aloysia triphylla*) | aroma a limón | cuidado de la piel y del cabello | relleno de carne y aves; aroma para jarabes | | popurrí; bolsitas perfumadas para la ropa | infusión: digestivo, sedante suave |
| Hinojo (*Foeniculum vulgare*) | anís | cuidado de la piel y del cabello | pescado, aliño de ensaladas; semillas: pan | cabezuelas de semillas: coronas | | infusión: digestivo, diurético; lavado de ojos |
| Hinojo de Florencia (*Foeniculum vulgare dulce*) | | | bulbo: ensaladas, verdura | | | |
| Hisopo (*Hysoppus officinalis*) | similar al almizcle | | ensaladas, platos de carne | | ahuyenta los insectos y polillas | tisana: congestión de pecho, gargarismos, contusiones |
| Laurel (*Laurus nobilis*) | dulce, a madera | | platos de carne, salsas, sopas | coronas | popurrí | sedante suave, trastornos estomacales, antiséptico |

| Hierba | Aromático | Cosmético | Culinario | Decorativo | Doméstico | Medicinal |
|---|---|---|---|---|---|---|
| Lavanda (*Lavendula*) | aroma dulce y fuerte | cuidado de la piel y del cabello | aceite de hierbas, azúcar aromático; hierbas de Provenza | coronas | popurrí; aclarado para la ropa; cera para muebles, ahuyenta los insectos; aceite: velas perfumadas | tisana: dolor de cabeza, nerviosismo; aceite: aromaterapia |
| Levístico (*Levisticum officinale*) | aroma a apio | cuidado de la piel, desodorante | sopas, ensaladas, guisos, cocina india | | | diurético; infusión: digestivo |
| Lirio de Florencia (*Iris germanica* var. 'Florentina') | aroma a violeta | raíz seca: cuidado del cabello | | | fijador para popurrí; almohadillas de hierbas | |
| Lúpulo (*Humulus lupulus*) | | coronas | elaboración de cerveza, pan | | | antibiótico, astringente; infusión: dolor de garganta |
| Malvavisco (*Althaea officinalis*) | | cuidado de la piel y del cabello | ensaladas | | | decocción de la raíz seca: dolor de garganta, contusiones, torceduras |
| Manzanilla (*Anthemis nobilis*) | aroma a manzana | cuidado de la piel y del cabello | | flores secas: coronas de flores | tinte naranja o verde; flores: popurrí | tisana: insomnio, digestivo; enjuague; cataplasma |
| Marrubio (*Marrubium vulgare*) | amargo | | | | | tisana: congestión de pecho, digestivo |
| Matricaria (*Chrysanthemum parthenium*) | amargo | cuidado de la piel | | | antipolillas | dolor de cabeza; tisana: tónico |
| Mejorana (*Origanum majorana*) | aroma a miel | cuidado del cabello, jabón | bouquet garní, carnes, rellenos, ensaladas, aceites, vinagres | coronas, guirnaldas | ahuyenta los insectos; popurrí | tisana: digestivo, asma |
| Melisa (*Melissa officinalis*) | aroma a limón | agua de colonia | platos de verdura, budines de leche | | aclarado para la ropa; popurrí; cera para muebles | tisana: dolor de cabeza, insomnio; picaduras de insectos; aceite: aromaterapia |
| Menta piperita (*Mentha x piperita*) | aroma a mentol | cuidado de la piel y del cabello | bebidas | | ahuyenta los insectos | tisana: digestivo, antiséptico |
| Mentas (*Mentha*) | | cuidado del cabello, jabón | bouquet garní, salsas para carne, queso, jaleas, jarabe, aceite, vinagre | guirnaldas | ahuyenta los insectos, velas perfumadas, aclarado para ropa | tisana: digestivo, sedante, estimulante del apetito; infusión: antiséptico |
| Milenrama (*Achillea millefolium*) | aroma intenso | cuidado de la piel | ensaladas | coronas | ahuyenta los insectos | tisana: digestivo, resfriados, heridas leves |
| Mirra (*Commiphora myrrha*) | aroma húmedo y especiado | | | | lágrimas: incienso | antiséptico, antifúngico; infusión: dolor de garganta, gárgaras |

| HIERBA | AROMÁTICO | COSMÉTICO | CULINARIO | DECORATIVO | DOMÉSTICO | MEDICINAL |
|---|---|---|---|---|---|---|
| Olmo escocés (*Hamamelis molis*) | | cuidado de la piel | | | | antiséptico, contusiones, varices infusión: lavado de ojos, enjuague |
| Orégano (*Origanum vulgare*) | | | carne, verduras, ensaladas, aceites, vinagres | | | |
| Ortiga mayor (*Urtica dioica*) | | cuidado de la piel y del cabello | verduras | | | tisana: afecciones cutáneas |
| Pelargonio de hojas aromáticas (*Pelargonium*) | aroma a limón, nuez moscada, naranja, clavo | cuidado de la piel | azúcar, sorbetes, pasteles, postres, decoración | | popurrís, ahuyenta los insectos | |
| Perejil (*Petroselinum crispum*) | | cuidado de la piel y del cabello | finas hierbas, salsas, ensaladas, platos de huevo, sopas, decoración | | tinte verde o color crema | |
| Perifollo (*Anthriscus cerefolium*) | similar al anís | cuidado de la piel | finas hierbas, bouquet garní, carne, ensaladas, pescado | cabezuelas de semillas: coronas | | cataplasma |
| Perifollo oloroso (*Myrrhis odorata*) | dulce, anís | | macedonias, tartas; semillas: bebidas | ramilletes, coronas | semillas: cera para muebles | |
| Pimpinela (*Poterium sanguisorba*) | | | ensaladas, salsas, bebidas | | | |
| Poleo (*Mentha pulegium*) | | cuidado de la piel | | | ahuyenta los insectos | plantas en flor: resfriados, náuseas; picaduras de insectos |
| Quenopodio (*Chenopodium bonus-henricus*) | | | ensaladas, verdura | | | |
| Rábano rusticano (*Cochlearia armoracia*) | acre, al machacar | cuidado de la piel | raíz: salsas, pescado, carne, platos de pescado | | | raíz fresca: congestión de pecho |
| Regaliz (*Glycyrrhiza glabra*) | dulce, anís | | repostería | | | digestivo, laxante |
| Romero (*Rosmarinus officinalis*) | acre | cuidado de la piel y del cabello, jabón | bouquet garní, carne asada, pescado, patatas, vinagres | ramilletes, coronas | popurrí | tisana: digestivo, nerviosismo; diurético |
| Rosa (*Rosa*) | dulce, aroma floral intenso | cuidado de la piel, jabón, polvo | mermelada, jalea, decoración, jarabe de escaramujo | guirnaldas | popurrí, velas perfumadas, fragancia para la ropa | vinagre de rosas: dolor de cabeza; miel de rosas: dolor de garganta |
| Ruda (*Ruta graveolens*) | amargo | | | | ahuyenta los insectos | problemas en los ojos; gargarismos |
| Salvia (*Salvia officinalis*) | acre | cuidado del cabello, higiene dental | bouquet garní, carnes, rellenos para pescado | | ahuyenta los insectos | tisana: tos, digestivo; enjuagues; aceite: aromaterapia |

| Hierba | Aromático | Cosmético | Culinario | Decorativo | Doméstico | Medicinal |
|---|---|---|---|---|---|---|
| Salvia piña (*Salvia elegans*) | aroma a piña | | rellenos | | | |
| Sándalo (*Santalum album*) | aroma a húmedo | | | | incienso | aceite: aromaterapia |
| Santolina (*Santolina chamaecyparissus*) | aroma fuerte | aceite: perfumería | flores: decoración | | ahuyenta los insectos | |
| Saponaria (*Saponaria officinalis*) | | cuidado de la piel; raíz seca: cuidado del cabello, jabón | | | jabones, cera | afecciones cutáneas |
| Saúco (*Sambucus*) | flores con aroma a miel | cuidado de la piel y del cabello | flores: conservas de frutas, bebidas, vino, cordiales | | | tisana: fiebre, reumatismo |
| Tanaceto (*Tanacetum vulgare*) | acre | | sazón para carne, queso, platos a base de leche, pasteles; ensaladas | coronas | tinte naranja; ahuyenta los insectos | tisana: digestivo |
| Tomillo (*Thymus*) | fragancia intensa | cuidado de la piel y del cabello | bouquet garní, rellenos, adobos, carne asada, aceites, vinagres | | popurrí, ahuyenta los insectos, velas perfumadas, perfuma la ropa | tisana: resfriado; digestivo, tratamiento de cortes y contusiones |
| Ulmaria (*Filipendula ulmaria*) | flores con aroma a miel | | | coronas, ramilletes | | tisana: digestivo, antiséptico, diurético |
| Valeriana (*Valeriana officinalis*) | aroma repelente | | | | | decocción: sedante suave, dolor de cabeza |
| Verbena (*Verbena officinalis*) | | | | | | tisana: sedante suave, dolor de cabeza, cálculos biliares |
| Verdolaga (*Portulaca oleracea*) | | | verdura, ensaladas | | | |
| Violeta (*Viola odoratum*) | aroma floral intenso | cuidado de la piel | aromatizante de la miel; flores escarchadas | | | congestión de pecho |
| Zarzamora (*Rubux fruticosus*) | | cuidado de la piel | | | | |

# NOMBRES ALTERNATIVOS

| Hierbas de la guía | Nombre botánico alternativo | Nombres comunes |
|---|---|---|
| *Achillea millefolium* | | milenrama, milhojas, aquilea |
| *Alchemilla vulgaris* | *Alchemilla xanthochlora* | alquimila, pie de león |
| *Aloysia triphylla* | *Lippia citriodora* | hierba luisa, reina luisa |
| *Anthemis nobilis* | *Chamaemelum nobile* | manzanilla romana, camomila romana |
| *Calendula officinalis* | | caléndula, maravilla |
| *Chrysanthemum balsamita* | *Balsamita major* *Tanacetum balsamita* | hierba de Santa María, balsamita |
| *Chrysanthemum parthenium* | *Tanacetenum parthenium* *Matricaria eximia* | matricaria, magarza |
| *Cochlearia armoracia* | *Armoracia rusticana* | rábano rusticano, rábano picante |
| *Coriandrum sativum* | | cilantro, coriandro, culantro |
| *Cymbopogon citratus* | | hierba limonera, hierba citronela |
| *Filipendula ulmaria* | | ulmaria, reina de los prados, altarreina |
| *Galium odoratum* | *Asperula odorata* | aspérula |
| *Glycyrrhiza glabra* | | regaliz, orozuz, palo dulce, paloduz |
| *Iris germanica "Florentina"* | *Iris florentina* | lirio de Florencia, lirio blanco |
| *Isatis tinctoria* | | glasto, hierba pastel |
| *Lavandula* | | espliego, lavanda |
| *Melissa officinalis* | | melisa, toronjil, hierba abejera |
| *Monarda didyma* | | bergamota, té de Pennsylvania |
| *Nepeta cataria* | | hierba gatera, menta de gatos |
| *Salvia sclarea* | | amaro, esclarea, salvia romana |
| *Santolina chamaecyparissus* | | santolina, abrótano hembra |
| *Symphytum officinale* | | consuelda, consólida, sínfito, suelda |
| *Tanacetum vulgare* | | tanaceto, hierba lombriguera, atanasia |

# CLASIFICACIÓN DE PLANTAS

**Familia** Categoría de la clasificación de plantas que reúne un grupo de géneros relacionados.

**Género** Categoría comprendida entre familia y especie. Las especies que comparten características similares se agrupan dentro de un mismo género.

**Especie** Categoría inferior al género, que agrupa a plantas muy similares con características determinadas.

**Subespecie** División dentro de una especie.

**Cultivar/Variedad** El término "cultivar" corresponde a la abreviatura de "variedad cultivada". Denota una planta cultivada por ciertas características diferenciales. En la identificación de plantas, los cultivares se etiquetan como "cv" y los nombres correspondientes se encierran entre comillas simples. El término "variedad" denota una modificación de la especie vegetal que se produce de forma natural, en lugar de ser cultivada deliberadamente. Se etiqueta como "var".

**Híbrido** Planta que ha surgido del entrecruzamiento de dos especies distintas. Se pueden dar híbridos entre variedades, cultivares y especies.

SISTEMA DE CLASIFICACIÓN
DE PLANTAS

Las hierbas clasificadas para su venta en tiendas y centros de jardinería llevan etiquetas con los nombres que las identifican. Los ejemplos que aparecen abajo muestran tres etiquetas usuales y su correspondiente significado.

LAVANDA ——— Nombre común
*Lavandula augustifolia* ——— Nombre de la especie
'Hidcote' ——— Nombre de un cultivar determinado
Nombre del género

LAVANDA ——— Nombre común
*Lavandula ⓧ intermedia* ——— Indicación de un híbrido, a diferencia de un cultivar
'Twickle Purple'

HINOJO DE FLORENCIA ——— Nombre del género
*Foericulum vulgare* ——— Nombre de la especie
var. *dulce*
Nombre del género
Variedad surgida de forma natural

# ÍNDICE

# CRÉDITOS FOTOGRÁFICOS

Clave: *s* superior, *i* inferior, *izq* izquierda, *der* derecha

Ace 130*s* (Brian Green), 131 (Anand Razand), 141 (Mauritius), 173 (Bo Cederwall); A–Z Botanical Collection 7*der*, 17 (Francois Merl), 33, 44, 57, 70, 73, 95, 109, 110, 179; J. Allan Cash 6*i*, 114, 182; et archive 8*s* & *i*, 91*izq* & *der*, 10*i*, 11*s*; Greg Evans 180; Derek Fell 1, 65, 80, 12*i*, 122, 123*der*, 124/5, 127; Peter Mc Hoy 16, 19, 20, 22, 28, 31, 32, 34, 35, 36, 37, 39, 41, 42, 45, 46, 47, 48, 49, 50, 52, 53, 55, 56, 58, 59*izq* & *der*, 61, 62, 63, 67, 71, 76, 78, 79, 81, 82, 85, 86, 87, 89, 90, 91, 92, 93, 96, 97, 98, 99, 102, 103, 105*s* & *i*, 106*s* & *i*, 111, 117, 123*izq*, 128, 135, 137, 186; Maggie Oster 115; Photo/Nats 43; Pictor 133, 188, 206; John Searle 11*der*; Holly H. Shimizu 118; Harry Smith Collection 23, 25, 26, 29, 30, 68, 74, 101, 104, 107, 119, 120, 121*i*, 129, 160*i*, 202*s*.

El resto de las fotografías han sido realizadas por Paul Forrester, Nelson Hargreaves y Chas Wilder.